Евгений Сухов

Я-ВОР
в законе

СТЕНКА НА СТЕНКУ

Москва
«АСТ-ПРЕСС»
2000

УДК 882
ББК 84(2Рос-Рус)6-44
С 91

Сухов Е.

С 91   Я — вор в законе: Стенка на стенку — М.: АСТ-
ПРЕСС, 2000. — 448 с.

ISBN 5—7805—0482—2

В бескомпромиссной борьбе за передел государственной собст-
венности схлестнулись интересы воровского сообщества и коррум-
пированных представителей нынешней российской номенклатуры.
На новом витке этой борьбы ставка сделана на крупный куш — под-
лежащий приватизации Балтийский торговый флот. В смертельную
игру оказываются вовлечены крупные государственные чиновники
и криминальные авторитеты северной столицы. Знаменитый воровской авторитет Варяг контролирует непростые события в Петербурге.
Теперь от исхода этих событий впрямую зависит судьба его бизнеса
в России и за рубежом.

УДК 882
ББК 84(2Рос-Рус)6-44

ISBN 5—7805—0482—2

Погода была дрянь. Утром с Финского залива потянуло холодком, и Санкт-Петербург погрузился в плотный туман, поглотивший золотой крест Исаакиевского собора. Бравая Петропавловская крепость сегодня напоминала тонущий фрегат, и ее игольчатый шпиль над усыпальницей Романовых был похож на мачту без парусов. Того и гляди набежавшая волна накроет ослабевший корабль и батюшка Посейдон с громовым ликованием нацепит на свой трезубец очередную израненную жертву... Город выглядел простуженным стариком и, глядя на фасады отсыревших зданий, казалось, что они способны огласить опустевшие улицы раскатистым чихом. Им бы накинуть непроницаемый макинтош, надеть калоши, а не торчать под проливным дождем, обнажив проржавленные плоские крыши.

Чиф стремительно вышел из подъезда, зябко передернул плечами и быстрым шагом направился к джипу «мицубиси-паджеро», старательно избегая разлившиеся по тротуару дождевые потоки. Сидящий в машине водитель — крепкий белобрысый парень лет двадцати пяти — загодя распахнул переднюю дверцу и с интересом наблюдал, как Чиф вприпрыжку преодолевает водную стихию, легко перебрасывая мощное тело над лужами.

— Зарядил дождина... чтоб его! — Чиф наконец добрался до машины и с удовольствием плюхнулся в мягкое кресло. — Как ни приеду в Питер, так все время гнилая погода! А может, здесь летом солнца и вовсе не бывает?

— Бывает, — улыбнулся водила, — а потом примета есть такая: если важные дела начинать в дождь, это всегда к удаче.

Водитель джипа был коренной питерец, и злословие московского вора по поводу сырой погоды в Санкт-Петербурге у него вызвало только невольную улыбку. Теперь он даже понимал недовольство Чифа, хотя еще не так давно сырое промозглое лето ему представлялось таким же естественным, как обильная роса в утренний погожий день.

— Это еще как посмотреть, — отрезал Чиф. На этот счет он имел собственное мнение.

— Куда теперь? — искоса поглядел водитель на помрачневшего шефа. Чифа явно пожирала какая-то невеселая думка, однако он не осмелился лезть с расспросами.

Саня Воронов при Чифе совмещал обязанности личного шофера и телохранителя. С обеими функциями он справлялся отменно. Чиф подцепил Саню во время одной «командировки» в Питер два года назад, когда случайно увидел парня в деле. Чиф зашел в стриптиз-бар «Белый лебедь» на Невском, который держал Моня Винт, его старый кореш еще по Владимирской пересылке, и стал невольным свидетелем забавной сценки. Рослый блондин — это и был Саня Воронов — вырубил двух бугаев-вышибал, решивших содрать с посетителя чересчур завышенную мзду, а тот, не будь дурачком, посчитал молодцам зубы своими пудовыми кулачищами. Чиф знаком дал понять выбежавшему из своего кабинета Моне Винту, чтоб молодого скандалиста не выбрасывали из кабака, а сам подсел к блондину, расположившемуся у стойки бара, и завел разговор как бы ни о чем. Слово за слово, он выведал, что Саня Воронов родом из Питера, недавно дембельнулся из морской пехоты, где

6

помимо общей боевой подготовки, получил корочки профессионального водилы и насобирал охапку призов за стрелковые достижения. Еще Саня мечтал осесть в Москве, где, по его представлениям, «все главные бабки крутятся». Чиф угостил Саню кружечкой «Туборга», а потом, прежде чем распрощаться, взял да и предложил ему работенку в этой самой Москве...

Сделавшись телохранителем Чифа, Воронов поменял питерскую прописку на московскую, однако всякий раз, когда возвращался в Питер, сердце его радостно замирало — так всегда случается, когда встречаешься с родными местами.

Чиф никогда не рассказывал охраннику-шоферу о целях своих деловых поездок. Вот и теперь Саня мог только гадать, чей приказ заставил Чифа оставить Москву и поспешить в северную столицу.

Он, конечно, кое-что и сам мог скумекать. Перед отъездом его вызвал Барон и, долго промурыжив за странным, путаным разговором, настрого приказал не спускать с Чифа глаз, предупредив, что за его целость и сохранность он, Саня, отвечает головой. В Питер они, по обыкновению, поехали «Красной стрелой» — эти путешествия в уюте и комфорте двухместного спального купе Саня обожал. Чиф, хоть и был хозяином, с Саней держался как отец родной. Финской водочкой потчевал, антрекотами кормил...

С самого утра, едва поезд причалил к перрону Московского вокзала, они заскочили в джип, который уже дожидался их на стоянке перед вокзалом, и помчались колесить по городу. Чиф только называл адреса, а Саня, не рассуждая, возил его. Остановились, как обычно, в «Прибалтийской», где весь персонал — от швейцара до администратора — встречал Чифа как президента европейской державы.

Эти гонки по городу продолжалось три дня. Саня поглядывал на вывески контор, к которым он подвозил босса, и мотал на ус: «Балтийское морское пароходство»... «Комитет по приватизации Ленинградской области»... «Мэрия Санкт-Петербурга»... Видать, беседы Чиф вел с птицами весьма высокого полета. Но, судя по лицу Чифа, дела у него пока что не шибко клеились. Он был мрачнее питерского туманного небосклона.

Вот и сегодня, похоже, визит Чифа в дирекцию городского грузового порта вышел полнейшим обломом. Саня бросил на него вопросительный взгляд в зеркало заднего вида: мол, теперь что?

— Все! Едем на Невский! — объявил Чиф. — Здесь мне делать больше нечего.

Негромко зафырчал двигатель, и его утробные звуки напоминали урчание сытого зверя. Саня, включив правый поворотник, отъехал от тротуара и бросил джип на скоростную полосу.

Чиф нервно покуривал, без нужды стряхивая пепел на пол салона. Сане не терпелось поделиться с шефом впечатлениями о вчерашнем удачном вечере, когда он сумел затащить к себе в гостиничный номер двух девиц и вытворял с ними такое, чего нельзя было почерпнуть даже из древних индийских трактатов о любовных утехах. Вспомнив вчерашний день, Саня невольно улыбнулся: да, он был в ударе, после стольких часов секса у всякого нормального человека возникало естественное стремление к недельному воздержанию... Но его уже сейчас распирало от похоти.

Однако угрюмое лицо Чифа не располагало к озорным рассказам, и Саня решил воздержаться от откровений. Можно было нарваться на такой свирепый прищур, какой и в страшном сне не увидать. Чиф умел так глянуть, что создавалось ощущение, будто внезапно налетела грозовая туча и погрузила весь мир во мрак.

Машин было мало — тихоходы не претендовали на левую полосу, и Саня понемногу наращивал скорость. Патрульная машина ГАИ стояла у самого перекрестка, и молоденький сержант с радаром в руке напоминал удалого шерифа, готового образумить любого лихача, хоть бы и на разгоряченном джипе.

Короткий взмах жезлом — Саня поймал глаза сержанта, полные свирепого ожидания, что машина тормознет и послушно прижмется к тротуару.

— Езжай вперед! — едва обернулся на милицейский патруль Чиф.

Саня недоуменно повел плечом, — ладно, мол, хозяин знает, что делает, и уверенно надавил на педаль газа. Позади запоздало рявкнул мегафон, призывая его остановиться, но тщетный призыв растаял в туманной мгле.

Минут десять ехали в полном молчании. Саня аккуратно останавливался на красный свет, пропуская нерасторопных прохожих. Чиф сунул два пальца в пачку сигарет и, обнаружив, что она пуста, злобно смял ее и вышвырнул за окно.

— Останови здесь — сигарет нужно купить. — Чиф показал взглядом на автобусную остановку, где, любовно прижавшись друг к дружке, выстроились несколько киосков.

— Хорошо, — отозвался Саня.

Джип резко вильнул вправо и притерся к бордюру.

— Посиди здесь, я сам...

Чиф распахнул дверцу, уверенно соскочил на тротуар и быстрым шагом направился к ближайшему киоску.

От нечего делать Саня привычно пялился на стройные ножки пробегавших мимо девчонок и разжигал свою буйную фантазию. Метрах в пяти от машины прошла длинноногая птаха лет восемнадцати — в легком плащишке, под которым виднелась цветастая юбочка, скорее напоминающая набедренную повязку, — и Саня подумал, что многое бы отдал за то, чтобы оказаться с ней наедине где-нибудь на тропическом пляже. Саня чуть нажал на сигнал, и клаксон призывно вякнул. Девица даже не удостоила нахала-водителя мимолетным взглядом, всем своим неприступным видом дав ему понять, что таких ухажеров у нее выше крыши... Тоже мне, фифа! — с обидой подумал Саня. Как будто привыкла разъезжать исключительно на «роллс-ройсах»! И вздохнул: кто знает, может быть, так оно и есть.

От созерцания прекрасной представительницы прекрасного пола Саню отвлек спокойный вопрос, прозвучавший как констатация факта:

— Александр Федорович Воронов? Что же это вы превышаете?

Саня вздрогнул и повернул голову. Он увидел гаишника-лейтенанта. Как это он, не заглянув в права, узнал его фамилию? Ловок...

— Понимаешь, начальник, ну не заметил я, как превысил. Потом эта тачка меньше чем на пятидесяти километрах просто не бегает. Ты посмотри на нее — это же зверь! Едва нажал на акселератор, так она просто дуреет — летит, ее не остановишь!

Лейтенант смотрел на него почти душевно:

— Что ж, с кем не бывает. Ваши права, пожалуйста.

Саня посмотрел в сторону табачного киоска. Чиф беззаботно приближался. Он распечатал пачку сигарет, привычно бросив прозрачную обертку под ноги. Приостановился малость, чтобы достать из кармана куртки зажигалку, прикурил и блаженно втянул в легкие дурманящий дым. Не обращая внимания на подъехавший сзади милицейский экипаж, он уверенно взялся за ручку двери.

— Аркадий Васильевич Ерохин? — Лейтенант мгновенно потерял интерес к водиле и вперил пристальный взгляд в Чифа. Саня заметил, как к Чифу со спины надвигались три сержанта с автоматами.

Лицо Чифа на мгновение напряглось — не каждый день законного вора узнают на улице чужого города, величают по имени и отчеству... От такой предупредительности всегда следует ждать одних только неприятностей. Но он быстро взял себя в руки.

— В чем дело, начальник? — На губах заиграла вежливая улыбка.

— Пройдемте к нам в машину, там все узнаете, — бросил лейтенант. Из-за спины Чифа вышли сержанты, поигрывая автоматами.

Лейтенант же продолжал внимательно изучать права Сани Воронова.

— Так, значит, признаете, что превысили скорость? — На губах гаишника скользнула едва заметная улыбка. Для Сани это был обнадеживающий знак. Может, все обойдется? Сунуть штуку в лапу — и делов-то...

— Ну послушай, начальник, с кем не бывает... Я эту трассу знаю неплохо. Я же питерский... раньше там никакого запрещающего знака не было.

— Что ж, на первый раз сделаю вам устное предупреждение, — строго проговорил лейтенант и протянул удостоверение.

— Начальник, да чтобы я когда-нибудь больше пятидесяти сделал! Да ни в жисть! — горячо заверил его Саня, быстро упрятав права в карман.

Он оглянулся и увидел, что Чифа уже плотно обступили трое автоматчиков и теснили его к милицейскому уазику.

— Командир, а в чем дело — почему моего пассажира забрал?! — Саня распахнул дверцу, чтобы спрыгнуть на дорогу.

— Воронок, стоять! — раздался короткий приказ. От прежней любезности лейтенанта не осталось и следа. — П...ц твоему шефу... Чифу...

Теперь Саня понял, что патруль остановил их не случайно. Лейтенант знал не только их имена, но даже клички. Наверняка к ГАИ эти ребята не имеют никакого отношения. Не нужно быть семи пядей во лбу, чтобы понять: их плотно пасли! Вот суки...

Ствол «макарова» больно внился в бок, и лейтенант со злорадной улыбкой продолжал сверлить его взглядом.

— В чем дело, лейтенант?

— Если дернешься, Воронок, пристрелю не раздумывая. При попытке оказать сопротивление. Чиф поедет с нами. И благодари Бога, что на тебя приказа не было!

— Не валяй дурочку, начальник, ты объяснить можешь? — Саня похолодел: смерть подкралась к нему вплотную.

— Не рыпайся, голуба! — улыбка на лице лейтенанта превратилась в мерзкую гримасу. Он выдернул ключ из замка зажигания и сунул его себе в карман. — Дуй отсюда!

— Начальник, а как я поеду?

— Не мне тебя учить, — хмыкнул лейтенант. — Ножками, ножками...

За поясом у Сани схоронился новенький «Зиг-Зауэр». Он мог бы выхватить его в одно движение, большим пальцем снять с предохранителя, но зачем? Уже в следующую секунду лейтенант все с той же наглой ухмылкой нажмет на спусковой крючок своего ПМа. Сгоревший порох выплюнет из короткого ствола свинцовую осу, и она, обрадовавшись предоставленной свободе, вопьется ему в живот и превратит кишки в кровавое месиво.

Боковым зрением Саня увидел, как на Чифа нацепили наручники и подтолкнули к задней дверце патрульного «уазика». Он попытался сопротивляться, но тут же здоровенный сержант, видно, не очень разбирающийся в воровских мастях, грубо ухватил Чифа за голову, сильно ударил его затылком о крышу «уазика» и втолкнул внутрь. Рядом с Чифом на сиденье плюхнулся второй сержант. Третий — огромный, будто борец сумо, — занял место напротив.

Только после этого лейтенант отступил от Сани на шаг, медленно воткнул пистолет в кобуру и заспешил к своим.

Часть I

Глава 1

Николай Валерьянович Чижевский, бывший полковник КГБ, в последние годы возглавляющий службу личной охраны Варяга, глухим, с хрипотцой, голосом доложил:

— Владислав Геннадьевич, как я и предполагал, нашто друг оказался засланным казачком.

Варяг нахмурился. Речь шла об Уколе — тридцатилетнем невысоком хмыре, который примерно месяц назад прибился к одной из московских бригад Варяга, охраняющей трехэтажный особняк «Госснабвооружения» на Рублевском шоссе. Укола сажали на дежурство за мониторы внешнего наблюдения, кроме того, он исполнял мелкие деловые поручения. Варяг и видел его всего раз или два, не больше. Но сразу обратил на него внимание: уж больно новичок оказался пронырливым, явно проявляя интерес к делам, которые его ни косвенно, ни прямо не касались. И Варяг поручил Николаю Валерьяновичу на всякий случай прощупать Укола на предмет гнильцы...

И вот, выходит, его подозрение оказалось небеспочвенным.

— И как же ты догадался, Николай Валерьянович?

Чижевский покачал седой, коротко стриженной головой и ухмыльнулся с нескрываемым самодовольством:

— Я не догадался, Владислав Геннадьевич, я это выяснил. Навел справки. Он дважды судим. Причем в тюрьмах Укол работал в качестве подсадного. Мне-то он сразу не понравился. Не могу объяснить почему... Профессиональное чутье, наверное. У меня еще со старых времен просто нюх на таких тварей! Точно ментовский кадр. И что будем с ним делать?

Владислав бросил на Чижевского вопросительный взгляд.

— А сам как считаешь?

Чижевский пригладил ладонью седой ежик.

— Сначала неплохо бы узнать, кто конкретно его к нам заслал, с какой целью, а дальше уж будем действовать по обстоятельствам.

— Тогда приступай. И немедленно!

— Понял, Владислав Геннадьевич. Как только этот гаврик появится на горизонте, я с ним побеседую...

— И вот еще что. — Варяг окинул взглядом комнату. Их беседа происходила дома у Чижевского — в квартире старой сталинской многоэтажки на Ленинском проспекте. — Укол ведь у тебя здесь бывал? Ты бы проверил все входы-выходы — мало ли что, может, он тут наследил?

Варяг нахмурился, снова вспомнив о главной своей заботе.

— А о Чифе по-прежнему ничего не слышно? Просто как в воду канул...

Чижевский только развел руками.

Чиф был гонцом Барона, посланным в Петербург для выяснения тамошней обстановки накануне приватизации государственного акционерного общества «Балтийский торговый флот». Администрация ГАО с ведома мэрии собиралась выставить на торги контрольный пакет акций безнадежно увязшего в долгах предприятия, но Варяг надеялся повернуть это дело по-своему — хапнуть все сто процентов и стать единоличным хозяином флота, насчитывающего полтора десятка сухогрузов и барж разной степени изношенности.

Мысль приобрести торговый флот пришла к Варягу давно — еще летом, когда начались неприятности в «Госснабвооружении». Теперь он снова вернулся к этой идее. Две недели назад по каналам компании Варягу удалось заключить выгодную неофициальную сделку — он договорился продать двенадцать ударных вертолетов Ми-24 в Югославию через трех посредников. В оформлении сделки помог его главный контрагент в Венгрии генерал Ласло Магнус. Новенькие вертолеты в разобранном виде должны были на трех «Русланах» доставить из Кемерово в Словакию, там их планировалось перегрузить на железнодорожные платформы и отправить в Венгрию, а уж оттуда в Сербию. Груз оформлялся под видом многопрофильных комбайнов. Но Варяг нервничал. Он опасался, что и эту поставку сорвут точно так же, как сорвали три предыдущие. Опасался потому, что в последнее время у него появилось подозрение, что против «Госснабвооружения» кто-то очень крупно играет.

Все началось с полгода назад, когда засветился канал поставок вооружений в Сирию и повязали всех его людей. А не далее как в прошлом месяце аналогичный случай произошел на прибалтийской границе — на аэродроме Пулково-3 был задержан транспортный самолет с грузом противотанковых мин: российские пограничники, видите ли, не поверили, что «Руслан» перевозит в Швецию стальные трубы. Варяг понимал, что проверка на пулковском таможенном посту, где каждый человечек от мала до велика был щедро подмазан, просто так, по чистой случайности, произойти не могла.

Но только теперь Варяг понял, что это была явная подстава. Заранее подготовленный прокол, направленный против него. Причем неизвестный противник был прекрасно осведомлен о всех его слабых местах.

К тому же в последнее время незримый враг начал активно подбираться к нему самому. Тревожное чувство опасности возникло у Варяга с месяц назад, когда пришло известие об убийстве Гнома. Гном, который контролировал крупные московские рынки и универмаги, был тертый калач, и запросто к нему подкатиться было невозможно. А тут... Его нашли с перерезанным горлом и изрубленной в клочья головой, словно его кромсал пьяный мясник. Но предварительно в Гнома стреляли. На убитом был бронежилет, а под жилетом обнаружились синяки величиной с кулак — значит, палили в Гнома почти в упор... Если он подпустил убийц так близко к себе, выходит, он с ними был хорошо знаком. После Гнома жертвой неизвестного «чистильщика» стали еще трое московских авторитетов, с которыми Варяг не один пуд соли съел и не одну пайку на зоне разделил. А вот теперь выяснилось, что Укол — подсадной...

Пора принимать меры. Последние события заставили Владислава крепко задуматься о создании мощной круговой обороны.

Правда, соображения личной безопасности, как всегда, отходили у Варяга на второй план: главное — дело. Тем более что на горизонте замаячила возможность влезть в приватизацию питерского «Балторгфлота». Раз прибалтийский воздушный коридор для экспорта оружия накрылся медным тазом, приобретение торгового флота приобрело исключительно важное значение. Тем более сейчас, когда неудачи преследовали его одна за другой. Упустить такой лакомый кусок Варяг никак не мог, просто не имел права!

Одно плохо — он не мог лично заняться этим делом: срочные оружейные контракты требовали, чтобы он оставался в столице неотлучно. Правда, в Питере у него был верный человек, которому он доверял безгранично и который мог бы стать его глазами и ушами. Гепард. Бывший спецназовец, в труднейшую пору его жизни, после побега с зоны, давший ему приют и помощь. Если бы не Гепард, Варягу ни за что не удалось бы выследить и уничтожить ссучившегося питерского пахана Сашку Шрама, спасти жену и сына, томившихся у Шрама в заложниках...

Они хоть и не виделись с полгода, Варяг не сомневался: Гепард поможет ему и на этот раз. И первое, что Гепарду предстоит сделать, — выяснить, куда запропастился Чиф. Уж не ведет ли этот хмырь двойную игру...

Варяг вытащил сотовый телефон и набрал питерский номер Гепарда.

Через три звонка трубку подняли. Подошла Любка — Гепардова телка. Она сообщила, что Егора нет дома — умотал куда-то за Урал, по своим делам. Когда вернется — бог его знает. Может, завтра, а может, и через две недели.

Так, тут облом. Варяг задумался. С подключением Гепарда придется повременить... Ну тогда надо выяснить лично у Барона, что там приключилось с его доверенным человеком. Да и самого Барона неплохо бы допросить с пристрастием. Варяг почему-то не доверял Барону, хотя и знал его не первый год. Чижевский, по его просьбе, пару лет назад копнул под Барона, узнал всю его подноготную — и про то, как тот начинал на родном Алтае, и как выбился в законники, и за каким хреном в Москву пожаловал пять лет назад. В прошлом у Барона все оказалось вполне чисто — никаких связей ни с ментами, ни с фээсбешниками, но люди в наше время резко меняются в кратчайшие сроки. И с Бароном досадная метаморфоза вполне могла произойти — да хоть три месяца назад. Во всяком случае, после загадочного исчезновения Чифа ждать нельзя больше — надо заняться Питером вплотную, решил Варяг.

А надежного человека, чтобы послать его в Питер, найдем и без Барона. Михалыч найдет.

Глава 2

Назар Кудрявцев имел красивое погоняло — Барон. Впрочем, если разобраться, в этом не было ничего удивительного, внешность у него была вполне соответствующая: высокий, статный, с ранней сединой, с величавыми, слегка медлительными жестами. Он производил впечатление завсегдатая самых модных тусовок столицы, человека, который знается с влиятельными людьми и для которого Государственная Дума — всего лишь карточный стол для хитроумного пасьянса. У него было дружелюбное лицо, с которого не сползала мягкая улыбка — казалось, на него работает целый штат умелых имиджмейкеров. Он представлялся реликтом давно ушедшего галантного века, когда в разгар отчаянного спора барон имярек улыбался смертельному врагу, а потом, в тенистом дворике, премило насаживал его на заточенный клинок. Этот московский Барон не ссорился никогда, тем более не повышал голоса, но из его больших черных глаз порой сквозило могильным холодом. На людей, впервые столкнувшихся с ним, он производил самое благоприятное впечатление: был обходителен и вежлив, и со стороны могло показаться, что для него не существовало большего интереса, чем дела его собеседника.

Люди, знавшие Барона получше, только кривились, глядя на его искусное лицедейство. Он любил поражать изысканными манерами, тихим вкрадчивым голосом. Барон держался так, будто свою родословную вел от столбовых дворян. На самом же деле Назар Кудрявцев был самого что ни на есть пролетарского происхождения: и дед, и отец его были алтайскими работягами. И если в нем и было что-то от русского аристократа, так это следовало связывать с прошлым его крепостной прабабки, которая в домашнем театре своего барина играла пресытившихся сладкой жизнью богатых куртизанок.

Но на самом деле Барон был холодным, расчетливым дельцом, не без разумной доли цинизма, и, что совершенно точно, мерилом жизненного успеха для него всегда были большие деньги. Людей, не сумевших сколотить себе приличного состояния, он презирал и считал безнадежными неудачниками.

Барон стал вором в законе, не отсидев и дня в тюрьме. Для прошлых лет событие неслыханное, но в нынешнее время оно не вызывало даже недоумения, и законные, по многу лет парившиеся в лагерях, воспринимали его как равного. Времена изменились безвозвратно.

Пять лет назад, еще находясь в своем родном Бийске, он купил себе воровскую «корону» за миллион баксов, доказав тем самым истину, что деньги в нашем мире играют главную роль. И на воровских региональных сходняках Барон вместе с такими же, как и он сам, составлял крепкий костяк, подчиняя своей воле ортодоксальных законных. Барон всегда поспешал туда, где пахло большими деньгами. Он имел особый нюх, заранее угадывая выгодные операции и хорошую прибыль чуял издалека, точно так же как комар чует живую горячую кровь. К собственной персоне Назар Кудрявцев относился уважительно, так что если бы он не стал вором, то непременно сделался бы банкиром. Впрочем, он и мечтал завести собственный банк и вложить накопленные деньги повыгоднее, чтобы они приносили постоянную многократную прибыль...

В воровскую среду Назар Курдявцев вошел давно, еще в те уж почти что легендарные времена, когда существовали гордые звания ударника коммунистического труда, а красный вымпел, словно эстафетная палочка, переходил от лучшего сверлильщика к лучшему заточнику. Он в ту пору работал в Бийске на местном химическом комбинате, где втихаря открыл цех по очистке химпрепаратов и еще один цех — по производству минеральных удобрений. О существовании обоих цехов, понятное дело, знали его местные покровители — те, кто носили на груди синих ангелов с крестами и исправно получали свои отчисления с оборота. Самое же смешное заключалось в том, что большинство рабочих в его подпольных цехах верили в романтические идеалы светлого будущего и не подозревали о том, что своим ударным трудом преумножают благосостояние алтайского миллионера.

Укрепившись в уголовном мире и поднакопив деньжат, Назар стал потихоньку скупать голоса законных, которые рады были дожить спокойно до ветхой старости на предоставленный пенсион и охотно отстаивали интересы своего нового благодетеля.

Алтайские воры справедливо считали, что Барон — самый богатый законный в их регионе. На Кипре он имел двухэтажную виллу, куда любил наведываться в самом начале лета, когда на острове еще не столь многолюдно и солнце не такое палящее. Был у него также небольшой домик под Сочи неподалеку от Дагомыса — сюда он любил приезжать весной, когда расцветают магнолии, а Черное море ласково шелестит о прибрежную гальку.

Ну и, разумеется, Барон имел солидный счет в одном из лихтенштейнских банков. Но туда поступали деньги от его личного бизнеса, покуситься на который не мог даже воровской сходняк. **На своем химкомбинате в Бийске Барон разливал водку.**

Назар Кудрявцев был удачлив. **Он понимал деньги и умел их делать,** поэтому на региональном сходняке ему было доверено контролировать все крупные финансовые операции. Во-первых, это были дела, связанные с нефтью, газопроводами и АЗС. Во-вторых, нелегальные алмазные прииски в Якутии. В-третьих, торговля оружием, которое тайно доставлялось из России в страны Латинской Америки, откуда тем же путем на сухогрузах шли наркотики, дававшие огромную прибыль.

В последние месяцы Барон стал присматриваться к рынку морских перевозок пристальнее. Его уже не интересовал временный фрахт отдельных судов, — он замахивался на большее. Главной его целью стала покупка торгового флота в десяток судов. Ни больше, ни меньше! Перспективы для его бизнеса, в случае удачного приобретения, открывались самые радужные. Главное преимущество заключалось в том, что, став владельцем целого флота, он уже больше не будет оглядываться на большого дядю — армию алчных чиновников, от чьей подписи на документе зависит успех любой коммерческой операции. Зная это, аппаратчики наглели год от года, и если еще десять лет назад Барон мог купить любого из них с потрохами за каких-нибудь пять «штук», то нынче счет шел уже на «лимоны». И отнюдь не рублей... Ставки в игре поднялись соответственно с размером выигрыша. На кон теперь ставились не какие-то занюханные сахарные заводики в областных центрах, а крупнейшие энергетические компании, алюминиевые комбинаты, угольные разрезы и — грузовые флоты... Вроде того, на который положил свой завидущий глаз Барон.

ГАО «Балторгфлот», на чьем балансе находилось пятнадцать сухогрузов и океанских барж, больше напоминало утлое суденышко в двенадцатибалльный шторм, брошенное навстречу коварным рифам. Барон загодя, через Чифа, навел кое-какие справки. Дела компании были из рук вон плохи. Старые номенклатурные начальники загубили всю коммерцию, набрали кучу контрактов на фрахт своих порядком изношенных судов, но почти все их запороли и выплатили заказчикам многомиллионные неустойки. Восемь судов, находившихся в плаванье, были подвергнуты аресту в зарубежных портах за долги. И вот наконец городские начальники сподобились принять стратегическое решение — акции «Балтийского торгового флота», разбив на десять пакетов, выставили на конкурсную продажу. А на контрольный пакет, говоря современным языком, объявили тендер — кто даст больше.

Но выкупить главный пакет акций, даже с его многомиллионным лихтенштейнским счетом, Барону было совершенно не под силу, и поэтому он вынужден был обратиться за помощью к алтайским друзьям. Впервые он обнародовал свою идею на региональном сходняке, красноречиво расписав перспективы международной морской торговли. С минуту в банкетном зале ресторана «Алтай» длилась пауза — как бывает в театре «Ла Скала», после того как ведущий тенор завершает партию на верхней «ля». Поразмыслить ворам было над чем — такой лакомый кусок в алтайский общак не попадал никогда. И один за другим воры поддержали Барона. Несмотря на то что овации Назар Кудрявцев не сорвал, он добился главного: получить из общака деньги для совершения сделки. К тому же четкими аргументами он сумел убедить сходняк, что из будущего пирога он лично должен получить значительный кусман, который пойдет не ему в карман, а на расширение морского бизнеса. В этом пункте у Барона был свой корыстный интерес: деньжата должны были пойти не только на ремонт старых и приобретение новых судов, но и на покупку очередной виллы где-нибудь в княжестве Монако.

Но на этом пути его сразу же ожидали непредвиденные препятствия. Вся беда заключалась в том, что он, несмотря на свое влияние, никак не мог отыскать золотой ключик, который распахнул бы ему заветную дверцу к «Балторгфлоту». Барон поначалу пробовал купить компанию до тендера — подобные дела для него были не в новинку: ему не раз приходилось приобретать приватизируемые заводы. Но сейчас всех его миллионов — даже с учетом алтайской ссуды — ему явно не хватало: за контрольный пакет питерские господа-товарищи назначили двести «лимонов»! И это была лишь начальная цена. Придя к выводу, что в одиночку ему ни за что не осилить покупку флота, Барон посвятил в это дело крупнейших московских воров — в первую очередь Варяга и Михалыча. И заручившись их поддержкой, в том числе и финансовой, послал в Питер Чифа, с которым еще в Бийске начинал нефтяные дела.

В Москву Чиф обещался вернуться через неделю. Максимум через две. Последний телефонный разговор с ним был очень странным и даже каким-то настораживающим — похоже, Чиф чего-то недоговаривал, а может быть, даже наоборот, чего-то опасался, хотя это было не в его характере. Барон знал Чифа пять лет: в любые заварушки Чиф привык лезть с поднятым забралом, и вряд ли он оробел на этот раз. Но даже его голос по телефону показался Барону напряженным, как будто Чиф разговаривал с ним под дулом пистолета. Но с момента последнего разговора прошло уже дня три. Чиф сообщил, что был в офисе «Балторгфлота» и что там не все так просто, как могло показаться на первый взгляд. По коридорам компании разгуливала масса темных личностей. По наблюдениям Чифа, у них не могло быть таких денег, какими располагали московские воры, но держались они солидно. И, что самое странное, ему пока не удалось выяснить, кто за ними стоит. Эти молодчики, как к себе домой, входили в кабинет генерального директора компании и держались так, будто у них в долгу даже вахтеры. Чиф говорил о том, что пытался навести о них справки, но то, что он узнал, в высшей степени подозрительно и требовало перепроверки. Чиф обещал прилететь утренним рейсом в среду, однако он не появился ни в среду вечером, ни в четверг. А сегодня, через неделю после его исчезновения, Барон узнал, что Чифа нашли с перерезанным горлом на одной из городских свалок Санкт-Петербурга недалеко от грузового порта.

* * *

Переехав в столицу, Назар выстроил себе дом в Подмосковье — он никогда не любил уличной суматохи, не по душе ему были и лавины автомобилей, захлестнувшие московские улицы. С недавнего времени он предпочитал покой, может быть, оттого частенько запирался в четырех стенах.

Его подмосковный особняк был точной копией старинного французского шато, который ему как-то приглянулся во время одной деловой поездки по Европе. Правда, «начинка» в нем была не средневековая, а самая что ни на есть ультрасовременная — с сауной, большим крытым бассейном и многими прибамбасами, делавшими его жизнь комфортной и приятной. Единственное, от чего не стал отказываться Барон, так это от глубокого подвала — сродни тем, в которых маркизы и виконты хранили бочки с родовым вином или запирали своих нерадивых слуг.

За неимением коллекции фамильного вина Назар Кудрявцев держал у себя в подвале узников. Замечательная получилась подземная тюрьма. Случалось, что в нее бросали строптивых должников, а то и воров, приговоренных сходняком к наказанию. Здесь же, в мрачном каземате Барона, находили свой бесславный конец отъявленные мерзавцы, посмевшие ослушаться приказа хозяина.

В этот раз у него в доме был один гость, жить которому оставалось всего лишь несколько часов.

От внешнего мира Барон оградился высокой кирпичной стеной, пропустив по самому верху два ряда колючей проволоки. Такую преграду могли преодолеть разве что японские ниндзя, каковых в России не водилось, а потому хозяин мог чувствовать себя здесь в полнейшей безопасности.

Высокие стены были удобны еще и тем, что не пропускали через многометровую толщу ни малейшего звука, так что снаружи существование Барона для его соседей казалось таким же загадочным, как жизнь на Марсе.

В камине тихо потрескивали поленья. Барон любил огонь не за тепло, а за уют, который согревал душу. В мерцающем пламени таилась какая-то необъяснимая магическая сила, приковывавшая взгляд. Наверное, не случайно, что на заре человеческой цивилизации огонь играл важнейшую роль. Магией полыхающего костра люди пользовались и в более поздние времена, так, например, когда олимпийцы древности при его свете проводили спортивные соревнования, а в средние века инквизиция приговаривала еретиков к смерти на костре. Но самых больших чудес добились шаманы северных народностей. Для них огонь был таким же инструментом, как для пианиста рояль или как для заклинателя змей — флейта. Пламя возгоралось при яростном нашептывании и могло потухнуть — стоило лишь произнести магическое слово. Однажды Барон был свидетелем подобного чуда, когда по решению сходняка провел целый месяц в глухой сибирской деревушке, пытаясь разработать заброшенный прииск. Огонь в печи внезапно потух, едва в комнату ввалился кряжистый низкорослый якут лет шестидесяти. И на все усилия хозяйки растопить печь он едва улыбался в жиденькую бороденку. А потом, точно сжалившись над хозяйкой, произнес:

— Боится меня огонь, однако, потому и не горит!

Тогда трудно было понять — правда это или нет, но едва старик вывалился за порог, как истлевшие головешки вспыхнули сами собой.

Вот и не верь после всего этого в мистику...

Барон растер руки: ну, кажется согрелся. Теперь можно было продолжить прерванный разговор. Он нажал кнопку переговорника и негромко произнес:

— Приведите его, я хочу с ним потолковать.

Через несколько минут двое крепких парней ввели в комнату человека с мешком на голове и со связанными за спиной руками.

— Снимите мешок. Посмотрим, как он выглядит.

Пацаны тотчас исполнили приказание, сбросив грязную холщовку на дубовый паркет. Они служили у Барона уже второй год и знакомы были со всеми его привычками — сейчас хозяин был явно не в духе, и они старались действовать посноровистее. Назар ценил их за два важных качества — немногословие и безукоризненную исполнительность. И, само собой, за надежность: в случае чего их хлебальники прочно запирались на замок.

Перед Бароном стоял Саня Воронов—Воронок.

— Ну, продолжим нашу беседу, дружище. Меня все время не покидает чувство, что ты все ж таки чего-то не договариваешь, — почти ласково начал Барон. Чем больше он злился, тем обворожительнее была его улыбка. Барон словно задался целью поразить своего пленника обаянием.

Лицо у Воронка было разбито в кровь, разорванные губы опухли, щелочки глаз едва просматривались из-за синих мешков кровоподтеков.

— Ты напрасно на меня полкана спустил, Барон, я тебе рассказал все, как было, — с трудом разлепляя губы, простонал Саня.

— И все-таки я хочу снова все это услышать, дружище. Как же это ты лопухнулся на ровном месте? Они что, вытолкнули вас из машины?

— Я тебе уже все рассказал... — В глухом голосе Сани звучало глубокое уныние, помноженное на безразличие к собственной незавидной судьбе. — Чиф пошел за сигаретами, а менты перехватили его на обратном пути.

— Любезный, а сам-то ты где в это время находился? Разве тебе платят не за то, чтобы ты был тенью хозяина и шел за ним даже в ад? Или тебя положили мордой на асфальт?

— Я не мог ничего поделать, потому что стоял под стволом!

— Ладно. Ну а куда заходил Чиф, с кем виделся — ты мне можешь сказать?

— Он никогда не рассказывал мне о делах. Но мне показалось, что в тот день он был чем-то озабочен.

— Голубчик, а разве вы не вместе ходили в контору? — продолжал улыбаться Назар Кудрявцев.

— Нет. Я хотел было пойти с ним, но он сказал, что в этом нет нужды... Мне пришлось остаться в машине.

Барон глянул на рослых парней, стоящих немного позади Сани. Молодцы были выдрессированы на славу и никогда не терзались угрызениями совести: по их лицам было видно, что они готовы сделать со своей очередной жертвой что угодно — живым затолкать в полыхающий камин или разрезать в лапшу.

Барон перевел взгляд на Саню Воронова. Судя по всему, он действительно ни о чем не ведал: его палачи умели работать и наверняка отыскали бы способ, чтобы выбить из него даже ничтожнейшую информацию.

— Ты, Саня, прекрасно знаешь правила нашей игры. — В этот раз улыбка у Барона вышла не особенно веселой. — По твоей вине погиб вор, мой человек, а таких промахов мы не прощаем никому. Ты посмотри, что с ним сделали, — и Барон бросил на стол пачку фотографий.

Саня протянул дрожащую руку к веером рассыпавшимся на столе снимкам, но все и так было видно. Конечно же это Чиф! Он лежал на каком-то пустыре, среди вороха тряпья и обрывков газет, ржавых консервных банок и разбитых бутылок. Невозможно было представить, что свой жизненный путь сильный, самоуверенный Чиф завершит не в роскошной спальне, под сердобольными взглядами близких, а на вонючей городской свалке, где единственными его соседями станут оголодавшие крысы. Глаза у Чифа были закрыты, будто он спал, вот только выбрал не самое удачное место для отдыха. Но он спал вечным сном, о чем красноречиво свидетельствовала тонкая длинная рана, вспахавшая ему глотку...

Барон с интересом наблюдал за реакцией Воронка: его рука дернулась, будто от удара хлыста. Такое не отрепетируешь! Нет, определенно, парень знать не знал, чем завершится вояж Чифа в Питер. Жаль его будет терять, но другого выхода нет. Если не он навел ментов на Чифа, то провинился уже тем, что не смог вырвать его из ментовской ловушки.

Языки пламени в камине весело подрагивали, они были такими же ярко-красными, как пролитая кровь. Созерцание пламени натолкнуло Барона на новые невеселые размышления.

— Не понравился пейзаж? — поинтересовался Барон. — Мне, знаешь ли, тоже очень не по душе эта картина.

— Послушай, Барон, — заныл Саня, — как тебе доказать, что я тут ни при чем...

— А доказывать ничего и не надо, дружище, — радостно объявил Барон, — для меня и так все ясно: ты не виноват. Отведите его вниз, — обратился он к молчаливым пацанам. — Пусть отдохнет!

Привидения в старинных замках — дело самое привычное. Чаще всего они появляются после полуночи и безликими светлыми тенями бродят по лестницам и коридорам.

Хозяева замков исстари относились уважительно к привидениям еще и потому, что считали своих далеких предков безнадежными грешниками: ведь они были способны заживо замуровать в стену своего вассала только потому, что тому приглянулась его молоденькая красавица-жена.

Назар Кудрявцев привидений не боялся, и поэтому в своем подвале он уже забетонировал четыре трупа. Сашке Воронову предстояло стать пятым.

Глава 3

Барон порылся в гардеробе и решил надеть свой выходной костюм в светло-серую полоску. К нему полагалась белая рубашка и галстук. Здесь Назар испытал некоторую трудность — так было всегда при выборе этой детали туалета. Мужчины и женщины неизменно обращают внимание именно на галстук, а особенно на то, как он завязан. Назар остановил свой выбор на бежевом галстуке с крошечными гербами какого-то рыцарского клана. Так тщательно он одевался в тех случаях, когда настроение было дрянь.

Неожиданно для самого себя он осознал, что из ровного душевного состояния его выбила именно гибель Чифа. К тому же ему предстояло непростое объяснение с Варягом, что тоже не прибавляло радости. Встреча со смотрящим России должна была состояться у Михалыча.

Назар подошел к огромному, почти под потолок, зеркалу. Его внешний вид был безукоризнен, продуман до малейших деталей. Очень элегантно смотрелся и бежевый платок, выглядывающий из верхнего кармана пиджака. Если бы не знать, что родом Назар происходил из алтайских рабочих, то можно было бы предположить, что он отпрыск древних дворянских фамилий.

Барон посмотрел на часы: стрелки «Ролекса» показывали четырнадцать тридцать. Самое время. Опаздывать на встречу с Варягом не полагалось, впрочем, являться раньше назначенного времени также считалось дурным тоном.

Назар спустился во двор. Витек, водитель, уже дожидался возле «мерседеса», лениво дымя дорогой сигарой. Его вполне можно было бы принять за владельца роскошного автомобиля. Вообще у всех холуев есть одна родовая черта — перед непосвященными они любят выглядеть барами.

На появление Барона слуга отреагировал мгновенно: отшвырнул подальше огрызок сигары и распахнул заднюю дверцу.

— Пожалуйста, Назар Викторович!

— Не напрягайся, — отмахнулся Барон, — я поеду один, — и провалился в мягкое удобное кресло.

Движок уже урчал, оставалось только переключить скорость и плавно надавить на газ. Барон нащупал педаль.

* * *

Михалыч обитал в собственном доме, притаившемся на безлюдном островке в Серебряном бору. Раз в месяц к этому особнячку подъезжал небольшой банковский грузовичок с бронированным кузовом. Дом Михалыча использовался как перевалочная база. Отсюда общаковские денежки уплывали за рубеж и перевоплощались в шикарные отели и бензозаправки, приносящие солидный доход, а также тоненькими ручейками растекались по многочисленным зонам для разогрева братвы и подкупа чиновников. В охране у Михалыча служили не бессловесные холуи, а доверенные люди московского сходняка. На них возлагалась охрана дома и общаковских денег. В случае надобности они могли проводить гостей не только до дверей, случалось — до могилы. Пацаны были преданы Михалычу, но если бы обнаружилось, что старик надумал покуситься на святая святых — общак, то и его незамедлительно прирезали бы: несмотря на христианское вероисповедание, в глубине души эти братки были язычниками, потому что являлись жрецами воровского идола.

Барон почувствовал себя очень неуютно под пристальными взглядами этих служителей культа. Они взирали на него так, как будто он пришел с единственным желанием отщипнуть из казны небольшой кусочек для личных нужд. И только когда ворота захлопнулись и охранники остались позади, он облегченно перевел дух.

Михалыч оставался для многих загадкой. Он сделался законным еще в сталинские времена, впрочем, казалось, что еще и до рождества Христова потрошил карманы у доверчивых назарян. Поговаривали, что в молодости он был очень дерзким и занозистым вором, бесшабашно грабил почтовые поезда, совершал налеты на сберкассы и при этом никогда не прятал лица под маскарадную маску. И в память об удалом прошлом на подбородке у Михалыча остался широкий кривой шрам. Правда, находились воры, которые утверждали, что получил он его в то время, когда был правой рукой в шайке у Матвея Лома. Все дело было в том, что Лом жил с воровкой Нинкой Лысухой, которая тайком делила свою любовь с красивым молодым подельником Лома. Однажды, заподозрив любовницу в измене, он явился в самый неподходящий момент, когда Михалыч гарцевал на девице победителем и, спасаясь от хозяйского гнева, выпрыгнул со второго этажа и ободрал лицо о торчащий из стены крюк. Как бы там ни было, но смелости и лихости Михалычу было не занимать, и даже в старости его взгляд таил в себе что-то злодейское. Вполне можно было поверить, что такими глазами можно остановить даже взбесившуюся лошадь.

Он был один из тех, кто стоял у истоков воровского закона, кто создавал неписаные правила, которые соблюдались куда более четко, чем статьи уголовного кодекса. Михалыч был не только хранителем общака, что само по себе требует человека незапятнанного, чистого, как стакан с водкой, но еще и создателем капища, где сам он исполнял роль главного жреца и прорицателя.

Несмотря на свой далеко не юношеский возраст, Михалыч участвовал практически во всех региональных сходняках, где частенько председательствовал. И незаметно так, стараясь особенно не докучать чрезмерно ретивой молодежи, с терпеливостью опытного садовника прививал к их занозистым душам полузабытые воровские традиции. Он знал, что подобная процедура не проходит бесследно: пройдет совсем немного времени — и привитый дичок принесет сладкие плоды.

Михалыч принимал гостей всегда в одной и той же комнате, скромно называя ее своим кабинетом. Хотя этот «кабинет» больше походил на какой-нибудь зал неплохого музея живописи: на стенах висели полотна Айвазовского, Репина, Боровиковского. В доме у Михалыча все было настоящее, и поэтому ни у кого никогда не возникало сомнений в подлинности этих картин. Если здесь что-то и напоминало кабинет, так это широкий крепкий стол красного дерева, за которым, по заверениям хозяина дома, сиживал последний император династии Романовых.

В этот раз Михалыч пренебрег традицией — он проводил Барона в комнату поменьше, где вдоль трех стен стояли стеллажи с книгами, а в самом углу, у окна, возвышалась настоящая греческая амфора. Человеку, впервые попавшему сюда, могло показаться, что эта комната — обитель кабинетного ученого, но никак не старого вора в законе и хранителя московского общака.

Барон, как только вошел в комнатку, тотчас заметил в дальнем углу светловолосого крепкого мужчину, сидящего в кресле за низким столиком. Это был Варяг. Барон не видел смотрящего России уж год с лишком. Он много слыхал про головокружительную одиссею Варяга, начавшуюся с его ареста в Америке и доставки в Россию, а закончившуюся загадочным побегом с зоны и возвращением в Москву. В воровской среде о последних подвигах Варяга ходили глухие разговоры — кто-то удивлялся тому, как легко отделался смотрящий России от ментовской погони и мести, а кто-то подбрасывал мыслишку, что, может, не все оно так с Варягом гладко, может, он не так безупречен, а втихаря клюет с двух рук... Барон не верил этим сплетням, но и для сомнений были все основания.

Варяг привстал, протянул пятерню. Барон сдержанно пожал руку и кивнул. Следом зашел Михалыч. Он тут же расположился в продавленном старехоньком кресле слева от Варяга и жестом указал Барону на стул. Тот отметил про себя, что Михалыч не пригласил его занять третье кожаное кресло за столиком и, сочтя это за оскорбление, сжал губы. Ладно, старик, подумал Барон, я тебе все припомню!

Михалыч потянулся к стеллажу за спиной и выудил из-за книг темную бутылочку и три низенькие пузатенькие рюмочки.

— Тут такое дело, — невесело начал Барон после того, как Михалыч разлил коньячок в рюмочки. — Чифа больше нет. Его позавчера нашли с перерезанным горлом на одной из питерских помоек. Рядом с грузовым портом.

— Ты опоздал со своим сообщением на сутки, — строго произнес Варяг. — Сказать по правде, я думал, что ты появишься значительно раньше. Чего же ты выжидал?

Барон не выдержал пронзительного взгляда Варяга и опустил глаза.

— Надо было все проверить...

Варяг недовольно мотнул головой, точно отгонял назойливую муху.

— Значит, у нас пока нет никакой информации. Притом что по твоей просьбе мы выдали Чифу триста тысяч долларов на обработку заинтересованных лиц, — Варяг криво усмехнулся. — А дело не продвинулось ни на шаг. Не кажется ли тебе, Барон, что твоя затея слишком дорого нам обходится?

Барон заерзал на стуле. Рука у него задрожала, и, поспешно осушив рюмочку, он поставил ее на столик.

— Тут просто какая-то чертовщина! Стоило мне только найти людей, согласившихся посодействовать, как они тут же исчезли. Большая часть этих денег ушла на взятки.

— Выходит, эти деньги выброшены на ветер! — недобро ощерился Михалыч. — Ведь нет Чифа — нет и тех, кому он давал...

— Тут совсем другое, — запротестовал Барон. — Их устранили. Двоих прирезали точно так же, как Чифа. И что самое странное, никаких следов. Я пробовал наводить справки по своим каналам, однако все бесполезно. Поверь мне, Михалыч, я не на печке лежал. Мы сумели почти вплотную подкатиться к горкомимуществу. Человек, который обещал нам посодействовать, близкий друг председателя комитета. Это посредничество обошлось Чифу почти в сто тысяч долларов. Но за день до того, как все должно было решиться, человек умер. Сердечный приступ. Ну что поделаешь! Невезуха!

— Скажу тебе, Назар, все это мне не нравится, — заметил Варяг. — Неделя прошла — а результат равен нулю. Твой человек вышел на каких-то людей... Их прирезали... Другой умер. Это какие-то сказки. Я предпочитаю иметь дело с реальным противником. Уж если ввязываться в драку — так чтоб стенка на стенку. А бой с тенью меня нисколько не вдохновляет. Если так дело пойдет и дальше — вернешь нам бабки, триста штук баксов, и поставим на этом деле точку.

У Барона побледнело лицо.

— Владислав, мне нужно совсем немного времени. — В его голосе появились нотки мольбы. — Я найду концы. Дело уже сдвинулось с мертвой точки! Я вышел на нужных людей.

И тут Барон понял, что придется выложить им секретную информацию, которую ему успел-таки сообщить Чиф до своего исчезновения. Иначе все могло рухнуть.

— Мне известно, от кого зависит решение о приоритете на тендер. Их фактически двое — председатель комитета по приватизации городской думы и председатель горкомимущества. К ним и надо искать ходы...

Но Варяг был неумолим. Он уже принял решение. Собственно, это решение он принял еще три дня назад, когда понял, что Чиф засыпался. Надо послать в Питер своего человека, надежного человека. А Барона надо от этого пирога отогнать! Неожиданно он получил поддержку у Михалыча.

— Мое мнение таково! — грозно начал старик. — Всякий риск должен быть оправдан. Общак не резиновый. Мы не можем вкладывать деньги в проекты, обреченные на провал. Наша организация — не фонд Сороса, мы филантропией не занимаемся. И потом — кто-то ведь должен отвечать за убытки!

Михалыч выжидательно посмотрел на Барона. Тот выдержал нацеленный взгляд, вспомнив о недавнем разговоре с Саней Вороновым.

— Не мне тебе говорить, сам знаешь, за подобные промахи мы всегда спрашиваем очень строго, — продолжал Михалыч.

Весомее сказать было невозможно, и Барон почувствовал внутри неприятный холодок.

— Михалыч, Варяг... дайте мне шанс. Это моя идея, и я хочу довести ее до конца, чего бы мне это ни стоило... Если суждено прострелить себе голову, я пойду и на это, но пасовать перед кем-то я не стану. Я найду тех людей, которые играют против нас. Неужели мы отступим? Ведь речь идет о целом флоте! Шутка ли!

— Правильно, Барон, — проговорил Варяг, изобразив губами нечто похожее на улыбку. — Мы не отступим. Тем более что деньги уже пущены в дело. Три сотни штук — сумма не бог весть какая, но обидно ее просто так выбросить... Мы должны найти этих ублюдков, кто нам ломает игру...

— Я делаю все, что в моих силах, — заторопился Барон, — но иногда мне кажется, что против нас там работают люди из ФСБ с большими звездами. Взять историю с Чифом — уж слишком грамотно его повязали!

— На чем основаны твои подозрения? — спросил Варяг.

— А вот послушай, Владислав, как только важный чиновник обещает нам поддержку при покупке контрольного пакета, так его сразу находят мертвым на собственной даче. Вместо него назначается другой, который сторонится Чифа, как чумы, и окружает себя профессиональной охраной, которой позавидовал бы президент Соединенных Штатов. Я не исключаю того, что кто-нибудь из городской верхушки решил поучаствовать в этой приватизации.

— И кто же? — заинтересовался Варяг. — Значит, все-таки стенка на стенку, а, Барон?

Барон немного повеселел: разговор, принявший было очень крутой характер, вновь свернул в колею дружелюбного базара.

— Похоже на то, Владислав. Похоже, что Балтийский флот хотят приватизировать отцы города!

Варяг рассмеялся от души.

— Это на какие же шиши? Ну я допускаю, что мэр что-то там имеет слева. В бюджете города крутятся хорошие бабки, но я очень сомневаюсь, что питерский голова сумел за эти годы скопить двести «лимонов», чтобы выложить их за контрольный пакет! И кроме того как он купит акции? Ему по закону не положено заниматься коммерцией!

— А дети, жена, родственники жены? — усмехнулся Барон. — Ты же знаешь, Владислав, как это сейчас делается на Руси! Сам-то мэр, ясное дело, на свою официальную зарплату даже «шкоду-фелицию» себе не может купить. Но ведь у него наверняка есть сынок или племянник — эти-то ребятки, поди, капиталами ворочают не меньше наших...

— Сынки-племянники, говоришь? — Варяг посмотрел на Михалыча. — Ну ладно, а ты, аксакал, что скажешь? Кто положил глаз на флот? Эфэсбешные генералы? Или отцы и дети города?

Михалыч задумался. Он неторопливо надорвал пачку сигарет, почти любовно размял слежавшейся табак большим и указательным пальцами и, небрежно чиркнув зажигалкой, прикурил. Получилось все очень красиво. Михалыч никогда не затягивался, так сказать, берег здоровье. Так случилось и сейчас — он набрал в рот дыма и пустил неровное серое колечко, которое, поднимаясь вверх, понемногу теряло свои очертания, пока наконец не растворилось совсем, оставив после себя ароматный запах.

— Знаешь, Владик, а я ведь тоже понаблюдал за этой компанией.— Михалыч вдруг потерял интерес к сигарете и притушил огонек о край фарфоровой пепельницы. — И мне удалось кое-что выяснить... Там многое кажется странным.

Двадцать лет назад на одной «малине» Михалыч, тогда еще крепкий пятидесятилетний мужик, познакомился с красивой девицей со сказочным именем Алиса. Кроме молодости, безупречной фигуры и очень наивных, величиной с блюдце голубых глаз, она обладала звонким грудным голоском, и ее чистенькая опрятная фигурка больше подходила для домохозяйки, опекающей кучу малолетних детей. Трудно было поверить, что женщина с такой ангельской внешностью могла быть опытнейшей наводчицей-домушницей. Она влюбила в себя Михалыча крепко, и он, в то время держатель городского общака, запустил в казну лапу, чтобы смотаться с красавицей в Ялту и попотчевать ее в шикарных ресторанах дорогими блюдами под знатную выпивку.

Это был поступок, которого он втайне стыдился и по сей день. Узнай о таком факте воры, так могли бы не только отрубить ему блудливые ручонки, но и башку оттяпать. Алиса, высосав из Михалыча все деньги, исчезла в Зазеркалье так же неожиданно, как и появилась.

Сначала Михалыч хотел сдаться на милость воровской братии и рассказать без утайки о грешке, но, поразмыслив, решил не делать этого. Смерть — хрен с ней, а вот бесчестие пострашнее всего. Воры не стали бы даже хоронить ссученного, как того требовали понятия, а просто прикопали бы покойничка где-нибудь под обрывом и разошлись бы молча.

Когда он уже подумывал затянуть на шее удавку, к нему на улице подошел молодой мужчина лет тридцати. Он представился майором КГБ и, не таясь, рассказал о том, что уже полгода «ведет» Михалыча и знает о его грешке. Майор ненавязчиво предложил финансовую помощь, разумеется, за небольшую услугу. Михалыч тогда до предела напрягся. Но майор позволил расслабиться, сообщив, что ему требуется «компра» на начальника колонии строгого режима, в которой Михалыч чалился в последний раз. Михалыч тогда едва не расцеловал гэбешника, потому как готов был сдать всех хозяев тюрем и колоний, где отбывал срока, и очень сожалел, что под статью придется подставить только одного барина.

В дальнейшем майор не однажды спасал Михалыча от многих неприятностей. Это знакомство скоро переросло в нечто вроде дружбы, а в последнее время их отношения стали просто доверительными: и теперь уже Михалыча можно было бы назвать благодетелем кадрового кэгэбешника, который сумел дорасти до генерала. Именно его Михалыч и попросил дать информацию о ГАО «Балтийский торговый флот», а главное, о тех людях, которые на него позарились. Но, к удивлению законного, никакого компромата на компанию не обнаружилось, ничего не было известно и о ее «крыше». Однако Михалыч нутром чувствовал, что здесь кроется что-то серьезное. В своих предчувствиях он никогда не ошибался и полагался на интуицию не меньше, чем на полученную информацию...

— Люди из ФСБ в приватизации флота не участвуют, — продолжал Михалыч, задумчиво любуясь струйкой дыма, поднявшейся от притушенной сигареты. — И мэр туда не лезет.

— Не могу тебе не поверить, — послушно согласился Барон.

— Я не знаю, кто там химичит, но мы должны их достать. Свою поддержку я тебе гарантирую, но деньги ты получишь только в случае стопроцентного успеха. На подготовку будешь сам тратиться.

— Спасибо, Михалыч, я знал, что ты поймешь меня.

— Ты уж постарайся в этот раз, — смежил веки Михалыч. Барон понял, что аудиенция закончена.

Он одним глотком выпил остатки коньяка и встал.

— Да, кстати, Назар, — Варяг тоже встал и загородил дверь. — Кого ты собираешься отправить в Питер?

Барон застыл. Вопрос застал его врасплох. О самом главном он еще не подумал. И Варяг, не дожидаясь ответа, произнес веско:

— Лучше всех для этого подходит Филат. Он и поедет.

Глава 4

Филат стоял в ванне под обжигающе колючими струями холодного душа, а когда наконец утреннюю истому смыло потоками воды, он понял, что готов к очередному трудовому дню. Он энергично растер спину и плечи полотенцем, так что кожа попунцовела, и, выйдя в коридор, еще голый, набрал телефонный номер.

Несмотря на ранний час, трубку подняли почти мгновенно. Похоже, его звонка ожидали с нетерпением.

— Выезжай, захвати с собой походный набор...

— Что-то серьезное? — напрягся Филат.

— Нет, просто намечается поездка дня на три-четыре. В Питер.

— Еду!

Михалыч обращался к нему за помощью только в безвыходных ситуациях. Филат был для старого вора вроде врача «скорой помощи», — мастера на все руки, который обязан быть и опытным хирургом, чтобы штопать рваные раны, и умелым акушером, чтобы принять досрочного младенца, и даже немного священником, чтобы с миром отпустить на вечный покой покаянную душу. Последнее Филат делал особенно успешно.

Прежде главная его обязанность заключалась в том, чтобы за определенный процент выколачивать деньги с должников. Для подобной операции мало было иметь внушительный рост и крепкую шею — требовалось, чтобы варила голова, и, прежде чем отправиться с очередным визитом, он наводил о должнике справки, пытаясь выявить его слабейшую сторону. В качестве «выбивалы» Филат объездил едва ли не всю Россию и в воровских кругах был известен как человек, который умеет держать слово. И если должник оказывался не слишком дальновиден и в нарочитой вежливости Филата видел проявление слабости, то гонец менял тактику, и точная пуля ставила последнюю точку в биографии хапуги.

В последнее время Филат часто отбывал в командировки как доверенное лицо московского сходняка. Что предстояло делать в Питере на этот раз — он ума не мог приложить.

Вызвав шофера и телохранителя, Филат принял надлежащий вид: короткая легкая куртка, джинсы и коричневые английские ботинки из мягкой кожи, — к ним он питал особую страсть.

Дверной звонок издал переливчатую бравурную мелодию. Филат в последний раз оценил свое отражение в зеркале и пошел отпирать дверь.

Он не тяготился предстоящей командировкой — таких поездок за последний год набралось не менее двух десятков. А потом, если вдуматься, эта ведь была неплохая работа и хорошо оплачиваемая. Кому-то ведь полагалось брать на себя роль садовника, чтобы окучивать плодоносящие деревья и выдергивать сорняки на вверенном участке.

В дверях стоял Данила Волохов. Он имел типично арийскую внешность: высок, широк в плечах, глаза голубые, кожа белая и волосы цвета свежеотжатой соломы. Данила был похож на возмужавшего Купидона или викинга. Родом Данила был из Тульской губернии и не ведал о своей арийской внешности, да и откуда в его жилах взяться благородным кровям, если все его предки были зачаты в черноземной полосе России и нигде не бывали западнее Смоленска. Жили они испокон веков в русской глубинке, и выезд в районный центр воспринимали как событие неординарное: впечатлений от увиденного в каком-нибудь Осташкове всегда хватало на целый месяц...

Филат зацепил Данилу в Химках, приметив здоровенного блондина на местном базарчике: Данила, надев на рукав красную повязку с неразборчивой надписью, сшибал по трюльнику «за место» с мужичков, приторговывавших у железнодорожной станции всякой скобяной дребеденью. Филат тогда, напустив на себя суровый вид, тихо предложил детине пройти куда следует. С тех пор Данила был всегда при Филате — телохранителем и оруженосцем, как Санчо Панса при Дон-Кихоте.

— Все готово? — спросил Филат, шагнув за порог.

Дверь, легко заскользив в петлях, захлопнулась. Трудно было поверить, что в ней не менее полутонны веса. Такие крепкие двери можно встретить в швейцарских банках и в спецархивах, где хранятся не подлежащие рассекречиванию документы. Броня была настолько толста, что могла выдержать даже пушечный снаряд. Закрывшись, дверь встала на охранный режим, и Данила знал, что если даже найдутся умники, способные отомкнуть дверь, то в следующий миг они совершат путешествие в загробный мир, — сработает взрывное устройство такой силы, что развернет половину этажа. Подобные меры предосторожности были весьма не лишними. В квартире Филата находился целый арсенал: автоматы АКСУ, пистолеты ТТ, «макаровы» и «стечкины», гранатометы «Муха» и даже противотанковые гранаты, не говоря уж о боеприпасах. Все было новенькое, с оружейных складов нескольких военных округов, и поступало к Филату сразу по нескольким каналам. Об этом арсенале во всей Москве было известно только двоим — Варягу и Михалычу, даже Данила толком не знал, что хранится за тяжелой бронированной дверью этой московской квартиры на Юго-Западе. Филат по давно выработавшейся привычке никому не доверял и, возможно, именно поэтому позаботился с особым тщанием о безопасности своего склада. Охранную сигнализацию Филат смастерил сам — и она включалась на особый режим уже в том случае, если перед дверью кто-то задерживался дольше обычного, а чуткие датчики ловили не только разговор незваных гостей, но даже их дыхание. И это еще было не все — в дверь, на уровне глаз, была вмонтирована видеокамера, которая снимала всех посетителей.

— Так точно! — прищурился Данила.

В небольшом дипломате, который он взял с собой, лежали сверхчувствительные «жучки», мины-ловушки, детонаторы, электрошоковые дубинки.

Даже если Филат уезжал всего лишь на один день, к поездке готовились словно к участию в столетней войне. Но сейчас Данила интуитивно чувствовал, что все обстоит гораздо серьезнее. И не ошибся.

Против обыкновения Филат расположился в джипе «шевроле-блейзер» сзади, уступив Даниле командирское место рядом с шофером Глебом, а это значило, что трогать шефа не полагалось. Массивный джип казался послушной игрушкой умелого Глеба — водила бросал его из одной полосы в другую, обгонял попутные машины-тихоходы, и всем своим видом показывал, что рвется если не на войну, так на любовное свидание.

Между Михалычем и Филатом особой дружбы не водилось. Правильнее было назвать их отношения деловыми. Михалыч давал ему деньги, а значит, заказывал музыку и, как правило, — все больше похоронные марши, нежели танцевальные мелодии.

На этот раз Филат сразу понял, что разговор предстоит сугубо конфиденциальный: Михалыч пригласил его к себе в библиотеку, куда уединялся только с особо доверенными людьми. Михалыч закурил, сел в кресло и погрузился в глубокомысленное молчание. А Филат сразу просек, что это молчание красноречивее любых слов и свидетельствует о том, что дело и впрямь очень серьезное. Подымив чуток, Михалыч вонзил в Филата острый взгляд и просто выговорил:

— Филат, у нас возникли проблемы в Питере.

— Что конкретно? — спросил тот, глядя, как Михалыч стряхивает пепел на огромный ковер. Прежде такого за стариком не замечалось — даже на сходняке он держался как на великосветском приеме.

— Туда надо бы подъехать и кое-что разнюхать. Ты ничего не слыхал о «Балтийском торговом флоте»?

Филат задумался.

— Кое-что слышал. Вроде эту компанию собираются продавать за долги...

— Совершенно верно. Могу тебе сказать, что желающие заглотить этот жирный кусок сейчас слетятся со всех концов России. В том числе и из тамошних... питерских... — Михалыч немного помолчал, потом добавил: — Но не это страшно. Мы тоже не самые бедные в этой стране и тоже кое-что умеем. Конкуренты нам не опасны. Но там кто-то хочет сыграть в свою игру. И игра уже пошла по-крупному. Наших людей мочат...

Филат понял, что за этой полуулыбкой пряталось много: наверняка уже нашлась парочка-другая несговорчивых игроков и, скорее всего, их заколотили живыми в гроб, — Михалыч без колебаний проделывал такие акции.

— Так в чем же дело? Я не врубаюсь...

— А дело вот в чем. Через два месяца компанию «Балтийский торговый флот» должны пустить с молотка, и мы хотели бы поучаствовать. Речь идет о покупке большого пакета акций. Это дело начал Барон. Он — вернее, его человек — сумел подобраться к руководству компании, и нам вроде бы было обещано содействие.

45

Но человек, который обещал нам помочь, внезапно отдал концы. Для прояснения ситуации Барон отправил в Питер Чифа, но, как ты знаешь, его тоже пришили. Признаюсь тебе откровенно, я в некоторой растерянности. И Варяг недоволен. В этот проект уже вложены немалые бабки... Ты поедешь в Питер и провентилируешь там обстановку. Заодно найдешь тех, кто подставил Чифа.

Филат был озадачен, если не сказать ошарашен, рассказом Михалыча. Он был знаком со старым вором уже лет пять, но за все время не мог припомнить, чтобы старик хоть однажды так подробно, не таясь, выкладывал ему план серьезного дела. Выходит, подумал Филат, Михалыч делает на меня большую ставку. А раз Михалыч, то и Варяг в деле, они ведь после всех Варяговых приключений стали не разлей вода... С другой стороны, Михалыч ведь очень крупно рискует, пустившись в такие откровения. Хотя не стоит его считать простаком, наоборот, он уже все заранее просчитал и знает, что перед Филатом ему можно исповедаться...

— Понимаю.

— Сомневаюсь, — резко отрубил Михалыч. — Я знаю ситуацию гораздо лучше — и то ни хрена не понимаю. Похоже, нас обложили со всех сторон. Им известно о каждом нашем шаге. Барон говорит: едва Чиф прибыл в Питер, как сразу почувствовал неладное. Буквально за день до своего исчезновения он звонил и намекнул, что его плотно пасут. В Питере он должен был пробыть еще несколько дней, но после того разговора вдруг пропал. Его джип на улице тормознули менты, а через три дня труп Чифа обнаружили на свалке. В изувеченном виде. — Михалыч замолчал и прикрыл ладонью глаза. — Дело тебе предстоит очень серьезное и опасное. Смертельно опасное. Потому что драка за этот хренов флот развернется нешуточная. Да она уже развернулась. Как Варяг говорит: стенка на стенку! Ты вот что, Филат, мой тебе дружеский совет. Ты там в Питере держи ухо востро, чтоб без дешевого ухарства, попусту глаза не мозоль, по кабакам поменьше шастай, на блядей не западай — питерские девки известные суки, там половина в гэбэшных погонах еще со времен Андропова сидит... Чиф лопухнулся — смотри, ты не лопухнись. На всякий пожарный случай отправляйся туда своим ходом — никаких самолетов, никаких поездов. Садись на свой джип, Глеба — за руль, Данилу с пушкой — рядом, и полный вперед! За смотрящего в Питере сейчас Леша Красный, дружок Шрама, царствие ему небесное. Парень он толковый, хваткий, да слишком много в нем от простого бандита. Да и пижон он порядочный, фраер — бронежилет никогда не надевает. Когда Шрам кончился... — Михалыч запнулся и усмехнулся краем губ, точно вспомнив что-то. — За Красного выступили почти все питерские. Время показало, что выбор был правильный. В городе более-менее порядок утвердился.

Филат прекрасно знал историю возвышения Красного. Это случилось больше полугода назад. Шрама грохнул Варяг — хотя в открытую об этом никто не говорил, и из материалов уголовного дела, возбужденного в связи с убийством, и сообщений прессы следовало, что Шрам погиб в бандитской разборке от руки какого-то неизвестного отморозка. На вакантное место смотрящего Питера позарились сразу трое, но Леха Красный ухитрился оттеснить конкурентов и заручиться поддержкой московских авторитетов, в первую очередь Варяга, которому, по слухам, Красный когда-то помогал в одном важном деле. Словом, питерский сходняк поддержал именно Красного. Возможно, это было связано с тем, что он коренной питерец и с малолетства знался со всей уличной шпаной, из которой выросли потом уважаемые люди...

Рассказывая о питерских делах, Михалыч явно нервничал. Филату страшно хотелось узнать причину его беспокойства, но он твердо знал, что старого вора лучше не пытать: Михалыч терпеть не мог чужого любопытства и всегда выкладывал все, что хотел выложить, — не больше и не меньше. И теперь Филат решил пойти на хитрость. Он с задумчивым видом поинтересовался:

— А не замочили ли Чифа по распоряжению Красного? Все же знали, что Чиф поехал в Питер... Может, Красному не понравилось, что московские лезут в его городские дела? Он-то небось тоже не прочь прибрать этот самый торговый флот к рукам?

— Такой расклад совершенно исключен, — отрицательно покачал головой Михалыч. — Он бы с этого флота в любом случае стриг купоны. Нет, ему нет смысла тратить миллионы долларов на то, что он и так имеет. Там лезут какие-то другие. Вот это ты и выяснишь.

— Но есть хотя бы предположение, кто мочканул Чифа?

— Абсолютно никаких! Тебе не нужно объяснять, что, несмотря на наши некоторые разногласия, все-таки мы друг друга знаем хорошо. Так что, если бы это сделали наши «коллеги» из Питера, то об этом мы бы узнали. А здесь просто ничего! Вот и Варяг считает, что там действуют местные — да только не воровского звания. Возможно, беспредельщики. Возможно, не питерские, а откуда-нибудь из Мурманска или Архангельска...

— Да уж, — подхватил Филат, — Владислав никогда не спускал отморозкам...

Михалыч пропустил это замечание мимо ушей.

— В общем, придется тебе попотеть, Филат. В средствах я тебя не ограничиваю — вот, возьми... — С этими словами Михалыч бросил на полированный столик толстую пачку стодолларовых купюр, неизвестно откуда появившуюся у него в сухой ладони. — Но и зазря деньгами не сори, не светись! Главное — ты должен вычислить этих гадов! А то нам уже в тягость этот бой с тенью!

Филат спрятал в карман туго перетянутую резинкой пачку банкнот — по его прикидке, там было никак не меньше двадцати тысяч.

— Это тебе на карманные расходы, — продолжал Михалыч усталым голосом, — Если возникнет необходимость расходов на дело — возьмешь у Красного в счет его долга. И веди бухгалтерию аккуратно. Вернешься — с тебя спрос будет строгий!

Филат кивнул. Это ясно: у Михалыча спрос всегда был строгий. За малейшую недостачу старик карал сурово и безжалостно, не давая никаких поблажек провинившемуся.

— Судя по ситуации, которую ты мне обрисовал, Михалыч, трудно обещать что-либо конкретно. Но я постараюсь дня за четыре управиться.

— Если тебе потребуются люди, то мы сможем помочь.

— У меня у самого надежные ребята, попытаюсь справиться своими силами. Да и в Питере друганы найдутся.

— И вот еще что, прошу тебя отнестись к делу очень серьезно. Ты прекрасно знал Чифа, он был очень осторожен — по-волчьи осторожен, но все-таки и ему на шею накинули удавку!

Михалыч положил ладонь на глаза и помассировал кончиками пальцев веки. На тыльной стороне ладони бледнело восходящее солнце, под которым виднелась краткая надпись «СЕВЕР». Ни перстней, ни инициалов кисти старого вора не знали, лишь единственное слово свидетельствовало о том, что Михалыч не всегда носил английский костюм и юность его прошла вдали от столичных кабаков.

После долгой паузы Михалыч продолжал:

— Похоже, в Питере стало известно, с какой целью Чиф отправился туда, и поэтому его убрали, как только он подобрался слишком близко к нужным людям. Чтобы избежать его ошибки, тебе совсем не обязательно афишировать реальную причину своего приезда.

Филат чуть поморщился.

— Но ведь как-то надо будет объяснить людям, зачем меня прислали московские. Слава богу, меня по России знают, всем известно, с какой целью я заявляюсь в регионы... — на лице Филата появилась самодовольная ухмылка.

— Все это, конечно, так, но кто нам помешает слепить легенду понадежнее — такую, чтобы в нее поверили даже наши враги?

— Например?

Филат не мог не признать, что в словах Михалыча был свой резон. Если и в самом деле в игру за «Балтийский торговый флот» вступили серьезные люди — а судя по последним событиям, так оно и есть, — значит, его, Филата, захотят проверить поосн0вательнее. И не только питерские воры. Значит, надо придумать туфту как можно более правдоподобную...

— Скажем, ты отправляешься в Питер как фининспектор — для того, чтобы узнать, почему задерживают отчисления в региональный общак. Это очень весомая причина для того, чтобы Варягу отправить своего человека в Питер.

— Если они сумели расколоть Чифа и убрать его, то надо думать, там тоже не лохи. Их на мякине не проведешь!

— А все будет соответствовать действительности. Деньги в Москву и впрямь должны были поступить еще две недели назад. Мы специально Красного не торопили. Конечно, две недели — совсем не тот срок, когда следует наказывать городского смотрящего, но, с другой стороны, двухнедельной задержки вполне достаточно, чтобы отправить своего человека на разбор и сделать Красному строгое внушение.

— Ясно!

— Советую держаться с Красным спокойно. Особенно давить не следует, неизвестно какие такие думки прячутся в его безалаберной башке.

— Все-таки ты ему не доверяешь?

— Не в этом дело, в целом Красный на хорошем счету. Но Варяг опасается, что он может вести какую-то свою игру. Не исключено, что Леша спелся с питерским мэром...

— Честно говоря, сомневаюсь, — осторожно высказал свое предположение Филат. — Красный вряд ли стал бы затевать двойную игру — у нас такие вещи не прощаются.

— Очень хотелось бы верить. Даем тебе полную свободу действий, но мы постоянно должны быть в курсе всех твоих дел.

— Конечно, Михалыч!

Старик откинулся на спинку кресла.

— Ну, передавай Леше привет...

Глава 5

Рома Филатов был из тех, которых называют «дети тюрьмы». Он родился в колонии строгого режима у двадцатилетней молодухи, угодившей за решетку по суровой статье — «грабеж». Несмотря на молодость, она была весьма опытной наводчицей и с каждой взятой квартиры имела свою твердую долю. В ее большом послужном списке значились зажиточные директора гастрономов, высокопоставленные чиновники и даже парочка народных артистов. Все происходило до банальности просто: она знакомилась в ресторане с лохами, которые с ходу клевали на ее красивое аппетитное тело. А дальше она сдавала «наколку» опытным домушникам, которые потрошили квартиру с той же тщательностью, с какой ресторанный повар разделывает индюшку. В юности мать Филата была женщиной бережливой, особенно не шиковала и, несмотря на приличное состояние, которое сумела скопить с шестнадцатилетнего возраста, в одежде придерживалась неброской простоты. Особых планов на жизнь она не имела, хотела через несколько лет завязать с опасным ремеслом и стать обычной многодетной мамашей. Погоняло у матери Ромы Филатова было соответствующее — Клушка. Возможно, в недалеком будущем она и разродилась бы законным первенцем и забота о потомстве вытеснила бы из ее умной головки тягу к неправедно нажитым деньгам, но, как это часто бывает, — в ее жизнь вмешался злой рок. Очередным лохом, на которого она напустила свои чары, оказался сотрудник голландского посольства, у которого вместе с магнитолой и «филипсовским» телевизором уволокли и неприметный на вид чемодан — в нем оказались документы государственного значения. Если бы Клушка знала о том, что имеет дело не просто с упакованным фраером, а с крупным иностранным чиновником, то шарахнулась бы от него как дикий зверь от огня. Но мужчина представился фирмачом, оптовым торговцем обуви. И надо же было так чухнуться — Клушка поверила этой туфте и заглотнула ее, как голодная щука сверкающую блесну.

Через несколько дней Клушку взяли в том же самом ресторане, где она подцепила голландца. Поначалу она от всего отпиралась и утверждала, что впервые его видит, но ей предъявили небольшое колечко с изумрудом, которое она тишком увела из его спальни в тот самый момент, когда голый фирмач, разнеженный ее ласками, лежал поверх смятых одеял. Тут нервы у нее сдали, и девка рассказала все.

Несмотря на чистосердечное признание Клушки, судьи вынесли ей приговор неожиданно суровый: восемь лет строгого режима.

Уже на третий день пребывания в колонии Клушка поняла, что попала в ад. Старые, высушенные сроком зечки осмотрели ее на предмет дальнейшего употребления и нашли, что у нее весьма неплохое тело. Скорее всего, она стала бы ублажать чью-нибудь похоть, сделавшись ковырялкой, если бы начальник женской колонии подполковник Ерофеева, или просто Ероша, баба постбальзаковского возраста и не лишенная некоторых женских слабостей, не предложила бы стать ей личной кобылкой. Таким образом, судьба Клушки была определена, а еще через месяц, за старания, начальница стала подкидывать своей полюбовнице маслица и сладостей, которые та справедливо делила между подругами.

Бежать из колонии было невозможно, да и не женское это дело — перегрызать клещами колючую проволоку, рыть длинные подкопы, чтобы потом месяцами скитаться по тайге. Гораздо более удачный и наиболее безопасный способ сократить срок заключения — это сделаться матерью-одиночкой.

Можно было бы отдаться какому-нибудь молоденькому вертухаю, млеющему только от одного вида юбки, но, зная жесткий характер покровительницы, Клушка понимала, что Ероша не простит пацану брюхатости своей любовницы и сделает все возможное, чтобы его служба походила на пребывание в штрафном изоляторе. Куда безопаснее было договориться с солдатиком, чтобы он сосватал ей выгодную партию, благо, что в соседней локалке, отгороженной от женской колонии шестиметровым забором, находилась мужская строгая зона. Соединялась она небольшим узеньким коридорчиком, который охраняли вертухаи-срочники. Именно от прихоти охранника и зависело тюремное женское счастье. Ероша снабжала свою ковырялку не только карамельками, но и деньжатами — когда удовольствие было особенно полным. Деньги представляют ценность даже на зоне — ими можно отовариться, купив чайку, приберечь на черный день, отправить с письмом, да и мало ли для чего. Клушка деньги не тратила, а складывала рублики под лифчик, где они, уплотненные ее сдобным телом, дожидались своего часа. А когда ее бюст увеличился едва ли не вполовину, она подошла к одному из вертухаев и попросила устроить ей тайную встречу с кем-нибудь из зеков, пообещав при этом такие бабки, каких он не получил бы даже за два года срочной службы.

Сводничество среди солдат практиковалось частенько. Весьма удобный способ, чтобы пополнить худой солдатский бюджет, да и лишняя копейка к дембелю никогда не помешает, — не тащиться же через всю Россию в казенной одежонке! Для интимных свиданий на зоне имелась небольшая комнатушка, которая вообще-то называлась «красным уголком» и помещалась как раз в коридорчике — между мужской и женской зоной. А пост здесь нужен был не для порядка, а лишь затем, чтобы зеки противоположных полов не учиняли группповух.

Лукаво оглядев красивую зечку с головы до ног, сержант Кирюхин сполна оценил вкус начальника женской колонии подполковника Ерофеевой, после чего строго поинтересовался:

— Болтать не станешь? А то эта сука меня со света белого сживет, а мне до дембеля всего лишь полгода осталось.

— Да разве я способна на такое?! Мне самой житья не будет!

— Ладно, приведу ночью тебе мужика. Только деньги сразу давай!

Нисколько не стесняясь озороватого взгляда, она сунула руку под кофту и выпотрошила левую чашку бюстгальтера.

— Вот здесь половина, вторую получишь, когда мужика приведешь. Только ты уж постарайся, чтобы молодой и крепкий был.

— Не переживай, — весело улыбнулся парень, пряча купюры, склеенные женским потом, в карманы брюк. — Сделаю все как надо. Приведу этой же ночью.

Можно было бы не сомневаться в том, что точно такую же сумму он возьмет с зека, отважившегося на любовное свидание.

Предстоящей ночи Клушка ждала с волнением, как будто ей предстояло расстаться с целомудрием. Но когда в «красный уголок» молоденький сержант привел зека лет сорока пяти, у которого от множества наколок кожа выглядела почти черной, рот был полон желтого металла, а тело — в шрамах и в ссадинах, словно у лося, вернувшегося победителем с брачного турнира, девка опешила. Справившись с изумлением, Клушка хотела обругать сержанта, который не имел ни малейшего представления о женском идеале, и потребовать от него задаток назад. Сержант, несмотря на внешнюю суровость, оказался большим шутником и можно было только догадываться, с какой затаенной улыбкой он подсматривал через слегка приоткрытую дверь. Но ее замешательство рассеялось мгновенно, едва блатной произнес первую фразу:

— Здравствуй, Зинуля, как же я по тебе соскучился!

Мужик произнес это так просто и естественно, как будто знал ее много лет. Перед ней стоял настоящий самец — сильный, волевой, и вместе с тем обладающий таким запасом нежности, что ее вполне хватило бы на целый гарем.

Но она была одна.

Все это промелькнуло у Клушки в голове с молниеносной быстротой. А зек, заметив в ее глазах некоторое сомнение, трогательно заверил:

— Ты меня, девочка, не бойся, это я с виду такой свирепый. По-другому на зоне невозможно... сама понимаешь. Зато я могу так горячо прижать, что твое сердечко от сладости замрет.

И уже когда он познал ее всю — умело и очень нежно, Клушка вдруг всполошилась:

— А как же тебя зовут, мил человек?

— Иван, — отвечал ее нежданный муж на ночь. — Иван Раскольник. Может, слыхала о таком?

Клушкины губы непроизвольно дрогнули — не то от удивления, не то от ужаса. Не знать об Иване Раскольнике — это все равно что не слышать о Шервудском лесе и атамане разбойников Робин Гуде. О каждом выдающемся узнике в любой колонии ходят легенды. Не обошли стороной устные предания и такую выдающуюся личность, как Иван Раскольник. Поговаривали, что он грабил богатых пассажиров в поездах дальнего следования и раздавал деньги бедным. Что будто бы неимущих он опекал, а если кому и доставалось темной ноченькой, так лишь фарцовщикам и ростовщикам. Но что было совершенно точно: грехов за ним водилось столько, что их хватило бы на несколько обычных жизней, чтобы потом веки-вечные вариться в котле со смолой, а крови им пролито было столько, что она залила бы пол-Сибири.

— Испугалась? — как-то особенно тепло поинтересовался Иван Раскольник.

Вспомнив тепло его рук и сладость, что он подарил ее истосковавшемуся телу несколько минут ранее, Клушка разомкнула уста и неожиданно для себя произнесла:

— Теперь нет...

По рассказам матери Филат знал, что ее тюремный роман продолжался ровно четыре месяца, до тех самых пор, пока живот у нее не стал выпирать наружу и не сделался предметом зависти и одновременно ненависти всех подруг.

Подполковник Ерофеева измены не снесла и с досады затолкала бывшую любовницу в такую глухую дыру, где уютно себя чувствовали только тамошние медведи. Все четыре месяца сводня-сержант исправно доставлял записки из одной части зоны в другую, сколачивая нехилый капиталец на близкий дембель. А когда Клушка случайно узнала о том, что ближайшим этапом ее отправляют в другую колонию, то отдала вертухаю остаток сбережений за несколько часов любви с Иваном Раскольником. Отдавалась она с такой страстью, как будто это была последняя ночь в ее жизни, и, стоя в дверях «красного уголка», бдительный сержант охранял горькое зековское счастье с тем же усердием, с каким караулил опутанные колючей проволокой стены колонии.

До рождения сына Иван Раскольник не дожил ровно месяц. О его смерти, как, впрочем, и о жизни, ходило немало легенд: одни говорили, что его пырнули ножичком на одной из дальних пересылок, потому как он разошелся с правильными; другие утверждали, что знаменитого вора заперли на зону, где сидели одни туберкулезники и, будто бы наглотавшись ядовитых бацилл, он загнулся за полгода; третьи слыхали, что Иван Раскольник пошел в побег и был растерзан в тайге волками; четвертые и вовсе склонялись к экзотической версии, будто бы он не выдержал разлуки с Клушкой и полоснул по венам припрятанным лезвием.

Амнистии Клушка не дождалась, буквально за шесть недель до помилования она получила новый срок за то, жестоко избила соседку по бараку, которая вытащила из тумбочки несколько конфеток, припрятанных для двухлетнего Ромочки. Правда, и крысятнице досталось свое: зечки забили ее насмерть мокрыми полотенцами, стянутыми в узлы. А еще через два года Клушку этапировали в глубь материка, где со всех сторон стройными рядами подступали к запретке кедры. В заповедных дремучих местах Клушка отсидела сполна. Сначала была расконвоированной и занималась тем, что работала на ферме, а потом сошлась с бобылем лет пятидесяти, который через несколько лет помер от беспробудного пьянства, оставив молодой жене крепкий дом и небольшое хозяйство — пять куриц и тощую корову. Возвращаться в город Клушка более не пожелала и жила тем, что давала земля. Иной раз в ее доме останавливались путники и за горячую ноченьку оставляли хозяюшке немного рубликов, а подрастающему сыну — горсть конфет...

Но с ранних лет Романа Филатова кондитерские изделия интересовали куда меньше, чем женское тело. Сладость секса он раскусил своим четырнадцатым летом, когда отправился с приятелем ловить хариусов. На отлогих берегах северной речушки расконвоированные зечки пасли скот и, не стесняясь местных ребятишек, подставляли сиськи северному солнцу. В тот раз стадо коров пасла тридцатипятилетняя зечка, у которой по низу живота красивыми буквами была выколота красноречивая надпись: «Входи, здесь твой дом». Баба, истосковавшаяся без мужниной ласки, предложила подросткам испробовать свой механизм, предложив за услугу несколько блесен и крючков. Ватага подростков, соблазнившись на подарок, часа три хороводили знойную бабенку, навсегда избавившись от постыдных хотимчиков. И коровы большими влажными глазами, едва ли не с усмешкой, наблюдали за тем, как опытная сладострастница посвящает неискушенных юнцов в мужчины. Рома оказался третьим и, преодолев в себе брезгливость, вошел в потное жадное тело. И затем, неумело поерзав на бедрах жрицы любви, излил свое семя...

Позже он не однажды наведывался на тихий бережок лесной речушки. На все лето была заброшена рыбалка. Познавших любовные утехи пацанов уже не интересовали кувырки со стыдливыми девахами на сеновалах, — самое большее, на что те отваживались, так это разрешали положить ладонь на сиську. Да и можно ли насытиться пресными девичьими ласками, когда познал жаркие объятия бесстыдной зечки!

Лишившись матери (Клушку прирезал один из ее временных сожителей), Рома некоторое время скитался по Сибири и занимался тем, что на запасных железнодорожных путях потрошил товарняки в компании со случайными попутчиками. Как правило, они узнавали друг друга издалека и сговаривались почти без слов. Шайки организовывались быстро и так же легко рассыпались. В шестнадцать лет Рома Филатов уже получил первый срок за грабеж.

Возможно, свою уголовную биографию он начал бы с малолетки, не вмешайся в его судьбу прокурорша.

Женщиной она оказалась очень влиятельной и сумела договориться с одной из воинских частей, чтобы паренька взяли на поруки. Рома Филатов попал в гвардейское подразделение воздушно-десантных войск. Бравый командир дивизии, прочитав прокурорские рекомендации, довольно произнес:

— Добро! Пусть так и будет. Воспитаем из него настоящего солдата.

Так Рома стал сыном полка.

Не однажды благодетельница-прокурорша наведывалась к своему протеже с подарками. Воспитанник, в ушитой по талии форме, без робости пожирал апельсины и не без удовольствия оглядывал плотно сбитую фигуру покровительницы. В эти минуты память беспощадно возвращала его на пологий берег сибирской речушки, где девки были так же доступны, как глоток родниковой воды. И его юную голову посещали развеселые мысли: как бы живописно выглядела суровая прокурорша, уперев голую задницу в стожок сена.

Совсем скоро Рома втянулся в армейскую жизнь по-настоящему: ходил в наряды, изучал военное снаряжение и отсиживал на политзанятиях. Но больше всего ему нравились упражнения с оружием и приемы рукопашного боя. Его жилистое сухопарое тело было приспособлено для борьбы, и то, что другим удавалось заполучить в результате многочисленных тренировок, он усваивал со второго занятия. О том, что в подразделении появился настоящий боец, начальство узнало через несколько месяцев, когда, неожиданно для большинства, Филатов выиграл соревнование по рукопашному бою на открытом первенстве округа, получив специальный приз за технику. А еще через месяц его забрали в армию на год раньше положенного срока, отобрав в закрытую элитную часть, где готовились исключительно спецназовцы-смертники. Только позже Рома Филатов узнал, как непросто было попасть в это подразделение.

Хмурый полковник, председатель отборочной комиссии, долго не мог разобрать некоторых записей в его личном деле, а когда наконец расшифровал их, удивленно уставился на Рому:

— Что же это получается? Так ты что, судим, что ли?

— Так точно, товарищ полковник, — без запинки отвечал Рома.

— И за что же, интересно, такого доброго молодца подмели?

— Гоп-стоп, — улыбнулся Рома.

— Вот засуну тебя в стройбат, будешь там кирпичи носить. Гоп-стоп, что это, грабеж?

— Так точно.

Полковник в задумчивости поскреб лысеющую голову широкой пятерней, а потом изрек:

— А может, это и неплохо, нам такого кадра как раз и не хватает.

Задумался на секунду, поглядывая в его личное дело, а потом широким росчерком красного карандаша на обложке папки определил его дальнейшую судьбу: «В спецотряд!»

Подразделение, куда угодил Рома Филатов, оказалось в высшей степени секретным. Даже по прошествии многих лет он не переставал удивляться, каким это чудом он туда попал. Прикомандированные к морским частям, вместо обычных двух лет новобранцы служили по три года. Он даже и тут превзошел все существующие нормы, отдав спецотряду дополнительно еще один год, так как служба до восемнадцати лет ему засчитана не была. По окончании службы каждому присваивалось звание «младший лейтенант» и в военный билет вшивался маленький розовый вкладыш, освобождавший офицера от регулярных сборов. Там же указывалось, что офицер прикомандирован к Генеральному штабу. Запись, хотя и в высшей степени туманная, производила должное впечатление на военкомов, и те не без уважения взирали на юнцов, над которыми витал ореол таинственности.

Дело было в том, что все они состояли на особом учете и проходили сборы в секретном подмосковном центре. Здесь было собрано не только стрелковое оружие едва ли не всех стран мира, но и новейшая боевая техника, включая танки, самолеты, вертолеты.

В этом центре бойцов учили управлять самолетами, вертолетами, водить автомобили любых марок. Однажды Рома едва не погиб, когда разучивал стандартную ситуацию — как выжить при лобовом столкновении мотоцикла с автомобилем. Все дело было в том, что он перемахнул через машину на секунду раньше нужного, сломав при падении два ребра.

Многие годы молодые офицеры жили в ожидании часа «икс», надеясь, что их знания будут востребованы и они начнут делать то, что умели лучше всего на свете — калечить и убивать. Каждый из них стрелял практически из любого оружия: автоматов, гранатометов, гаубиц, из любого подсобного материала мог смастерить орудие убийства, в безвыходной ситуации запросто сумел бы уничтожить врага голыми руками. Рома Филатов узнал, что на теле у человека находятся десятки уязвимых точек и достаточно только умело их активизировать, как жертва может не только потерять сознание, но и отправиться к праотцам. Их научили составлять взрывчатые вещества из простейших компонентов, и, если бы потребовалось, Рома изготовил бы «адскую машину» даже из пластилина и бабушкиного будильника.

И вот вся эта премудрость ему вдруг сильно пригодилась — и он начал употреблять ее с пользой для своих новых начальников, которые носили не генеральские погоны, а все больше золотые цепи и перстни да синие наколки на плечах...

Глава 6

Весь путь до Питера Филат продремал. И Глеб старался не тревожить шефа, а потому пристально следил за дорогой, объезжая случайные колдобины и ямы, осквернявшие ровное полотно шоссе. Пробудился Филат только перед самым въездом в город, когда пропыленный джип, остановившись у шлагбаума, терпеливо дожидался пассажирского поезда. Локомотив, подъезжая к разъезду, так громко загудел, будто собирался свернуть с железнодорожного полотна прямо на вереницу машин. Однако состав промчался мимо. До города теперь оставалось рукой подать.

Филат уже окончательно проснулся и с интересом посматривал на кирпичные замки, горделиво торчащие по обе стороны дороги. Наверняка они принадлежали новорусским буржуа, которые детство и юность прожили в унылых «хрущобах» и, вырвавшись на большую дорогу приватизации, стали хапать землицы поболее и отгораживаться от соседей самыми что ни на есть кремлевскими стенами, как будто ожидали внезапной осады.

«Шевроле-блейзер» мчался на приличной скорости, уверенно преодолевая небольшие подъемы. Было видно, что Глеб соскучился по хорошей дороге и быстрая езда доставляла ему немалое удовольствие. Казалось, он задался целью обогнать все попутные машины и первым пересечь границу Санкт-Петербурга.

— Филат, а ведь за нами хвост, — вдруг обронил Глеб, не поворачивая головы. — Идут за нами уже километров двадцать. От самого переезда.

— Может, случайный попутчик? — спросил Филат. Хотя жизнь научила его не верить в случайности и совпадения.

— Навряд ли, — покачал головой Глеб, — я сотню держу, и они не отстают. У поселка притормозил — и они сбросили... А теперь просто в затылок дышат!

Филат посмотрел назад.

— Красная «ауди»?

— Она самая.

— Для погони такая тачка не приспособлена, да и окрас какой-то пижонский!

— А может, это Михалыч решил подстраховать нас? — высказал свое предположение телохранитель Данила. — Вон там и «мерс» веднеется...

Филат на мгновение задумался, а потом уверенно ответил:

— Это не в духе Михалыча. Даже если бы старик о нас озаботился, он бы меня предупредил.

Филат старался не выражать беспокойства, впрочем, пока и оснований для этого было мало. В глубине души он продолжал надеяться, что это так просто кто-то прилип. Хотя он знал немало примеров, когда с законными наемные убийцы расправлялись именно на пустынной дороге. Шоссе— те же самые джунгли, где сильнейший проглатывает слабого. Тут можно стать невольной жертвой самых обычных беспредельщиков, промышляющих на подходах к столичным центрам. Подобный промысел в криминальных кругах весьма распространен и приносит неплохие деньжата. На дорогах работают в основном рисковые пацаны, не боящиеся получить пулю в живот или дубинкой по зубам. Они сколачивают мобильные бригады и отчисляют должный процент в воровской общак. Если же и стоило кого-то опасаться, то это таких вот «махновцев», работающих всегда небольшими группами.

Джип резко прибавил скорость — это Глеб надавил на газ. «Ауди» не желала отставать и уже едва ли не целовала их в задний бампер. Нагло идет, зараза, ничего не скажешь! Так можно двигаться только при абсолютной вере в собственную безнаказанность. Наверняка где-то далеко позади поспешает такая же фартовая тачка, до отказа набитая накаченными братками. Впрочем, и в салоне «ауди» их сидело немало — четверо! А если учесть, что у каждого из них наверняка по пушке на брюхе, то можно смело сказать, что они составляют нехилую боевую единицу.

Неужели произошла утечка информации и в Питере об истинной цели визита Филата стало известно людям, которым знать об этом не полагалось, и за ним выслали охотников — чтобы не дать ему въехать в город? Вот ведь и Чифа устранили сходным образом...

— Фарами мигают, — сообщил Глеб, — хотят, чтобы мы остановились. Что делать, Филат?

— Езжай пока. Если надумают пойти на обгон — не пускай!

Преследователи играли по-серьезному и наверняка знали, за кем едут. А иначе почему из огромного числа машин, мчащихся по шоссе, они выбрали именно тот джип, в котором ехал представитель московского сходняка? Значит, об их появлении в Питере уже было известно: подстерегли, суки, на дороге, чтобы вытряхнуть московских гостей где-нибудь в пригороде Северной Пальмиры.

— Мы их сделаем! — спокойно отозвался Глеб, чуть поджав губы.

— Вперед смотри внимательно! — резко предупредил Филат. — Не удивлюсь, если какой-нибудь «КамАЗ» вдруг выскочит с проселка. Приготовьте стволы!

— Это можно! — ответил Данила и полез за пазуху.

Глеб молча кивнул.

— Предупреждаю сразу, — продолжил Филат, — палить только по моему сигналу и бить наверняка, чтобы без контрольных выстрелов.

Филат носил пистолет сзади на ремне, в небольшой узенькой кобуре с кнопочкой-застежкой. Такое местоположение оружия было удобно тем, что оно не мешало при ходьбе, а потом (что немаловажно при его серьезном и опасном бизнесе) не выпирало и в случае опасности пистолет можно было бы извлечь за секунду.

Рука привычно скользнула под полу пиджака, и пальцы уверенно отыскали прохладную ручку «браунинга». Филат извлек оружие из тесной тюрьмы и положил его на колени.

— Останови! — неожиданно распорядился Филат. — Из машины не выходить — пускай они подойдут сами. Как только я скажу «Давай!» — палить из всех стволов. Да так, чтобы мозги из черепов разлетелись веером!

— Будет сделано, — безмятежно пообещал Данила, положив на колени две «беретты». Лицо у Данилы было, возможно, даже излишне спокойным, чем следовало бы.

Джип резко вильнул вправо и прижался к обочине, но Глеб вывернул руль влево — с тем расчетом, чтобы рвануть на асфальт. Ядовито-красная «Ауди» остановилась сзади метрах в пятидесяти. Почти одновременно распахнулись все двери, и на дорогу дружно высыпали четыре бритоголовых парня. Они рысцой бросились к «шевроле», видно, совсем не подозревая, что на каждого из них приходится по стволу.

И вдруг мимо джипа прошуршал черный «мерседес». Филат готов был поклясться, что через приопущенное стекло задней дверцы он увидел ручной пулемет. Достаточно будет только неловко дернуться, чтобы свинцовый дождь превратил «шевроле» в дымящееся решето.

— Приготовились, — тихо процедил Филат, как будто опасался, что его могли услышать снаружи. — Ты, Данила, возьмешь первых двух, ты, Глеб, тех, что идут позади. Этот черный «мерседес» тоже с ними. Наверняка корпус бронированный, но если под колеса закатить гранату, то тряхнет неслабо.

Данила раскрыл дипломат и передал его назад Филату. На темном дне, в глубокой пластмассовой ячейке, покоились две противопехотные гранаты.

Осторожно, ощущая в ладони приятную тяжесть, Филат извлек гранату из дипломата, после чего так же осторожно приоткрыл дверцу джипа. Вот где пригодится армейская спецотрядовская выучка! Он и раньше метал гранаты далеко, с завидной точностью поражая учебные мишени, а пятнадцатиметровое расстояние — вообще пустяк. Он представил, как взрывная волна завалит на бок тяжелый автомобиль и «мерседес» брызнет во все стороны битыми стеклами.

Вдруг дверь «мерседеса» распахнулась, и на дорогу вышел молодой мужчина. Что-то в его облике показалось Филату знакомым. Он пошел навстречу застывшему джипу, и на его губах играла доброжелательная улыбка.

Присмотревшись, Филат с удивлением понял, что перед ним Леша Красный — смотрящий Санкт-Петербурга, который разгуливал по родному городу без бронежилета, что по нынешним опасным временам можно счесть бесшабашной лихостью или непростительной глупостью.

По слухам, Красный представлял собой диковинную смесь законного вора с понятиями и бандита-беспредельщика. Впрочем, в этом он был типичным сыном своего города, где по-другому просто было нельзя. Такие уж порядки тут завел Сашка Шрам, и за пару лет, что он пробыл смотрящим Питера, четкая грань между ворами и отмороженными как-то размылась. В этом смысле Красный являл собой образец авторитета, который утром сидит в солидном кабинете на Невском и ворочает большими делами, а вечером с удовольствием «бомбит» обменник какого-нибудь задрипанного коммерческого банка на Васильевском... Красный раскинул руки для широкого объятия, как будто бы зараз хотел приголубить и джип, и всех, кто в нем сидел.

— Ну что же ты, Филат, не рад встрече?! — пролаял Красный издалека.

Граната в ладони Филата запотела — того и гляди, выскользнет из пальцев. Филат незаметно закатил гранату на место и защелкнул крышку дипломата.

Он уже распахнул дверь, чтобы выйти, но неожиданно его пронзило острое чувство опасности. А где гарантия, что, как только он ступит на асфальт, его не прошьет автоматная очередь из придорожного леска? Уж больно зловещей казалась Филату четверка молодцов, окруживших джип. Кто его знает, что там задумал Красный. Ему же ничего не стоит примочить на этом пустынном шоссе московского визитера, который приехал к нему требовать задержанный платеж... Теперь Филат заметил, что беспечное выражение на рожах парней было наигранным. На самом деле они были внутренне напряжены и собраны. Ребятки остановились на значительном расстоянии друг от друга, их куртки были распахнуты — и им потребуется доля секунды, чтобы выхватить оружие. А один из парней и вовсе не утруждал себя — его ладонь спряталась в правый, сильно оттопыренный карман пиджака. Грамотно держатся — не придерешься. Это были или уволенные в запас офицеры каких-нибудь элитных частей, или киллеры высочайшего класса.

— Выходим втроем, — распорядился Филат, изобразив на губах нечто вроде улыбки. — Что-то мне не шибко по душе это питерское гостеприимство. Пушки — в карман, и с этой жизнерадостной четверки глаз не спускайте, а если что... так я с Красным сам смогу переговорить по душам.

На дорогу вышли одновременно. Данила и Глеб остались стоять у джипа. Внешне все выглядело вполне безобидно, но в случае осложнений, при таком маневре, они сумели бы перекрыть путь Красному. Филат не желал уступать в любезности: широко раскинув руки, он двинулся навстречу смотрящему Питера.

Воры встретились, крепко обнялись и долго стучали ладонями друг дружку по спине.

— Ну никак не думал, что ты приедешь! — воскликнул Красный. — Не знаю, о чем они там думают — такого важного человека к нам посылать! И было бы из-за чего! Да я завтра же в общак перешлю причитающиеся денежки. Обижает меня Варяг своим недоверием: если я бандитом начинал, так неужели от братвы гроши сейчас стану утаивать?

Однако в его глазах Филат прочитывал иное: Красного явно раздражала столичная опека и ему совсем не хотелось делиться банком, который он собирал с такими усилиями.

— Ну что ты, Красный, ты же знаешь, как тебя уважают и Варяг, и Михалыч... — спокойно возразил Филат. — Не будь тебя, в Питере давно бы все друг дружке глотки перегрызли. Особенно после того, как Шрама закопали!

В действительности Красный и впрямь оказался на редкость хорошим усмирителем. Он устраивал и московских, и питерских. Пускай он временами срывался на откровенный беспредел, но сходняк ему прощал маленькие слабости: не будь Красного, дела в Северо-Западном регионе совсем бы захирели.

— Возможно, — сдержанно отозвался Красный. — Делаю все, что могу, пускай Варяг не сомневается. Признаюсь, когда он мне позвонил и сообщил, что ты выезжаешь, я был очень удивлен. Насколько я знаю, ты ведь занимаешься совершенно другим регионом, — заулыбался Красный.

— И твоим тоже, Красный, — с нажимом произнес Филат. — Мне поставили задачу посодействовать тебе со сбором в общак. Может, у тебя возникли какие-то трудности? А потом надо будет проводить денежки до Москвы.

— Понимаю. Не сверли меня взглядом, я не в обиде.

— Здесь-то ты каким чудом оказался? — осторожно поинтересовался Филат.

— Решил вот тебя встретить не в городе, а на дороге. А такую честь мы оказываем только самым знатным гостям. Да вот еще решил свиту свою прихватить, — Красный кивнул в сторону четырех молодцов из «ауди», которые деликатно держались в сторонке. — Неспокойно в городе, и мне с этими ребятами понадежнее.

— Ты же ходишь без охраны? — заметил Филат с наигранным недоумением.

— Не для себя стараюсь, для московского гостя, — серьезно проговорил Красный. От прежней его любезности не осталось и следа. В глазах сверкнул недобрый огонек — теперь это было настоящее лицо питерского смотрящего, которого боялись даже близкие друзья. — А то, знаешь ли, не ровен час — пристрелить могут, мне же потом ответ держать за чужие грешки. Вон Чифа грохнули...

— А ты предусмотрительный...

— Стараюсь!

Теперь Красный улыбался с неподдельным дружелюбием. Филат не мог не догадываться, что ему устроили проверочку на испуг. Интересно было узнать питерскому смотрящему, как поведет себя в случае опасности представитель московского сходняка.

— Тебе не стоило встречать меня на дороге, — слегка нахмурился Филат. — Скажу откровенно — еще секунда, и мои орлы пригрели бы твоих гранатами!

— Ну так уж и сразу? — обиделся Красный. — А потом я все-таки тебя чуть-чуть знаю. Прежде чем что-то подобное выкинуть, ты же не один раз проверишь. Ну а если напугал, извини, — улыбка Красного сделалась еще шире, и Филат понял, что шоу продолжается.

Филат искоса поглядывал на Красного. Нет, определенно в этом парне было какое-то особое обаяние. Может быть, такое ощущение возникало от той неистощимой веселости, которая, как шампанское из откупоренной бутылки, пенистым фонтаном било из его сверкающих глаз и широченной улыбки, не сползавшей с лица. Но одним веселым нравом его положительные качества не исчерпывались. Красный, хоть и обожал шумную гульбу — чтоб водка рекой и девки штабелями, — о деле никогда не забывал. Он крепко держал все ниточки санкт-петербургского криминального бизнеса и вовремя умел одну дернуть, другую чуть отпустить, чтобы все колеса сложной машины исправно крутились. Но и этого ему было мало. Красный любил посмотреть на все собственными глазами и на протяжении ночи, в сопровождении одного ли двух молодцов, объезжал свои владения в Питере. В баре на Невском он выпивал рюмку-другую финской водки, потом мчался в порт, проверял там, как идет разгрузка каких-нибудь контейнеров с бельгийскими курами, потом ехал еще куда-то — и так до самого утра. Люди из окружения Красного полагали, что он не спал совсем. Потому что днем он точно так же разъезжал по городу: встречался с людьми, выступал в качестве третейского судьи, а то самолично отправлялся на «стрелку», чтобы учинить правду.

Смотрящего Санкт-Петербурга прозвали Красным совсем не за цвет лица и не за убеждения, какими когда-то славился «город трех революций». Он был по-мужски красив, и можно было предположить, что кликуха ему досталась за голливудскую внешность. Под два

71

метра ростом, широк плечами и душой, обаятелен, а белозубой улыбкой доводил многих барышень до экстаза. Все знали, что Красный не брезговал проститутками с Невского проспекта, и те окрестили его «Железный Феликс» за то, что он мог напрячь на ночь с пяток путан. Бурная жизнь никак не отражалась на его гладком лице — ни морщин тебе, ни мешков под глазами, — как результат нехороших излишеств, а наоборот, лицо его все более свежело и сам он напоминал крепкую осеннюю репу.

В миру его звали Алексей Краснов, именно от фамилии он и получил свое погоняло. Но так его называли редко, куда чаще можно было услышать панибратское Леха. Место смотрящего он занимал всего-то полгода, это был тот редкий случай, когда он стал вором, даже не перешагнув порога камеры, хотя судимость у него была. Лет пять назад он крепко прижал в подворотне девицу, которая, освободившись из его крепких лап, поспешила нацарапать заявление в милицию. И только ушлый адвокат Лехи Краснова убедил судей, что интимная близость имела место по взаимному согласию. Возможно, познакомиться со всеми прелестями тюремной экзотики Леше помешали щедрые дары, которые слуги Фемиды получили от него в ходе разбирательства.

— Все-таки ты наш гость, Филат, — улыбался Красный, — и я вот что хочу тебе предложить для начала — культурную программу!

— Вы что тут, всех гостей культурной программой кормите? — поморщился Филат. — Я бы с дороги соснул...

— Не всех, знаешь ли, а только избранных, — строго возразил Красный. — А потом, негоже питерцам в грязь харей ударять. Если я к тебе в Москву завалюсь, неужели ты меня в гостиницу сразу потащишь? Рванем в казино. Побросаем фишек, потом посидим в ресторане, а там возьмем по паре телок и поедем дальше резвиться... И учти — соснуть тебе сегодня вряд ли удастся, мои девки тебе покоя не дадут!

Филат улыбнулся. Вот сучонок — знает, где больная мозоль...

— Лады — договорились!

— Поедем в моем «мерсе»? — ненавязчиво поинтересовался Леха.

Филат покачал головой.

— Не хочу своих ребят без работы оставлять.

— Ну смотри, тогда поезжай за нами и не отставай, — блеснул жизнерадостной улыбкой смотрящий.

Красный поднял руку — отмашка была замечена мгновенно. Парни повернулись и неторопливо направились к «ауди». Один из них как бы невзначай оглянулся. Безразличия в его взгляде было ровно столько, сколько можно обнаружить в глазах оскалившегося волка. Профессионалы, ничего не скажешь, обучены даже достойно ретироваться. Интересно, в каких академиях учат подобному мастерству?

Можно было не сомневаться, что в случае малейшей опасности пацаны развернутся одновременно, сжимая в руках по скорострельному пистолету, и откроют стрельбу почище, чем в каком-нибудь полицейском боевике.

Напряжение не ушло даже после того, как джип, сердито зарычав, лихо тронулся с места, едва не протаранив массивным бампером хилый «жигуленок», который метнулся в сторону с проворностью карася, узревшего зубастую щуку. Филат без конца ловил себя на том, что крепко сжимает ладони в кулаки. Усилием воли он заставлял себя расслабиться, но стоило ему забыться, как пальцы вновь начинали терзать кожаную обивку сиденья.

Странную все-таки встречу приготовил ему Красный! Филат не мог позволить себе попасться на удочку смотрящего. Вопреки его обезоруживающей белозубой улыбке, он легко менял настроение, а если впадал в ярость, то был способен даже столичного гостя, посланца сходняка, затолкать живьем в чрево мусоровоза и свезти к городскому крематорию... С этими бывшими бандитами-отморозками лучше всегда держаться настороже. И парочка гранат в загашнике никогда не покажутся лишними.

— Не отставай! — бросил Филат.

Глеб едва качнул головой и врубил по газам.

Глава 7

«Мерседес» мчался резво, заставляя попутные машины прижиматься вправо. Даже юркие джипы, проявляя чудеса маневренности, освобождали скоростную полосу. В эти минуты «мерседес» напоминал голодную акулу, что врезалась на полной скорости в косяк макрели и наделала ужасный переполох. Холеный лимузин расчищал путь, и джип, ведомый Глебом, двигался в ее фарватере.

Незаметно добрались до Питера и остановились у небольшого особнячка времен Екатерины Великой. Дом ничем не отличался от прочих построек русского классицизма, расположившихся на набережной Невы. Те же внушительные фасады с лепниной и с помпезным широким входом, украшенные фигурами обнаженных мужчин, в которых без труда угадывались герои греческих мифов. С реки тянуло свежестью, а тучи висели так низко, что и впрямь казалось: без помощи плечистых атлантов эту свинцовую тяжесть не удержать. Над тяжелой дубовой дверью весело сверкали неоновые буквы:

КАЗИНО «ОЛИМПИЯ»

Под неоновой вывеской у дверей прогуливались два молодца со скучающими лицами. Они бегло оглядывали случайных прохожих, спешащих мимо закрытой две-

75

ри казино, и задерживали свое внимание только на тех, кто приближался к этой двери с намерением войти внутрь.

Дело в том, что на четвертом этаже особняка, в небольшой зале, шла крупная игра. Здесь собирались игроки высшей категории, так сказать, элитная покерная лига, попасть в которую было весьма непросто: путь игрока в этот зал был не менее труден, чем у футбольной команды высшего дивизиона, выбивающейся в финал розыгрыша Кубка чемпионов. Едва ли не каждый катала постигал азы своего ремесла с раннего детства, проигрывая в подворотне рублишко, пожалованный любимой бабушкой на мороженое. Потом некоторые из них, по мере взросления, дотягивали до игр районного масштаба, где ставки были не в пример выше. А потом только единицы, к которым благоволила фортуна, могли пробиться в высший эшелон. Как правило, это были весьма состоятельные люди, имеющие за спиной многолетний картежный опыт и сколотившие немалый капиталец, так что при крупной игре им не надо было ставить на кон старенький «москвичок» или комнатку в коммуналке — им верили на слово, потому что у этих игроков имелись миллионные счета в европейских банках, виллы на островах Средиземного моря и серебристые «ягуары» в зимних гаражах на побережье Финского залива. Здесь собирались игроки высочайшего класса, которые чувствовали карты подушечками пальцев и умели так стасовать только что распечатанную колоду, что в пять движений кисти возвращали колоде первоначальный порядок карт. И каждый приходящий сюда знал, что, если ловкость искусных рук помогала сорвать грязный выигрыш, на лестнице удачливого шулера поджидают три мускулистых молодца, готовых накинуть ему шелковую удавку на шею.

В этом казино, известном на весь Питер, в одночасье становились миллионерами или, наоборот, проигрывали даже скромные сбережения на старость. Этот дом помнил не одну человеческую трагедию, здесь уже не удивлялись тому, что проигравший пускал себе пулю в лоб где-нибудь в пустынном скверике.

Хозяином казино «Олимпия» был пожилой грек, внешностью больше напоминающий академика, чем профессионального картежника. Звали его Перикл Геркулос. Поговаривали, что он еще лет двадцать назад сумел сколотить состояние, которому мог бы позавидовать даже преуспевающий европейский бизнесмен. Одно время он хотел съехать на землю предков, но внезапно открывшиеся ему в городе на Неве коммерческие перспективы убили в нем желание искать покоя на родине предков. Несколько лет назад он открыл казино для солидной публики. Посетители казино — а среди них были и воры в законе, и высокопоставленные государственные чиновники, музыканты и «новые русские» предприниматели, — чувствовали себя здесь в полнейшей безопасности: на каждом этаже дежурили вооруженные молодцы. У входа тоже имелась мощная охрана, способная в случае опасности принять на себя удар. Внутренняя и внешняя охрана постоянно держала между собой связь по рации, и без их ведома в казино не мог проникнуть ни один случайный человек.

Сам хозяин частенько принимал участие в игре, но делал это больше для того, чтобы не растерять профессионализма, и с улыбкой вспоминал про былые победы. Свою карьеру Перикл начал лет сорок назад, обыгрывая в поездах дальнего следования богатых лохов-отпускников. Вид у него и тогда был весьма респектабельный, так что никому и в голову не могло прийти, что он шулер, каких по всей России не отыщется даже десятка. Позже его аппетиты возросли, и он создал «покерную бригаду», которая колесила по всей стране и находила Периклу клиентов среди подпольных фабрикантов, коллекционеров антиквариата и просто богатых людей, каких в советской стране было немало. Он имел целый штат наводчиков, с которыми всегда щедро расплачивался.

Позже Геркулос осел в Магадане, поближе к золотым приискам. Тамошние старатели славились тем, что были очень азартны и в одну ночь могли прогулять сезонный заработок. Но с ними надо было вести игру тонко: несмотря на любовь к куражу, старатели отличались недоверчивостью и осторожностью. Но и на них Периклу удавалось найти управу. Наводчиц он искал среди местных проституток, к которым устремлялись артельные мужики так же резво, как олени во время гона к жующим ягель самкам.

С Магадана Перикл вернулся неимоверно богатым. Казалось бы, теперь ему пришла пора утихомириться да зажить спокойно, потихонечку просаживая накопленные капиталы. Однако именно с момента возвращения Перикла на «большую землю» началась его настоящая карьера как профессионального картежника. Обладая не только воровским талантом, но еще и необыкновенными организаторскими способностями, он сумел объединить в единую касту всех шулеров и профессиональных игроков российского северо-запада. Теперь они каждые полгода стали собираться в Питере на свои сходняки, где решались текущие вопросы по устройству и безопасности казино и по сбору общака. На карточных сходках делились территории и определялась специализация игроков: одни любили играть в поездах или на самолетах, другие предпочитали жаркие курорты Черноморского побережья, третьи ошивались в гостиничных комплексах.

А немного позже Геркулос перешел в закон и зажил по понятиям. И теперь, несмотря на огромную разницу в возрасте, Леха Красный был для Перикла Геркулоса как отец родной...

Парни у входа в казино, заметив приближающегося Красного, что-то буркнули в рацию, и дверь слегка приоткрылась. Охранник не удивился появлению смотрящего с гостями. В это здание на набережной он заявлялся частенько, потому что играть любил и умел. Красный проигрывал по-крупному, но частенько срывал богатый банк.

В «Олимпию» Красный мог входить в сопровождении своих телохранителей, но даже он, смотрящий Питера, не смел переступать порог зала на четвертом этаже, где шла крупная игра, и, сдав оружие, должен был томиться перед бронированной дверью под присмотром любезных, но малоулыбчивых гвардейцев Геркулоса.

Старый грек в воровской иерархии Питера хоть и сидел на ступеньку ниже Красного, был в некотором роде сам себе хозяин. С Красным, как некогда со Шрамом и с прежними питерскими смотрящими, у него было все хорошо оговорено. Перикл был умный старик: он понимал, что если только пожелает иметь полный суверенитет, то Леха, не моргнув, открутит ему седую башку. Перикл безоговорочно признал Красного хозяином города и ежеквартально выплачивал ему «налог» с казино. Но при этом Красный приходил в «Олимпию» как простой посетитель — и если проигрывал, то отдавал бабки до копейки, а если срывал куш — на радостях отстегивал «в пользу заведения».

Красный вошел в особняк, увлекая за собой спутников: следом шел Филат с Данилой, замыкал шествие Глеб, который как бы невзначай посмотрел по сторонам: набережная была пустынной, только трое чудаков, оперевшись о чугунную узорчатую решетку, задумчиво наблюдали за медленным течением воды.

Они пересекли просторный вестибюль, на стенах которого висели гобелены восемнадцатого века и потемневшие картины в золоченых тяжелых рамах: создавалось впечатление, что входишь не в казино, а в картинную галерею. По обеим сторонам мраморной лестницы высились обнаженные фигуры греческих богинь вперемешку с бесстыдными сатирами с подъятыми фаллосами. Замыкал галерею скульптур величественный Геркулес — тезка хозяина, — опирающийся на огромную суковатую дубину. Приходившие сюда игроки не могли не оценить откровенный юмор Перикла, который словно предупреждал своих посетителей: здесь вас могут не только раздеть, но еще и поиметь должным образом, а если будете не в меру строптивы, то вам предстоит знакомство с увесистыми дубинками наших атлантов.

Одна из боковых дверей распахнулась, и навстречу гостям, медленно выбрасывая вперед ступни, вышел сам хозяин. Филат был уверен, что он следил за гостями через систему видеокамер, незаметно установленных не только у входа в особняк, но и на широких лестницах.

— О боги! — картинно поднял руки Перикл. — Алексей, ты даже не представляешь, как я рад тебя видеть! — он слегка приобнял Красного и неторопливой походкой повел его через галерею красочных полотен. — Если бы ты знал, какая сегодня была игра, ты даже не представляешь! Знаешь Маленького Геру?

— Ну?

— Он все поднимал и поднимал, но слетел напрочь! Оставил на банке тридцать тысяч баксов!

— Не хило...

— А про Кузю ничего не слышал? — испытывающе заглянул Перикл в глаза смотрящему.

— Откуда? Я же три дня не был в городе.

— Знаю я тебя! — хмыкнул Геркулос. — Тебе же всегда все известно. Мне иногда кажется, что ты никогда не покидаешь этого здания... Кузя взял полсотни штук вчера на флеш-рояле.

Красный невольно улыбнулся. В словах грека была своя сермяжная правда: смотрящий не упускал случая, чтобы заслать в команду Перикла своего человека, — всегда интересно знать, что на уме у этого старого плута.

Нельзя было не проникнуться завистью к греку — его люди были преданы своему боссу, как будто служили не человеку, а полубогу. Их невозможно было подкупить даже хотя бы потому, что старый грек со своими слугами расплачивался щедро. И тем не менее Красный все-таки иной раз находил брешь в его обороне.

— Ты преувеличиваешь, Перикл, мне о тебе известно не больше, чем редактору «Питерского вестника». Ты же сам знаешь, что слухами земля полнится. Да, кстати, — Красный остановился и обернулся к московским гостям. — Познакомься, это Филат. Может быть, слышал о таком? Мой гость из Москвы.

Перикл Геркулос отступил на полшага и не без интереса стал рассматривать Филата. Он знал, что Филат — доверенное лицо Варяга и Михалыча, он был также наслышан и о том, что Филат мастерски выколачивает деньги из должников. На мгновение в его глазах промелькнуло нечто похожее на тревогу: дескать, какая такая нелегкая занесла московского стервятника в наш зверинец? Но потом лицо приняло обычное любезное выражение.

— Кто же не слышал о Филате? Уж не по мою ли душу? — не удержался он от шутки.

Ладонь у грека оказалась мягкой и теплой, но все-таки достаточно крепкой. Филат много всяких баек слышал о греке, но встречаться с ним до сих пор не приходилось.

— Не переживай, Перикл, за тобой долгов не имеется, — ответил за Филата Красный. — Я вот просто решил показать московскому гостю твое заведение. Наш культурный заповедник!

Геркулос глянул на сопровождающих, слепил сочувственную гримасу и обмолвился:

— Дорогой Леша, ты ведь знаешь наши порядки, в игровой зал могут входить только игроки и, разумеется, без оружия. Если я нарушу это правило, мне перестанут доверять, мои гости будут нервничать, а я обязан обеспечить им безопасность и комфорт. — Геркулос выглядел почти смущенным. — Что же будет, если твои друзья неожиданно проиграют? Я бы очень не хотел, чтобы у них возникли какие-то неприятности.

— Можешь не беспокоиться, Перикл, мы войдем только вдвоем с Филатом, а правила писаны для всех, — Красный извлек из-за пояса «макарова» и протянул его одному из своих спутников со словами: — Спрячь эту игрушку, в таком приличном заведении она мне без надобности.

То же самое проделал и Филат: он извлек из кобуры красивый никелированный «вальтер».

— Возьми! — обратился Филат к Даниле, и тот небрежно, как человек, привыкший ежедневно иметь дело с оружием, сунул пистолет в карман брюк.

— А теперь прошу вас, господа! — Грек слегка приобнял смотрящего за плечи и повел его по коридору.

У дверей стояли два высоких парня. Геркулос во всем обожал порядок: даже лакеи у него были похожи на героев античных мифов. Один из них распахнул дверь.

— Входите, господа! — с улыбкой пригласил Перикл. — Надеюсь, игра доставит вам удовольствие.

Первым в зал шагнул Красный — не в пример Филату он чувствовал себя здесь свободно. За дверью оказалась еще одна дверь, которая бесшумно распахнулась, и взору гостей предстала огромная комната, залитая светом. В зале стояли шесть столов, за которыми кучковались стайки мужчин. Никто даже не обернулся на вошедших — игра шла всерьез, чувствовалось, что здесь действительно крутятся большие деньги. Над столами порхали короткие, словно выстрелы, реплики:

— Пас!

— Еще две!

— Твоя!

Филат вспомнил, как однажды ему пришлось играть в преферанс под Сочи. Конечно, давно это было но пулю писали люди весовые, собравшиеся едва ли не со всего региона. Каждый явился с телохранителем, готовым в случае необходимости и пальнуть в обидчика своего хозяина. Поэтому пиджаки у пацанов были расстегнуты, а рукоятки пистолетов вызывающе торчали из-за поясов.

Здесь все было иначе. Солидно, ничего не скажешь. Филат много чего слышал о греке — тот даже речной камешек мог выдать за восьмое чудо света, а такое серьезное предприятие, как казино, он обустроил великолепно. Тут невольно создавалось впечатление, что ты перешагнул порог храма.

— Неприятностей здесь не бывает? — поинтересовался Филат.

— А как же без них, — спокойно отозвался Геркулос. — Не так давно один фраерок пытался мои колоды подменить на свои, на стремные карты. Вклеил, шельмец, в рубашки крупинки стекла! За дурака меня принял!

— И что же ты с этим умником сделал?

— А мы заставили его сначала схавать несколько колод всухомятку, а после того как он хохотальник прикрыл, дали ему воды из Невы испить, — и, криво усмехнувшись, грек добавил: — Так и не нашли беднягу — видно, так понравилась ему водица, что до сих пор жажду не утолил. Так во что играешь: в покер, в деберц, в баккара?

— В очко! — вырвалось у Филата.

— Можно и в очко! — оживился хозяин казино. — Значит, игра на счастье?

Филат невольно улыбнулся — так называлась игра без применения шулерских приемов, и, конечно, в среде высокопрофессиональных игроков такое предложение можно было принять за шутку.

Появился один из людей Геркулоса, точнее, даже не появился, а как будто бы вылепился из прозрачного воздуха, — в руках он держал новенькую колоду карт, которую с почтением протянул хозяину. Тот привычно разорвал обертку, тщательно растасовав ее ловкими пальцами — такие пальцы бывают у цирковых фокусников или прирожденных шулеров. Сели втроем: Красный, Филат и сам Перикл.

Красный вдруг вспомнил, что Филат с дороги, и сердобольно заметил:

— Перикл Кириллыч, наш гость только приехал, наверное, проголодался. Надо бы его накормить!

Глаза грека превратились в щелочки.

— Э, так не годится! Уж коли сели за стол — надо сыграть. А накормить гостей старику Периклу всегда в радость. Сейчас я распоряжусь — мои расторопные мальчики позаботятся! — Он щелкнул пальцами и что-то стал нашептывать вылепившемуся из воздуха курчавому юноше. Курчавый покивал и удалился.

Пошла неторопливая игра. Решили ставить по сотенке. Филат два раза проиграл, один раз выиграл.

— Что нового в городе? — спросил он как бы между делом, обращаясь не столько к Красному, сколько к старому греку.

— Да что у нас нового? — вздохнул Перикл. — Вот на прошлой неделе еще одного бизнесмена подстрелили. На Невском. И куда милиция смотрит! — Он хитро прищурился и глянул на Красного. Тот сидел с невозмутимым лицом.

— Люди гибнут за металл! — пошутил Филат, размышляя, как бы ему незаметно перевести разговор на интересующую его тему. Неожиданно ему помог Красный.

— Да, это ты в точку попал! За металл. Вернее, за металлические изделия.

Филат напрягся. Тепло...

— В каком это смысле?

— Да ты разве не слышал? Тут разворачивается битва за полтора десятка ржавых кораблей!

Грек картинно закатил глаза.

— Да не такие уж они и ржавые, Леша! Если бы в «Балтийском торговом флоте» был сплошной металлолом, не стали бы за него просить двести миллионов!

Филат делал вид, что ничего не понимает.

— У меня девятнадцать! — радостно объявил он и вопросительно посмотрел на Перикла. Грек заглянул в карты и, не раскрывая их, смешал с кучей.

— Семнадцать. Ты выиграл, Филат.

Перикл проиграл уже под тысячу долларов, но с его лица не сходила довольная улыбка.

— Может, удвоим ставочку? — невинно поинтересовался Перикл.

Отказываться было грех: в случае выигрыша счастливец получал почти три тысячи баксов.

— Договорились, — ответил Красный. В его глазах засверкали азартные искорки.

Грек безмятежно проиграл и эту партию и так же беззаботно поинтересовался:

— Может, уж сразу увеличим до тысчонки? — Перикл собрал со стола карты и небрежно швырнул в корзину под столом. — Второй раз играть одной и той же колодой не полагается, — пояснил грек. — Да и большие деньги на кону.

— Хорошо! — махнул рукой Филат.

Карты сдавал Красный. Филат обратил внимание, как дрогнула его рука — непорядок! У смотрящего нервы должны быть покрепче. В этот раз подфартило Геркулосу — хотя его лицо осталось непроницаемым, словно маска древнегреческого актера. Грек бросил взгляд на карты, сбросил две, взял две, обыденно объявил: «Очко!» — и открылся.

На Филата смотрели три удалые пики — тройка, семерка и туз.

— Продолжим, господа? — сладко улыбнулся грек.

— Нет, знаешь ли, отыгрались. Хватит.

Геркулос поднял палец, и «расторопный мальчик» лет тридцати безмолвно возник перед хозяином.

— Слушаю вас, Перикл Кириллович.

— Возьми ключик, собери деньги и положи в сейф.

— Хорошо, Перикл Кириллович. — Парень спрятал в ладони длинный ключ, который больше смахивал на воровскую отмычку.

На столе горой лежали банкноты разного достоинства, с которых уныло таращили взгляды заморские президенты.

Но парень, видно, не испытывал особого почтения к заокеанским господам, — он открыл саквояж и одним движением руки смахнул «зелень» в его глубокое нутро. Звонко щелкнул замок.

— Школа! — кивнул Красный вслед ушедшему парню. — Даже не поморщился!

— Здесь совсем другое, — чуть улыбнулся старик, — просто я им очень хорошо плачу.

За соседним столом по-прежнему шла оживленная игра. Никого не беспокоили чужие удачи — игроков больше интересовал собственный триумф.

Среди игроков выделялся высокий шатен в дорогом костюме. Он был молод, — на вид не более тридцати лет, с большой родинкой под носом и пухлыми, капризно изогнутыми губами. Ему везло по-крупному, но деньги со стола он убирать не спешил, а складывал банкноты аккуратной стопочкой.

— Так что, Перикл, с вашим «Балтийским торговым флотом»? — негромко, как бы с ленцой, громко произнес Филат. — Что-то я ничего не знаю...

Голова шатена при этих словах немного качнулась в его сторону. Филат обернулся: нет, показалось — красавчик был полностью увлечен игрой и в очередной раз взял немалый банк. Парню определенно везло.

Старик поднял седую голову. Его глаза излучали гипнотическую теплоту. Однако Филат прекрасно понимал, что точно такими же любящими глазами он смотрит на человека, задолжавшего ему за вечер сто тысяч баксов и не сумевшего расплатиться.

К столу бесшумно приплыл курчавый юноша и вполголоса доложил:

— Накрыли!

Грек поднялся из-за стола и обратился к Филату:

— Ну, а теперь прошу отобедать!

Красный глянул на часы и хохотнул:

— Да уж скорее отужинать! Восьмой час.

Увлекая за собой Красного с Филатом, хозяин казино направился в смежную комнату. Ее убранство было не менее роскошным, чем в зале. На стене, напротив двери, была выложена мозаика — гибкий юноша перепрыгивает через быка, оперевшись руками в его крутую холку.

Перикл поймал заинтересованный взгляд Филата и пояснил с улыбкой:

— На вазах, которые находят на островах Эгейского моря, можно встретить подобные изображения. Оказывается, у древних греков прыжки через разъяренного быка были чем-то вроде доброй национальной традиции. Подобно той, что существовала у славян на Ивана Купалу, знаете, когда прыгали через костер! Вот, не удержался, заказал себе копию тех фресок, — не без гордости произнес он. — Это мне стоило недешево. Но красота, как вы сами понимаете, всегда стоит дорого.

На двух других стенах был запечатлен извергающийся вулкан. Перикла Геркулоса всюду окружала красота, наверняка даже в сортире у него можно было отыскать изображения прекрасных нимф и крылатых богов. Посреди комнаты стоял небольшой круглый стол, накрытый белоснежной скатертью. Стол был уставлен блюдами со всевозможной снедью — тушеными овощами, нарезанным тонкими кусками жареным мясом, сырами, тропическими фруктами. Посреди возвышался графин с красным вином.

Перикл пригласил гостей за стол. Курчавый юноша разлил вино по бокалам и выскользнул за дверь.

И вдруг Красный ляпнул:

— Перикл Кириллыч, нашего гостя, как я смотрю, интересует «Балтийский торговый флот». — Он с кривой усмешечкой просверлил Филата взглядом. — Мне он почему-то этого не сказал сразу. Так выкладывай, старик, что тебе известно! У тебя же тут бывают крупные люди — наверняка ведут разговоры и о кораблях...

Грек просиял.

— Теперь я спокоен! Значит, моя скромная персона московских не интересует. Значит, все-таки «Балтийский торговый флот»? Да, действительно лакомый кусочек. Еще царь Петр сказал: Санкт-Петербург — окно в Европу. Я бы перефразировал и так: Питер — окно в Россию, его ворота. А тот, кто завладеет крупнейшим на Балтике флотом, будет полноправным хозяином всего побережья, я бы даже сказал больше, возможно, всей России. На море всегда крутятся очень большие деньги... Но я понимаю, почему ты спрашиваешь. — Старик не скрывал своего интереса. — Весь город только и говорит о предстоящей продаже «Балтфлота». По моим сведениям, на него зарятся очень серьезные люди...

— Например? — Филат посмотрел на питерского смотрящего. Тот состроил невинную рожу — точь-в-точь курсистка, отдавшаяся за целковый пьяному ухажеру. Филат перевел взгляд на грека.

— Даже самую крохотку информации добываешь с большим трудом, — глубокомысленно заметил Геркулос.

— Что ты хочешь, старик — деньги? — перебил Филат.

Роман Филатов был доверенным лицом Варяга, а поэтому многие вопросы был уполномочен утрясать на месте.

— Дорогой ты мой, если мне и нужны деньги, так для того, чтобы поддерживать на должном уровне всю эту красоту, — старик сделал широкий жест в сторону. — Но сейчас дело не в этом. Деньги мне не нужны!

— Если человек отказывается от денег, то он всегда хочет чего-то большего. Что же ты хочешь?

— Питер — наш город, — старый Грек посмотрел на Красного, который всем своим видом давал понять, что не принимает участия в разговоре и, забросив ногу за ногу, с удовольствием дымил кубинской сигарой и любовался мозаичным панно, на котором была изображена обнаженная девушка верхом на олене. — Я хотел бы иметь свою долю. Я не претендую на баржу или на сухогруз. Мне будет довольно и спасательного ялика, который я смогу использовать по своему разумению.

Филат невольно улыбнулся. Это предложение больше смахивало на любезнейшую просьбу гангстера добровольно расстаться со своими драгоценностями. Теперь он понимал, что Красный привез его сюда далеко не случайно. Питерские отлично подготовились к его визиту. Геркулос не отважился бы на такой разговор, если бы не заручился поддержкой Красного, а значит, тот знает о компании куда больше, чем хочет это показать. Если даже старый плут мечтает о своей доле — интересно, какую долю потребует для себя смотрящий.

— Если речь идет только о ялике, тогда дело можно считать улаженным, — улыбнувшись, сказал Филат, решив, что при случае поделится своими сомнениями с Михалычем.

— Я знал, что мы поймем друг друга. — Благородное лицо грека излучало явное удовольствие. — В этой компании у меня есть знакомый, который мог бы вам посодействовать.

«Ого! — подумал Филат. — Он уже говорит о совместном бизнесе. А ведь это только начало. Сколько же прилипал будет через месяц?» Сделав над собой усилие, он постарался не выказать неудовольствия.

— Какая у него должность? Как зовут?

— Не торопись, Филат! Ты молод и горяч, — улыбнулся грек. — Серьезные дела так не делаются. Сначала мне самому надо прощупать почву. Я помогу тебе найти нужных людей.

— Очень хорошо, — кивнул Филат, уплетая сказочно вкусные баклажаны в томатно-чесночном соусе. — Когда будет результат?

— Завтра-послезавтра, — неопределенно ответил грек.

Филат молча кивнул, покосившись на Красного. Тот без тени улыбки смотрел на него в упор. От его взгляда Филат даже передернулся. Что же все-таки у Красного на уме?

— Если еще возникнут какие вопросы — найти меня можно здесь каждый день, — ласково проговорил Перикл.

— Договорились!

— Ну что ж, тогда мы рванем! — Красный поднялся с места, дожевывая кусок мяса. — Тут у нас намечена кое-какая культурная программа. Так что по коням!

— Молодость!.. Помню, раньше меня тоже ничего не интересовало, кроме женщин. — Впервые за время разговора Филат уловил на лице Перикла что-то очень похожее на зависть. — Как же все-таки быстро бежит время!

Проходя мимо игорных столов, Филат посмотрел в сторону красавчика-шатена. Он заметил, что стопочка долларов перед ним немного осела. Ага, все-таки и у везунчиков бывают проколы! На мгновение их взгляды столкнулись, и Филат готов был поручиться, что в пытливых серых глаза питерского денди он разглядел нечто большее, чем простое любопытство.

Глава 8

Для культурной программы Леха Красный давно присмотрел небольшой старинный дом на Васильевском острове. Дом был замечателен во всех отношениях. Этот особняк светлейший князь Александр Данилович Меншиков отстроил для своей фаворитки — сюда он наезжал частенько и оставался порой до утренних звезд. Поговаривали, что позже девица стала первой «мадам» Петербурга, устроив здесь дом увеселений, вроде тех, какими был славен блистательный Париж. Позже в его исторических стенах был открыт первоклассный ресторан. На верхнем — третьем — этаже располагались шикарные кабинеты, где проводили времечко нижегородские купцы и золотодобытчики с Севера. В распоряжение миллионщиков отдавался огромный ресторанный зал, где они могли со смыслом потрясти ассигнациями и послушать тягучие песни цыган. Сие заведение процветало до самого Октябрьского переворота и обрело вторую жизнь уже во времена новой экономической политики: здесь оборотистые мужички из крепких крестьянских семей лихо обменивали заработанные червонцы на красивых наложниц.

Казалось, что время в этих стенах застыло: сейчас тут все так же продолжали существовать кабинеты для интимных свиданий, была своя «мадам», а у богачей постсоветского периода в моде были точно такие же чудачества, какими славились до революции сибирские миллионщики, — к примеру, купание в ванне, заполненной до краев шампанским.

Именно сюда и привел Филата смотрящий Питера. Это заведение, ныне называвшееся «отелем», славилось у питерской братвы, и поговаривали, что в его кабинетах снимают стресс не только простые бандюги с золотыми цепями на шеях и браслетами на запястьях, но и солидные люди, облеченные властью. Им тоже ведь не чужды простые человеческие радости: попариться в сауне и поплескаться в бассейне с длинноногими красотками. Еще поговаривали, что в одной из саун установлена видеокамера, которая беспристрастно запечатлевала все загулы сильных мира сего. А может, и врали — после скандальных «банных» похождений высоких московских начальников в Питере ходило немало анекдотов про обитателей Смольного, но никаких кинофотоматериалов так никто и не обнародовал.

В глубине исторического особняка располагались несколько укромных комнат — это была святая святых: здесь отдыхал Леха Красный с товарищами, и полногрудая хозяйка, исполнявшая роль «мадам», обеспечивала дорогих гостей свеженьким молодняком.

— А ты знаешь ли, что наши питерские девочки самые длинноногие? — балагурил Красный.

— Слыхал, — примирительно отозвался Филат.

Для Красного существовали только две темы: тачки и телки. Об этом он мог тараторить без умолку.

— Каждая из здешних девок в постели акробатка: они такие номера откалывают, что московским блядям до них далеко будет. А уж если обхватят тебя ногами, так не отпустят до тех пор, пока три раза не кончишь. Скажу тебе, Филат, сколько гостей сюда ни привожу, не видел ни разу, чтобы кто-то ушел недовольный. Что-то ты сегодня мрачный, Филат!

— Тебе показалось, Красный. Мне не терпится поглядеть на твоих хваленых акробаток. — Филат попытался улыбнуться, однако получилось кисловато. Все его мысли были заняты встречей с греком-картежником.

...Выходя от Перикла, Филат заметил на противоположной стороне улицы двух молодых людей, которые о чем-то разговаривали. Внешне они напоминали двух приятелей, случайно столкнувшихся на безлюдной улице. Вот только стояли уж слишком как-то спокойно, будто оловянные солдатики — не кивали головами, не жестикулировали, как это бывает при активном диалоге. Один из них, как бы невзначай, посмотрел в сторону Филата. Так не разглядывают незнакомых прохожих, у этого парня к нему явно был какой-то интерес. Впрочем, про питерские странности он уже был наслышан — посыльные сходняка исчезали в этом городе, как булыжники в пруду, и поэтому он просто обязан был держаться настороже.

Филат ощущал на себе напряженный изучающий взгляд даже тогда, когда садился в машину. И успокоился он лишь когда оказался за бронированными стеклами Лешкиного «мерседеса».

По всему Невскому проспекту за ними следовала темно-вишневая «девятка», а то, что это не было случайностью, он понял, когда «мерседес» повернул на Дворцовый мост. «Жигуль» то и дело терялся в потоке машин, но стоило «мерседесу» прибавить скорости, как он опять оказывался на хвосте.

Красный весело трепался: вспоминал, как вчера парился с двумя девицами в сауне, и пока одна делала ему массаж, он оприходовал вторую. Вообще он производил впечатление ветреного пацана, дорвавшегося до плотских удовольствий и не знавшего в них удержу. Трудно было поверить, что этот зубоскал держит в руках Санкт-

Петербург так же крепко, как тяжелоатлет трехпудовую гирьку. Леша Краснов был просто создан для криминального бизнеса, и если у одних талант к ваянию, у других к математике, а у третьих к фигурному катанию, то у него — к тому, чтобы легко брать «под крышу» большие и малые предприятия. Питерские заводы платили ему столь же исправно, как какой-нибудь табачный кисок на Лиговке: деньги для него находились даже тогда, когда заводская бухгалтерия сидела на картотеке.

Филат поглядел в боковое зеркало. «Жигуль» не отставал. Конечно, можно предположить, что за ними волочатся люди Красного, но почему тогда он не обмолвился об этом даже словом? К тому же у них уже имеется охрана на колесах, которую не назовешь бестолковой. Филат хотел было поделиться своими опасениями со смотрящим, но потом передумал.

Ясно одно — их пасут. Но вот кто?

— Девки что надо, на разочаруют! — бодро заверил Филата Красный. — Можешь не сомневаться, каждую я самолично проверил. А может, ты из брезгливых? — недоверчиво посмотрел Красный на гостя. — Если так, то я могу что-нибудь эксклюзивное организовать. Ты только не стесняйся, скажи. За хорошие бабки целку приведу!

— Я непривередлив, — хмыкнул Филат.

Он вспомнил, как несколько дней назад вызвал себе домой девку. Если кто и кумекает в сексе, так это опытные проститутки! И он почувствовал дрожь, как будто ощутил прикосновение прохладных девичьих пальцев к своему телу.

— Ну и молодец! — не без удовольствия отрезал смотрящий. — Тебя, брат, ждет ночь любви, какие бывали в этом городе только у Петра Великого!

У Красного явно была заранее заготовлена для гостя какая-то забористая шоу-программа, может быть, стриптиз-балет, а может, и еще что покруче, но Филату после утомительной дороги страшно хотелось спать и он уже не чаял донести отяжелевшую голову до подушки. Да, видать, Красный так просто от него не отвяжется, пока не продемонстрирует питерское радушие в полном блеске...

Они все еще стояли в просторном вестибюле отеля и, видно, кого-то ждали. К ним из бокового коридора вышла тонкая высокая девица в черном костюме-тройке. Наверное, администраторша.

Красный приветливо ей кивнул.

— Светочка! Здравствуй, родная моя! Ты все хорошеешь! Ну-ка найди моему гостю лучшую комнату.

Филат украдкой оглядывался по сторонам. Все здесь выглядело респектабельно и благопристойно. С потолка свисала тяжелая бронзовая люстра в виде виноградной грозди, окна были занавешены тяжелыми плюшевыми портьерами. По углам пустого вестибюля дежурили крепкие парни, одетые под кабацких половых начала двадцатого века. Здешний интерьер больше напоминал не отель, а особняк какого-нибудь придворного вельможи.

— Ой, господи, да такого гостя я бы и сама не прочь обслужить! — Навстречу Филату вышла высокая брюнетка лет тридцати пяти. — Да только я ему не подойду, твои гости, Лешенька, все на молодых посматривают.

— Это и есть наша сестра-хозяйка Лариса Ивановна. — Красный хлопнул даму пониже спины, и Филат без труда догадался, что с этой дамой у него отношения несколько более тесные, чем просто приятельские. — Если бы не ее старания, Филат, то наша жизнь выглядела бы просто убогой. А может, ты, Лариса, и в самом деле нашего гостя обслужишь? Ведь лучше тебя этого никто не сделает. А он у себя в Москве расскажет, что мы гостей принимаем по высшему разряду! Сам-то что скажешь, Филат?

Филат усмехнулся:

— Ларису Ивановну не хочу обидеть. Но мне бы что-нибудь попроще. После дороги чувствую себя не особенно свежо.

— Понимаю, — отвечала Лариса Ивановна. Видно, ей доплачивали еще за то, чтобы она не обижалась. — Для такого случая вам подойдет Глашенька. Вы не смотрите, что она молоденькая — девушка сумеет сделать все, что нужно. Главное, не стесняйтесь, будьте с ней поласковее. — Было видно, что работа доставляет ей удовольствие и разговаривать на пикантные темы для нее так же естественно, как уличной собачонке справлять нужду под забором. — Игорь, — обратилась «мадам» к высокому парню, которому больше подошла бы роль центрового в баскетбольной команде. — Отведи нашего уважаемого гостя в седьмой номер и приведи ему Глашеньку.

У самого порога, скрывая неловкость, топтались Данила с Глебом. По их лицам было ясно, что и они совсем не прочь отведать хваленых питерских деликатесов, но пока не знают, что же им следует предпринять: отправиться на поиски добычи или терпеливо дожидаться патрона.

— У меня к вам просьба, — заметил Филат. — Позаботьтесь о том, чтобы мои друзья не скучали.

— Не беспокойтесь, с нашими девочками заскучать невозможно! — весело ответила Лариса Ивановна.

— Прошу вас! — Великан повел Филата по длинному коридору с зеркальными стенами.

Обернувшись, Филат заметил, как Красный приобнял за талию двух подошедших девиц и уверенно увел их в соседнюю комнату.

Миновав зеркальный коридор, Филат оказался в просторной комнате, где шторы, скатерти и даже посуда, расставленная на круглом столе, были болотно-зеленого цвета. Филат совсем бы не удивился, если бы почувствовал здесь застойный смрад болота, однако в воздухе витали сладкие эротические ароматы. Филат извлек из кармана пачку сигарет, чиркнул зажигалкой и смачно затянулся. Ему стало легче, он опустился в мягкое кресло, которое поглотило его целиком, и стал ждать. Сейчас его взору должна была предстать царевна-лягушка со стрелой в лапке...

И она появилась. Девушка была в легком прозрачном пеньюаре, через который просвечивало молодое гибкое тело. Но вместо волшебной стрелы она держала в руках небольшой поднос, на котором стояла запотевшая бутылка шампанского и два высоких бокала. На мгновение Филат и вправду ощутил себя Иваном-царевичем, готовым броситься искать по углам лягушачью кожу.

Девушка прошлась по комнате. В полупрозрачном одеянии она чувствовала себя так же уверенно, как светская дама в вечернем платье.

— Как тебя зовут? — спросил Филат, когда она опустилась в кресло напротив него и из-под дымчатой ткани показалась крепкая полноватая ляжка. — Ах, да, Глашенька! Мне так кажется, тебе больше подошло бы какое-нибудь сказочное имя.

— Например? — девушка охотно подхватила игру.

— Ну, скажем, Елена Прекрасная, — в тон ей отвечал Филат.

Глашенька восторженно захлопала ресницами.

— Как это замечательно, мне никто никогда не делал такого комплимента!

Присмотревшись, Филат понял, что его гостья совсем молоденькая, если не сказать юная. Если бы не губы, раскрашенные в ярко-вишневый цвет, она могла бы вполне сойти за восьмиклассницу.

— А если бы ты не была Еленой Прекрасной, я мог бы подумать, что ты сбежала из гарема какого-нибудь султана.

Девушка заливисто рассмеялась.

— Если я откуда-то и сбежала, так только из хореографического училища. Мне было там так не интересно! — Она капризно наморщила губы. — От упражнений на этих дурацких станках у меня все время болело вот здесь. — И Глашенька невинно погладила ладонью в паху. — А потом от прыжков очень кружится голова.

Девушка говорила так, как будто они были давно знакомы, даже тон ее был какой-то доверительно-интимный. Словно встретились старые друзья и решили в легкой болтовне провести время.

— И много здесь у вас девушек из хореографического училища? — так же по-приятельски поинтересовался Филат.

— Хватает! — В этот раз ответ прозвучал несколько скромнее.

Глазки потуплены, ресницы прикрыты, Филат готов был бы поверить в то, что перед ним невинная школьница, если бы не вызывающе голое тело и откровенная поза: ноги широко расставлены, грудь навыкат...

Оставалось только гадать, откуда у нее такая неподдельная искренность — то ли знак профессионализма, то ли врожденное качество. Филат нисколько бы не удивился, если б девушка начала рассказывать о том, какой она выдержала серьезный вступительный экзамен, прежде чем попасть в этот «отель». Но неожиданно она поинтересовалась:

— А что вы любите?

Этот вопрос прозвучал так же естественно, как будто его задала пятилетняя девчушка.

— В каком смысле? — не понял Филат.

— В смысле удовольствия, — профессионально улыбнулась Глашенька и легким движением руки сбросила пеньюар, который воздушной волной мягко опустился на паркет. Филат жадно оглядывал юное, но вполне не развившееся тело: крупные грушевидные груди с темно-коричневыми сосками, узкую талию, чуть выпуклый мягкий живот и широкие бедра с пушистым треугольным островком волос в паху.

Филат, вспомнив свои встречи с московскими проститутками, решил, что рассчитываться надо вперед. Он запустил руку во внутренний карман куртки, выудил бумажник и достал пару стодолларовых банкнот.

Глашенька не скрывала удовольствия. В глазах у нее зажегся алчный огонек: сразу стало ясно, что перед ним сидит не такое уж невинное существо, каким она хотела казаться. Она слизнула с его руки бумажки и положила их на стол.

— Не предложите ли выпить в честь нашего знакомства, Роман Иванович?

— Ты знаешь, как меня зовут, Глаша? — удивился Филат. Было от чего насторожиться.

— Конечно, меня же предупредили, что вы очень важный гость.

В ее словах чувствовалась гордость, точно такая, какая бывает у завсегдатая ипподрома, поставившего все деньги на темную лошадку и сорвавшего главный приз.

Все проститутки удивительно похожи друг на друга, даже если имеют лицо мадонны, — их выдают глаза. При виде денег они сверкают, как угли в темноте. Ему не раз приходилось пользоваться услугами жриц коммерческой любви, знавал он таких, чьи ласки стоили так же дорого, как ужин в «Метрополе». Но всех их роднил именно алчный блеск в глазах.

Филат откупорил бутылку шампанского. Весело забулькал в высоких бокалах игристый напиток.

— За тебя! — Филат взялся за длинную хрустальную ножку.

Глашенька плавно вытянула руку с бокалом, хрустальные края соприкоснулись, наполнив на мгновение комнату мелодичным звоном.

Едва пригубив, он поставил бокал на **стол**.

— Я тебе не нравлюсь, — надула губы девушка.

— Нет, что ты! — запротестовал Филат.

— Тебе не понравился мой пеньюар? — улыбнулась Глашенька. — Я могу переодеться. Хочешь, надену строгий костюм. Многим мужчинам нравится.

— Нет, оставайся как есть.

Филат протянул руку к Глашеньке и та, не заставляя себя упрашивать, прижалась к нему жаркими грудями, а ее проворные пальчики принялись быстро расстегивать пуговки у него на рубашке. Она умело сорвала с Филата рубашку, а он тем временем снял брюки и присел на широкую кровать. Глашенька откинула покрывало и юркнула под одеяло, взглядом приглашая его последовать за ней. Филат стащил трусы и, немного робея под ее блудливым взглядом, лег рядом. Девушка положила ладошку на его восставший член и несколько раз провела вверх-вниз, точно полировала. Потом аккуратно пощекотала ноготком самую верхушку. По телу Филата пробежала острая волна наслаждения. Не в силах сдержать похоти, он обхватил Глашеньку за плечи и крепко сжал ее груди вместе, так что они расплющились друг о дружку. Тем временем она взгромоздилась на него верхом, приподняла зад и, ловко насадив себя куда нужно, стала покачиваться из стороны в сторону.

— Смотри не сломай! — усмехнулся Филат. Его дыхание участилось, и он закрыл глаза, предвкушая взрыв наслаждения.

Но Глашенька вдруг тихо захохотала и соскочила с него.

— Что такое? — недовольно бросил Филат.

— А что ты глаза закрыл? Не хочешь смотреть? — Глашенька обнажила два ряда ровных белых зубов.

Хороша девка! Вот бесстыжая — совсем не стесняется, а ведь видит его в первый раз. Видно, опытная, хотя и малолетка.

— А сколько тебе лет, Глаша?

Она лукаво повела глазами.

— А что?

— Да больно ты молоденькая.

— Боишься? — хохотнула она. — Двадцать три. Устраивает?

Филат недоверчиво покачал головой. Желание ушло, и он почувствовал, как его «боец» понурил голову. Но и от зоркого взгляда Глашеньки это не утаилось. Она снова обхватила Филатов член пальчиками и тут же пробудила его к жизни. Потом снова села верхом и поскакала, постепенно наращивая темп. Филат сжал зубы. Волна вожделения огнем пробежала по бедрам, устремилась в пах и — мощным толчком выплеснулась наружу.

Глашенька разочарованно замерла и, укоризненно покачав головой, высвободилась.

— Что-то ты так быстро! Удовольствие хоть ощутил?

Филат молча кивнул. Ему не хотелось признаваться, что Глашенька извлекла из его нутра могучий заряд сладострастья, чего еще ни одной московской шлюхе не удавалось.

— Ощутил, ощутил. А то, что быстро — так это от усталости. Просто, знаешь, сегодня у меня был очень тяжелый день. Я шесть часов провел в машине. До сих пор не могу прийти в себя. Ты скажи, я тебе еще что-то должен?

Девушка неопределенно пожала плечами:

— Да мне-то нет. У нас кассиром Лариска. А потом, ты же мне уже дал...

— Те двести пусть будут как аванс, вот возьми еще, — протянул Филат еще две сотни.

Глашенька медлила, но это продолжалось ровно столько, чтобы выглядело вполне пристойным колебанием, а потом тоненькая ручка умело вытянула из его ладони деньги.

— Извини, если что не так. — Ее улыбка выглядела виноватой. Сейчас она скорее напоминала даму, которую беспардонно выставляют за дверь.

Глашенька поднялась с кровати и, слегка покачивая бедрами, точно манекенщица на подиуме, направилась к двери. У самого порога она замедлила шаг и, не дождавшись оклика, распахнула дверь.

...Сказка закончилась едва начавшись: царевна-лягушка отправилась по своим привычным делам.

Некоторое время Филат наслаждался одиночеством и тишиной. Ему нестерпимо хотелось спать.

Завтра предстоят важные встречи. Филат решил действовать по собственному разумению — тем более что в Питере у него был свой верный человек, о котором не знал никто из его московских хозяев — ни Варяг, ни Михалыч. Завтра он поедет к нему и попросит оказать услугу. Оплачивать эту услугу, конечно, придется по высокой ставке. Но только не из денег Михалыча. Из тех баксов, что дал ему на карманные расходы старый московский вор, Филат отстегнул четыреста Глашеньке. А вот свои личные дела лучше финансировать из собственного кармана — не надо, чтобы Михалыч вдруг прознал, что за кадр имеется у Филата в Питере.

На душе у него стало спокойно, как будто он глотнул сонного эликсира. Филат лег на мягкую надушенную подушку и почувствовал, как веки, вопреки его воле, сами собой смыкаются. Он закрыл глаза и провалился в сон.

Глава 9

Утро явилось неожиданно. Оно ворвалось в его сознание вместе с похабным криком какого-то разудалого молодчика за стеной и звонким женским визгом. Филат попробовал снова уснуть, а когда понял, что это бессмысленно, открыл глаза.

Послышался новый вопль, еще более истошный, но тут же его сменил жизнерадостный девичий смех — и дверь широко распахнулась. На пороге, заслонив собой дверной проем, с початой бутылкой виски в правой руке стоял Красный.

Филат и раньше слышал, что Леха Красный не умеет вовремя остановиться и своими загулами больше напоминает зарвавшегося помещика, который запросто мог пересчитать зубы крепостным мужикам и испортить попавшуюся под горячую руку девку. Однако люди смотрящего воспринимали его гульбу как безобидные проказы. Оно и понятно: если хозяин желает покуражиться, так почему бы ему не подергать холопов за чубы, а девок не пощипать за титьки? Из-за могучего плеча смотрящего на Филата кокетливо посматривали две девицы. Обе были из тех смазливых кисок, которых достаточно поманить пальчиком, как они с радостью задерут юбки...

— Наслышан о твоих подвигах! — воскликнул Красный. — Глашка рассказывала о тебе. Ну-ка, девчата, окружите нашего гостя заботой и лаской. Да не смотрите, что он мрачный, — это он притворяется! — Красный прошел в комнату, освобождая дорогу девушкам. — Ща стопочку на грудь примет — и все пойдет своим чередом.

Приподнявшись на постели, Филат хмуро смотрел на девиц, одна из которых уже опустилась на самый краешек кровати и веселым воробушком готова была впорхнуть к нему под широкое одеяло.

— Послушай, Красный...

— И слушать не желаю, брат, сначала утренний секс, а потом уж все остальное!

Но Филата уже начало ломать от питерского гостеприимства.

— Красный, твое радушие меня умиляет, но я в Питере не для того, чтобы трахать твоих шлюшек! Покуражились ночку — и за дело. У меня к тебе разговор есть. Скажи им, пусть нас оставят!

Красный досадливо мотнул головой и протянул бутылку виски одной из девушек.

— На, дососи ее со своим дружком. А теперь, девки, покедова!

Девушки не обиделись: ни разочарования на лицах, ни сердитого подергивания плечами. Видно, их тут дрессировали серьезно.

Мило улыбнувшись все еще хмурому Филату, девки заторопились к выходу. Красный похотливым взглядом проводил девушек, а когда за ними закрылась болотноматовая дверь, изрек:

— Жаль, а я думал, групповушку учудим с утра пораньше. Так о чем ты хотел поговорить?

Теперь Филат понял, что Красный не так пьян, как пытался изобразить. Взгляд у смотрящего был пронзительным — будто лазерный луч ночного прицела прорезал темноту. И если бы его взгляд задержался на лице Филата дольше пяти секунд, то выжег бы у него на лбу глубокую дыру...

Филата вдруг пронзила мысль: а что, если Лешка не только «Железный Феликс», но еще и талантливый актер и валяет тут ваньку для того, чтобы усыпить бдительность? Надо быть с ним поосмотрительнее. Филат уже пожалел, что вчера в казино вдруг разоткровенничался с жуликоватым греком в присутствии Красного и сдуру ляпнул ему про свой интерес к морским делам. Они же не идиоты — сразу смекнули, что тут вовсе не его личный интерес, а — московских... Ну да ладно, все равно без подмоги Красного не обойтись. Чиф, дурила, сам попытался во всем разобраться, да и погорел. А обратись он вовремя к питерскому смотрящему, глядишь, сегодня парился бы живехонек в Сандуновских банях...

— У меня здесь в Питере имеются кое-какие дела... личного характера.

— Ясно, — многозначительно улыбнулся Красный и вновь превратился в разбитного малого, которого, казалось, ничего более на свете не интересует кроме девок и водки. — А я то думаю, почему ты от наших барышень нос воротишь. Значит, недосуг?

— Я же тебе сказал, не в этом дело, — снова начал раздраженно Филат и ехидно добавил: — Неужели тебе все шлюхи рапортуют о том, как ночь прошла?

Красный юмора не понял и, раззявив пасть, весело ответил:

— Да не, но Глашку ты удивил! Она девка многоопытная, одна из самых мастеровитых в этом заведении — такого крепкого мужика, как ты, может на пять оргазмов подряд раскрутить. Но, видно, что-то в твоем механизме не то...

Филат резко приподнялся на локте. Балагурство Красного ему уже было невмоготу.

— Леша, я же не на блядки приехал, а по делам.

— Долги мои тяжкие? — с наигранным отчаянием протянул Красный.

— Ну, с твоими долгами разобраться — не проблема. У меня тут еще одно дельце есть.

— То-то ты вчера Перикла напряг. Как провожают пароходы — совсем не так как поезда! — вращая глазами, пропел Красный. — В порту дельце?

— Там тоже, — уклончиво ответил Филат.

— Хм... Может, тебя подстраховать? Я могу отправить с тобой своих пацанов, они у меня калачи тертые, да и шпана городская дергаться не станет, когда увидит, в чьей тачке ты раскатываешь.

Филат сбросил на пол одеяло, обнажив крепкое мускулистое тело. На плече красовался выколотый эполет в виде двуглавого орла с крестом. Его можно было бы принять за отпетого поборника монархии, если бы не знать истинный смысл наколки. Подобные татуировки носили только элитные воры.

На лице Филата мелькнула тень улыбки. Несмотря на всю свою артистичность и дьявольскую хитрость, Краснов не сумел скрыть истинных чувств — он явно позавидовал своему гостю, который мог запросто пощеголять авторитетной наколкой. Смотрящий такого большого города, как Петербург, нуждался в подобной атрибутике так же остро, как генерал в большой армии, и наверняка он жалел о том, что в свое время не отсидел год-другой на нарах. Подобная глава в биографии наверняка повысила бы его авторитет среди питерской братвы. Вместо того чтобы хлебать баланду где-нибудь в пермских лагерях, он, как дурень, три года прослужил на подводной лодке, хотя, если разобраться по-хорошему, бытовые условия там были, пожалуй, куда хуже, чем где-нибудь на беспредельной сучьей зоне.

Филат медлил с ответом: он как будто давал понять, что есть неписаная табель о рангах и смотрящий Санкт-Петербурга занимает в ней отнюдь не самую высокую строку.

— Не стоит напрягаться, — наконец произнес Филат. — Сам разберусь.

Губы Красного тронула кривая и слегка нагловатая улыбка.

— Если бы я не знал, что ты сейчас отправляешься по делу, то предположил бы, что ты с пацанами намылился в Эрмитаж.

Филат молча снес наглую подколку.

— И еще вот что, не посылай за мной никаких тачек. Твой хвост может испортить все мои планы. Я тебя вот о чем хотел спросить, это не твой «жигуль» провожал нас вчера до этого борделя? — решился наконец Филат.

— Что за «жигуль»?

— Вишневая «девятка».

— А ты глазастый, — удовлетворенно протянул Красный. Он совсем протрезвел за время разговора, а может, и вовсе не был пьян. — Я вчера грешным делом подумал, что это менты. И своим пацанам дал знак взъерошить эту «девятку» и поглядеть, кто меня опекает, но те хмыри, видно, почуяли неладное и сгинули.

— Значит, за нами плелись не твои?

— Да нет же! И какой смысл, если мы ехали в одной машине? — голос Красного прозвучал очень искренне.

— Непорядок творится, гнильца завелась в твоем королевстве, Красный. Как же ты не знаешь, кто тебя пасет?

Лицо Красного нервно дернулось.

— Кто меня пасет — я знаю, Филат. Знаю, что давно уже никто не пасет. К чему? Я же весь на виду. Чего меня пасти? Если кто захочет потолковать — мои служебные телефоны в справочнике «Деловой Петербург» имеются. Все шесть штук. А домашние — для ментовки, и для гэбухи тоже не секрет. Не хрена меня пасти.

— Тогда кто же тебя вчера пас? — усмехнулся Филат. Ему уже определенно не нравился этот разговор. Красный вел себя странно — вроде изображал гостеприимного хозяина, но ерничал и зубоскалил на грани хамства. А хамства Филат никогда не терпел. За хамство мог не только хлебало порвать, но и свинцовую плюху в лоб влепить.

— А кто тебе сказал, брат, что меня пасли? — вызывающе заулыбался Красный. — Похоже, по твою душу вишневая «девяточка» к нам приклеилась.

Филат с сомнением покачал головой. Если на всем пути от Москвы до Питера за ними не было хвоста — Глеб, водитель, на сей счет божился, а перед самым Питером их перехватил Красный — тогда, выходит, если «девятка» кого и пасла, то только черный «мерс» смотрящего. Или красную «ауди» его братвы.

— Ладно, забыли. Посмотрим, как дальше события будут развиваться. Мои люди здесь?

— А где им еще быть? — протянул Красный. — Пока один девку пялил, другой у твоих дверей на карауле стоял. Так и менялись всю ночь. Я им хоть и объяснял, что тебе здесь ничего не грозит, они не поверили. И где ты таких верных псов находишь?

— Москва богата талантами, — по-приятельски похлопал Филат смотрящего по плечу и вышел за дверь. — Здорово! — кивнул он Даниле, торчащему в коридоре. — Проверили?

— Там с ней сейчас Глеб возится, вроде все в порядке.

Они давно научились понимать друг друга почти без слов, возможно, в этом немалую роль сыграло то, что они очень долгое время находились рядом. Филат имел упрямую привычку не доверять никому, и, если его машина оставалась без присмотра хотя бы несколько минут, ее всегда подвергали тщательному досмотру. Ведь обидно погибнуть по глупости, от какой-нибудь вшивой мины-ловушки — и не меньшая глупость разъезжать по городу с радиомаячком, прицепленным куда-нибудь под бампер.

— Сейчас выезжаем! — коротко сообщил Филат.

— Есть! Вот только походный набор прихвачу, — отозвался Данила.

В столь ранний час коридорные отеля не выглядели столь помпезно, как вчера вечером. На лицах некоторых из них угадывался отпечаток прошедшей бурной ночи. Можно было с уверенностью предположить, что провели они ее отнюдь не в уединении и не побрезговали ласками здешних жриц любви.

Возле дверей в холле стояли три парня в серых костюмах. У каждого у самого пояса на видном месте была пристегнута рация.

— Прошу вас, — распахнул перед Филатом входную дверь высокий брюнет. Полы его пиджака при этом распахнулись, и Филат увидел на ремне кобуру, из которой торчала рукоятка импортного револьвера.

Дверь тут же захлопнулась, едва они оказались на тротуаре. С Невы потянуло холодным ветерком. Филат поднял воротник куртки, бросил взгляд на флигель, где провел эту ночь, и поспешил к поджидающему его джипу. Данила прицельным взглядом осмотрел пустые тротуары — ничего сомнительного. В квартале от них маячили четыре фигуры — это дежурили ребята Леши Красного.

Филат удобно разместился на переднем сиденье. Данила с чемоданчиком сел сзади.

— Куда едем, шеф? — поинтересовался Глеб, посмотрев на Филата.

Лицо у водителя было таким блаженным, что он напоминал ребенка, сумевшего тайком от родителей слопать банку варенья и избежать возмездия. Ночь для Глеба, видимо, не прошла даром.

— Питер хорошо знаешь? — поинтересовался Филат.

— Бывал.

— Якорную улицу отыщешь?

— А то! — едва не обиделся Глеб. — Это на Охту надо ехать. Сейчас рванем вдоль Большой Невки — а там минут десять, через Охтинский мост.

— Верно. Там есть приметный трехэтажный особнячок с ажурной лепниной.

— Знаю я этот дом, — продолжал улыбаться Глеб. — Он там один такой стоит. Говорят, немцы его строили. Учудили не поймешь что: не то школа, не то склад.

— Ну, вези! А чего ты все так лыбишься? — Филат нахмурился.

— А к нему под бок сама Лариса Ивановна подвалила, — ответил за Глеба Данила. — Пока я у твоих дверей стоял, он ей высший пилотаж показывал. Посмотри, Филат, как исхудал — ну прямо мартовский кот.

Глеб уже не прятал довольную улыбку.

— И что, действительно так уж хороша? — усмехнулся Филат.

— Не то слово, — отозвался водила. — Если бы не Лариса, я бы никогда и не узнал, что такое настоящий кайф.

Джип, словно хорошая гончая, быстро набрал скорость. В этот ранний час проспекты были пустынными.

— В следующий раз моя очередь, — завистливо бросил Данила. — Я займусь Ларисой, а ты у дверей потопчешься...

Впереди уже показался Большой Охтинский мост. Неожиданно из подворотни на дорогу выскочил небольшой темно-рыжий пес. Он метнулся под колеса джипа, лая от ярости или от страха. Была видна только его открытая пасть, большие белые клыки и розовый язык. И когда уже казалось, что столкновения с псом не избежать, Глеб резко тормознул и лихо вывернул руль влево. И в то же мгновение все трое увидели, как по потолку джипа пустилось в бешеный пляс оранжевое световое пятнышко. Глеб тихо ахнул и дал по газам. Джип, дернувшись, рванул вперед, и тут же откуда-то справа грохнул выстрел. Заднее стекло со звоном разлетелось на множество осколков, засыпавших салон, и что-то тяжелое смачно ударилось в заднее кресло, разодрав кожаную обшивку.

Машина продолжала лететь по шоссе, и редкие прохожие сквозь зубы костерили лихача на шикарном джипе.

— Гони! — кричал Филат. — В переулки давай!

С визгом описав крутую дугу, джип зацепил передним колесом самый край тротуара и резко свернул в узенькую тенистую улочку, заставив шарахнуться в сторону толстого кота и вспугнув шуструю стайку воробьев.

— Остановись-ка! — приказал Филат, и, когда джип плавно прижался к правой стороне, он выдохнул: — А ведь стекла-то у нас пуленепробиваемые. Мать их, на заказ сделаны. Приедем в Москву — я этому еврею все яйца оторву!

— Что это было? — оторопело спросил Данила.

— Из снайперской винтовки стреляли бронебойными пулями, вот что это было! — процедил Филат. — Хотел бы я знать, кто это шутки шутит.

Он обернулся и внимательно осмотрел торчащие из резиновой окантовки окна зазубренные куски толстого стекла.

— По касательной пуля прошла. Целились явно в боковое стекло.

— И рассматривали нас в лазерный прицел! — добавил Глеб ошарашенно. — Вы заметили световую точку на потолке?

У Филата лицо было мрачнее тучи.

— Лазерный прицел, говоришь? Нет, точку я не видел.

Данила стряхивал с себя осколки и тихо матерился.

— Ну надо же, стекло высадили — как же мы теперь...

— Ты, блин, радуйся!

— Чему? — невесело поинтересовался у шефа Данила.

— Что была бы это «муха» — так сейчас наши души общались бы на небесах.

— Филат, если бы не тот дурной пес на дороге, кто-то из нас был бы покойником, — безрадостно рассудил Глеб. — Ну и чьи это проделки? Не Леша же нам такую подлянку приготовил...

Филат размышлял. Он смахнул с колен мелкие стеклянные плевочки, достал из куртки сигарету и прикурил от зажигалки.

— Да какой там Леша! Он, конечно, большой шутник, но не настолько же. Какой резон ему нас мочить? Нет, тут ситуация куда сложнее. Ну-ка Данила, вспомни, когда мы тронулись от этого вертепа, вокруг кто был?

Данила нахмурился.

— В дверях стояла охрана отеля. Да вдалеке какие-то мужики ошивались. Вроде как братва Красного.

— А с чего ты взял, что Красного? — спросил Филат, затягиваясь. — Самое занятное вот что. Ни Красный, ни его пацаны не знали, куда мы с утра рванем — я же тебе, Глеб, об этом только перед самым отъездом сказал. Но этот стрелок, который нас в подворотне поджидал, знал наш маршрут. Ты сам посуди, Глеб, когда мы с Васильевского ехали, хвоста не было? Не было. И впереди нас все было чисто. Выходит, снайпер подсел в ту подворотню заранее. То есть он заранее знал, что мы по набережным поедем к Большому Охтинскому мосту. А как он мог это узнать? Или он мастер игры в угадайку? То-то, — Филат вздохнул. — А поджидал он нас там потому, что точно знал наш маршрут. И узнал он об этом от нас!

— Как это? — не понял Глеб.

— Микрофон направленного действия. Берет звуки на расстоянии до полукилометра, — пояснил Филат. — Я с такими штучками имел дело в армии. Те мужики, которых ты, Данила, принял за охрану Красного, на самом деле наш базар засекли своими слухачами. А потом дали снайперу команду, и он рванул сюда на своей тачке и засел в той самой подворотне.

— Ну и если это все так, кто же они такие? — недоуменно спросил Данила.

— Надо, Данилушка, искать вишневый «жигуль», который нас вчера по Невскому сопровождал. Тогда многое прояснится, — отрезал Филат. — Ладно, надо ехать. Время уходит. Снайперская винтовка, кстати, с лазерным прицелом — это не хухры-мухры. Чтобы из нее стрелять, нужна специальная подготовка. И стрелял в нас профессионал. Это ясно. И ясно, что пасут нас серьезные люди. И виды у них тоже очень серьезные.

— Командир, а ты не преувеличиваешь? — подал голос Данила. — Кому могло прийти в голову подслушивать нас около этого борделя?

— Я просто предположил, что против нас играют люди серьезные, а следовательно, и вести себя они должны соответствующе. Речь идет об очень крупных бабках. — Филат повернулся к шоферу. — Надо найти автосервис, где нам могли бы заменить стекло без лишних вопросов...

— Такое же крепкое ставить? — спросил Глеб, на секунду задумавшись.

Филат хмыкнул:

— Если найдется попрочнее, я возражать не стану.

— Есть тут недалеко одна контора, но там берут большие бабки.

— Заплатишь сколько попросят. Ну, что стоишь? Поехали! Да смотри на дорогу, а то не ровен час опять какая-нибудь шавка под колеса полезет.

Через пятнадцать минут были на месте. На джип с выбитым стеклом никто не обращал внимания, даже когда они остановились на светофоре: вид расстрелянной иномарки был таким же привычным атрибутом города на Неве, как его многочисленные летние фонтаны. Только однажды два пацана ткнули пальцами в их сторону и тут же потеряли к джипу всякий интерес, заговорив о чем-то своем.

Глава 10

В особнячке на Якорной жил Селезень — давний приятель Филата. Он сошелся с ним на второй своей отсидке — в курганской пересылке, откуда их вместе отправили в лагерь недалеко от Перми. Судьба распорядилась так, что до этого они пробыли в спецотряде ВДВ почти два года, а потом жизнь развела их так же неожиданно, как и свела. Однако с тех пор они не теряли связи и частенько созванивались, а то и наезжали друг к другу с визитами.

Игорь Селезнев, или просто Селезень, в «парилку» угодил довольно рано, в неполные восемнадцать лет, — за грабеж. Подставил нож под горло пьяненькому мужику на улице и вместе с кошельком прихватил его портфель, в котором оказались какие-то официальные бумаги. Селезня сцапали уже через четыре часа: пьяный мужик был инспектором Минтяжмаша, а бумаги оказались финансовыми отчетами какого-то «почтового ящика». Селезня спас малолетний возраст — а не то греметь бы ему на полную катушку.

Игорь попал в «правильную» зону, однако на лидерство он никогда не претендовал и самое большее, чего добился в воровской карьере, так это стал отцом семьи. Правда, и семья была немалая, человек в тридцать. Но отцом он был справедливым: умел греть тех, кто томился в ШИЗО, способен был дать нужный совет молодняку, заступался за тех, кто ввязался в конфликт по недоразумению.

Вернувшись с зоны, он прочно осел в Питере. Вел едва ли не обывательский образ жизни, и соседи даже не подозревали о том, что за стенкой живет парень, который отсидел по серьезной статье. И уж, конечно, они не могли знать, чем он занимается. Его благопристойный вид: отглаженный костюм, яркий галстук и до блеска начищенные ботинки — позволял считать, что чина он немалого и если не заведует банком, так наверняка служит где-нибудь в иностранном представительстве. Они почти не ошибались. Селезень был в Питере большим человеком. Выйдя из заключения, он решил поступить в финансовый вуз и, к собственному удивлению, закончил его успешно и без особых усилий. Неожиданно он обнаружил в себе способность делать деньги — но совсем не тем грубым методом, с которого он начинал воровскую карьеру. Оказывается, существовала масса всевозможных способов обогащения, куда менее опасных, но тем не менее куда более прибыльных. Селезень умл находить в экономическом законодательстве бреши, из которых при умелом подходе можно было выпустить золотые ручейки. Он был одним из первых, кто в кампании ваучеризации увидел возможность наварить миллионы долларов и «за ваучеры» скупал промышленные комбинаты и склады, таксопарки и порты, АЗС и ГЭС... Не брезговал Селезень держать и табачные киоски, если они давали стабильный доход. Он был генератором идей, и питерские воры успешно использовали его знания для проникновения в экономический организм северной столицы.

Но потом он вдруг внезапно покинул Питер и перебрался в Екатеринбург. Тамошние криминальные авторитеты, прознав про его предпринимательские таланты, сделали ему предложение, от которого он не смог отказаться — хороший процент за разработку «бизнес-плана» по развитию уральских машиностроительных предприятий. Сблизившись с уральцами, Селезень сделал там головокружительную карьеру, в конце концов став ни больше ни меньше как держателем уральской воровской кассы. Он оказался одним из немногих чужаков на Урале, кому тамошняя братва доверяла полностью. О его роли в уральских делах не догадывались даже смотрящие Питера — ни Шрам раньше, ни Красный теперь. При всем том Селезень оставался сам себе хозяин и тихо следил за тем, что делается в Питере, а также надзирал и за смотрящим, мотая себе на ус все, что узнавал о нем интересного.

Селезень всегда был себе на уме, и, несмотря на свою давнюю с ним дружбу, Филат никогда не мог сказать, чем Селезень интересуется, кроме денег. В деньгах он знал толк — это точно. Он любил повторять, что деньги — самовоспроизводящийся организм. Только им надо помогать размножаться. И он был виртуозным мастером денежного прироста. Получив возможность распоряжаться уральскими деньгами, Селезень мог, не спрашивая сходняка, вынимать десятки миллионов долларов из одного дела и вкладывать их в другие, более выгодные дела. И, что самое удивительное, никогда при этом не прогадывал. Конечно, почти в каждой структуре — будь то коммерческий банк или администрация мэрии — у него были прикормленные люди, но, кроме этого, нужно было обладать талантом или каким-то сверхтонким чутьем, чтобы предвидеть бензиновый кризис в регионе, славящемся избытком горючего, и вовремя вложить деньги в нефтепереработку. Или, наоборот, предугадать, что к концу года рухнет угледобыча и надо поскорее толкнуть акции крупнейших кузбасских шахт богатеньким лохам.

В Питере Игорь Селезнев был человеком очень известным: мало того, что он считался уважаемым предпринимателем, так он еще занимался благотворительностью и поддерживал подрастающие таланты. На его именные **стипендии** существовал едва ли не целый курс Академии **художеств**. Селезнев любил присутствовать на громких презентациях, охотно раздавал интервью и не забывал вспоминать о том, что свою карьеру бизнесмена начинал с исправительной колонии, где кроил бушлаты для работников Крайнего Севера. Селезень был обаятелен и улыбчив, и мало кто из отцов города догадывался, что он является доверенным лицом российских криминальных авторитетов и держателем уральского общака.

На людях Селезень вел себя, мягко говоря, как законченный чудак, откалывая фортели в духе «новых русских». Наезжая в Европу, он вел себя как бензиновый король из какого-нибудь провинциального Усть-Печерска: мог расплатиться в баре за рюмку коньяка стодолларовой купюрой или приобрести новенький автомобиль на три дня вместо того, чтобы взять его напрокат, а однажды в Праге он пригрозил купить целый универмаг только для того, чтобы уволить чем-то не понравившуюся ему продавщицу. Экстравагантное поведение Селезня удачно работало на его обманчивый имидж: ведь в капризном господине трудно было заподозрить доверенное лицо преступного синдиката или тонкого политического игрока. Мало кто знал, что именно благодаря его стараниям многие депутаты питерской городской думы лоббировали воровские интересы, а заместитель прокурора города ежеквартально получал на свой счет в одном швейцарском банке кругленькую сумму. Игорь Селезнев был влиятелен, и даже коммерсанты из соседней Финляндии усвоили истину: чтобы добиться в Санкт-Петербурге благоприятных контрактов, надо сначала идти на поклон к странному «новорусскому» эпикурейцу, а уж потом наносить визиты в Смольный.

На самом деле Селезень умел считать копейку, впрочем, по-иному и быть не могло — на воровской кассе полагалось сидеть человеку очень жесткому, дальновидному и экономному. Воровская история знала немало примеров, когда держатель общака, стоило ему отправить воровские деньги в собственный карман, заканчивал свою жизнь в канализационной трубе...

Именно в таком доме и полагалось жить держателю уральского общака. Особняк Селезня с виду напоминал кованый сундук с золотым кладом. В дверь нельзя было войти до тех самых пор, пока бдительный хозяйский глаз не рассмотрит тебя со всех сторон. Прямо над головой на посетителя злобно смотрел глаз видеокамеры.

Помешкав секунду, Филат нажал на кнопку. И тотчас из переговорника раздался радостный голос Селезня:

— Господи, кого я вижу, проходи, Рома, сколько же времени мы с тобой не виделись!

Щелкнул автоматический замок, и дверь мягко распахнулась. Филат, обернувшись к Даниле, произнес: «Гуляй!» — и вошел внутрь.

В огромном вестибюле сидели два крепких парня в синих костюмах: их безупречно выбритые физиономии излучали довольную сытость. В ответ на его приветствие они выдохнули вполне дружелюбное «здравствуйте». Они совсем не напоминали «быков», состоящих на службе у известного авторитета, а больше походили на ребятишек из охраны важного кремлевского чиновника. Филат уверенно предположил, что, скорее всего, у каждого из них за плечами осталась школа девятого отдела МВД. Ирония заключалась в том, что теперь бывшие менты должны были служить тому, кого учились презирать.

— Мы вас проводим, — сказал один из парней — пижонистый блондин-верзила.

Несмотря на свои внушительные габариты, он имел бесцветную и не запоминающуюся внешность. Так же безлико выглядят в огромном универмаге манекены. Но Филат не обманывался: за умелым перевоплощением в посредственность скрывался высочайший профессионализм костоломов без страха и упрека.

И, не проронив ни слова, он последовал за блондином по широкой мраморной лестнице. Трудно было поверить, что это обитель питерского бизнесмена, а не сверхсекретный объект. Наверняка где-то в стенах притаился невидимый пулемет, способный за несколько секунд перестрелять ораву непрошеных гостей. Филат поймал себя на неприятном ощущении, что его разглядывают через оптический прицел.

Поднялись на второй этаж. Блондин остановился перед глухой железной дверью, поднял лицо к объективу видеокамеры, и дверь, приводимая в действие каким-то бесшумным механизмом, отворилась.

На пороге в свободном черном кимоно стоял Селезень собственной персоной.

— Проходи, что стоишь! — бодро произнес хозяин.

Блондина уже и след простыл.

— У тебя здесь прямо как в ставке Гитлера! — не удержался от похвалы Филат. — От кого это ты так зарылся?

— Причина простая — жить охота! Сейчас стреляют все, кому не лень, и толком даже не поймешь, за что убивают. В Питере открылся охотничий сезон, — ответил Селезень. Филат зашел, и дверь легко закрылась, как будто навсегда отрезала его от остального мира. — Знаешь, Ромчик, береженого бог бережет.

— А я к тебе по делу. — Филат пожал протянутую руку и тотчас отметил, что рука у Селезня стала как-то хлипче. Что поделаешь, сытая жизнь расслабляет...

— А было ли хоть раз, чтоб без дела? — укоризненно вздохнул Селезень, обняв за плечи Филата. — Всегда по делу! Ну, все равно раздавим с тобой бутылочку, вспомним старые времена. Помнишь былое, а, подельничек?

— Не забыл, — бесцветно отвечал Филат, оглядываясь. — А ты круто живешь. Картины, хрусталь, дорогая мебель...

— Видимость все это. Пыль в глаза пускаю. — Селезень достал из бара бутылку бренди с каким-то диковинным зверем на этикетке. — Видал, какая зверюга намалевана, — ткнул он пальцем в оскаленную морду, — а пьется ничего. Если разобраться, так я все тот же чиграш, каким когда-то был. Веришь ли, никакой разницы не ощущаю. Вот, правда, вместо портвеша пью заморские напитки. «Парламент» стал курить вместо «Примы». А так все тот же! — безнадежно махнул он рукой. — Ладно, с чем пришел?

— Ты слышал, что в Питере замочили Чифа?

— Еще бы! Ведь не на острове живу. Взяли его менты из ГАИ, а потом труп отыскался на городской свалке. Недалеко от порта.

Селезень разлил бренди по рюмкам, потом аккуратно завернул металлическую пробку на высоком горлышке бутылки. Движения у него были плавные и такие же размягченные, как рукопожатие, и Филата начал раздражать этот показной аристократизм. Глядя на манеры Селезня, можно было бы предположить, что его юность протекала не под присмотром вертухаев, а под любящими взглядами гувернанток и ел он не тюремную баланду оловянной ложкой, а нанизывал тонкие ломтики ветчины на серебряную вилочку. Филат подавил раздражение и уставился на огромного разлапистого дракона, вышитого золотыми и красными нитками на черном кимоно.

Селезень протянул рюмку Филату, не без интереса проследил за его реакцией и почти ревниво поинтересовался:

— Ну как?

— Водка лучше будет.

— Оно и верно! — охотно согласился Селезень, но потом добавил. — Да я, знаешь ли, водку не люблю. — Он проглотил бренди одним махом, поморщился и совершенно другим голосом, куда более серьезным, добавил: — Видно, вы кому-то на больную мозоль наступили. А ведь тот, кто отдал приказ Чифа прикончить, не мог не знать, каким людям вызов бросил. Выходит, не боялся. Знает свою силу.

— Что тебе известно о флоте?

— Серьезная компания! Современные сухогрузы. Нефтеналивные танкеры... Да вот, как-то умудрились обанкротиться...

В обстановке комнаты чувствовалась рука опытного дизайнера, чья прихоть заставила встретиться здесь разным древним культурам. На глухой стене висели картины, испещренные арабской вязью, у окна стоял медный сосуд, украшенный изображениями охоты. Создавалось впечатление, что из его длинного узкого горлышка сейчас вылетит ифрит, — стоит только прикоснуться к полированной ручке. Пол устилали персидские ковры ручной работы, да такой толщины, что нога утопала в ворсе по щиколотку. На стене напротив окна висели чудовищные маски, на которые невозможно было взглянуть без содрогания.

Диван, на котором сидел Филат, был как вата, мягкий, и он не без злорадства подумал о том, что даже задницам обитателей Смольного наверняка неведом такой комфорт.

— И кто же будет новый хозяин? — поинтересовался Филат.

Ему вдруг показалось, что Селезень глянул на него с нескрываемым интересом — взгляд бывает куда красноречивее слов.

— А вот это тайна за семью печатями. Насколько я понимаю, Варяг с Михалычем положили глаз на эту компанию.

— Предположим...

Селезень улыбнулся.

— Понимаю, у таких акул и аппетиты должны быть соответствующие. Только ведь эта компания, хотя она и на выданье, девка с норовом. Неизвестно, под кого она захочет лечь. К тому же от нее уже трупным духом тянет. Смотри: стреляют всех, кто подваливает к ней слишком близко. Подозреваю, что и Чифа кокнули по этой же причине. Тебе-то никто еще не прислал черную метку? — поинтересовался Селезень беззаботно.

Вопрос Филату не понравился: в интонациях прозвучали фальшивые нотки, которые прежде за Селезнем не замечались. Он невольно насторожился. А что, если за гибелью Чифа стоит не кто иной, как сам Игорь Селезнев? Все может быть до предела просто: через подставных лиц Селезень захотел сам прикупить компанию — на екатеринбургские миллионы. Если бы ему это удалось, то он сделался бы самым могущественным человеком в Северо-Западном регионе. Селезень был упрям и азартен, и, если разобраться, это вполне в его характере — бросить вызов московскому воровскому сообществу. В таком случае это многое объясняет. По своей сущности Игорь Селезнев игрок — достаточно вспомнить его пятнадцатилетним юнцом, когда он торжествующе сгребал в карманы мелочь, выигранную в расшибалочку. С того времени в нем мало что изменилось, разве что со щек сошел юношеский румянец, да вот еще располнел малость.

— Кстати, Игорь, а ты-то что мышей не ловишь? Тебя самого-то «Балторгфлот» не интересует? — пошел в разведку Филат.

Селезень прикрыл глаза и с каким-то нарочитым отвращением помотал головой:

— Дружище, сказать по правде, меня это не вдохновляет. По дружбе я бы и тебе не советовал туда соваться. Но я ж понимаю — ты не по своей воле сюда прибыл и не по своей воле вокруг этого флота начинаешь водить хоровод.

— А почему? — напрягся Филат.

— А потому, мил друг, что вся эта свистопляска с банкротством государственного пароходства и его акционированием — фикция! Искусственное банкротство, искусственное акционирование. Кому-то захотелось просто прибрать к рукам золотую жилу. И этот кто-то настолько силен и влиятелен, что я бы не стал перебегать ему дорогу.

— И даже екатеринбургским ребятам ты бы не посоветовал? — осторожно поинтересовался Филат.

— Им я уже посоветовал сюда не лезть. Это ж будет Полтавская битва! А кому это надо? У екатеринбургских ребят своих забот полон рот. У них и без этого флота проблем вагон и маленькая тележка...

Филат решил прощупать почву.

— По дороге к тебе меня чуть не пристрелили. И ведь подстерегли, засранцы, там, где я никак не ожидал засады.

— Вот как! — Селезень сделал удивленное лицо. — А может, кто-то обознался?

— Я с дороги вчера заехал на огонек к Леше Краснову. Мне показалось, что у нас вырос хвост.

Филат посмотрел в упор на Селезня, надеясь и в этот раз заметить в его лице перемену. Коли дрогнет сейчас, отведет взгляд и тем самым окончательно выдаст себя с головой, значит подпишет себе смертный приговор... Но Селезень смотрел спокойно и держался очень естественно. Он наполнил маленькие рюмочки.

— Вот, суки, оборзели совсем! — Негодование было вполне искренним. — Что же вы их не сцапали? Отвезли бы куда-нибудь в лесок, да и порасспросили как следует.

— Что они, бараны, что ли, — хмыкнул Филат, — за поводок не уведешь. Ладно, не об этом речь. Мне вот что скажи: ты ведь знаешь, у кого могут водиться большие деньги и кто бы хотел прикупить флот?

— Представь себе, Филат, понятия не имею. Вокруг флота ведутся разные разговоры. В городе много желающих, чтобы цапнуть этот кусок, но конкретного претендента не видно.

— А можно с кем-то договориться, чтобы за хорошие бабки взять контрольный пакет без торгов?

— Трудно... очень трудно, — поморщился Селезень. Он откинулся на спинку кресла и серьезно продолжал: — Хотя, если подумать... Есть у меня один надежный человек — долгое время я его прикармливал. Так что он сделался совсем ручным.

— И что за человек?

Пауза продолжалась недолго, ровно столько, чтобы Филат осознал важность момента.

— Заместитель председателя горкомимущества. То есть один из тех людей, кто делает там погоду. Без его совета не решается ни одна проблема.

В душе у Филата опять зашевелилось сомнение — уж слишком много Селезень знает о компании, на которую, по его словам, ему наплевать!

— С какой же стати они вдруг обанкротили флот?

— Да это ж как дважды два, Ромчик! — улыбнулся дока Селезень. — Знаешь, как раньше на приисках в Якутии делали? Геологи бродят-бродят по тайге, а с ними в поисковой партии оборотистые мужички-проводники. Находят ребята месторождение. Смотрят — о, да там золота на сто миллионов! А мужички их учат: вы не рапортуйте, что месторождение богатое. Мы тут пока поковыряемся без государственной артели, что найдем — доля ваша... Так и тут. Есть флот. А ты его банкротишь и за полцены... да какие полцены — за двадцатую часть реальной цены его прикупаешь — на подставные фирмы. Ну а дальше либо сдаешь его во фрахт, либо сам возишь на нем... что хочешь.

— Это как? — для Филата вся эта премудрость была как китайская грамота.

— Как-как... По документам везешь хлопок-сырец из Индии, а в трюме у тебя тюки с наркотой — вот как!

Кимоно было сшито из тонкого шелка, который чутко реагировал на каждый взмах Селезня, и золотой дракон в эти мгновения казался ожившим существом: он открывал зубастую пасть и взмахивал страшным длинным хвостом.

— Для человека, равнодушного к судьбе «Балторгфлота», ты слишком хорошо о нем осведомлен, — заметил Филат. — Ответь мне начистоту, Селезень, какой твой интерес во всем этом?

— От тебя ничего не скроешь, — улыбнулся тот. — Ты всегда отличался острой наблюдательностью. Действительно, у меня есть... вернее, были кое-какие виды на эту компанию. Но когда я услышал, что флот хотят прибрать к рукам московские законные, я решил в сторонке постоять. Не пойду же я, в самом деле, против Варяга.

— А что ж помогать ему не стал? Ты вон сколько всего порассказал — Варягу бы твоя информация была очень полезной. Да и Чиф, глядишь, был бы жив.

Селезень обиженно поджал губы.

— Во-первых, Варяг ко мне за советом не обращался. Во-вторых, что мне Чиф! Он, говорят, человечек Барона, а Барон — скользкий тип... Чиф даже если бы мне ноги расцеловал, я бы не стал об него мараться. Кроме того, все равно выходит, что я буду Варягу помогать, — ты же ко мне пришел. А с тобой мне легче договориться, чем с другими.

— Что ты имеешь в виду?

— Начистоту? — прищурился Селезень.

— Разумеется.

— Я бы хотел иметь в компании свою долю.

У Филата едва не вырвалось: «И ты туда же!» Но он сдержался.

— И что ты хочешь?

— Меня устроил бы... один процент.

Гость удивленно вскинул голову. Странно, что-то Селезень скромничает. Он ожидал, что уральский финансист запросит никак не меньше десяти.

— А что так мало? — на всякий случай спросил он.

125

Селезень сладко улыбнулся:

— Это не мало, дружище. Ведь один процент с товарооборота такого морского флота — сумма выйдет ого-го какая! Недаром же за него уже и цена начальная объявлена — двести миллионов! За барахло не стали бы такие бабки назначать!

От внимания Селезня не ускользнули обуревающие Филата сомнения.

— Что, не уполномочен решать финансовые вопросы? Надо переговорить с Михалычем?

Филат обиделся.

— На эту тему совсем не обязательно говорить с Михалычем. Достаточно моего решения.

— И что же ты скажешь? — Вопрос Селезня прозвучал осторожно. Теперь перед ним сидел не просто подельник, а доверенное лицо сходняка, и неизвестно, какую такую фигу он держал в кармане.

— Полпроцента! Наверное, при хорошем товарообороте, это будет не одна сотня тысяч баксов.

— Хорошо, согласен, — быстро проговорил Селезень, словно боялся, что Филат передумает. Филат заметил алчный блеск в его глазах. — Ладно, с заместителем председателя я тебя сведу. Его зовут Петр Васильевич Тетерин. Ну, и сам понимаешь, его услуга тоже не будет бескорыстной, заплатишь ему, сколько он попросит. Не торгуйся с ним. Если его цена тебя не устроит, просто встань и уйди.

— Договорились! Да, кстати, трубки ты собираешь по-прежнему?

— А как же, конечно! — В голосе Селезня прозвучала нескрываемая гордость. — Хочу тебе сказать, что такой коллекции, какая у меня, ты не встретишь ни у кого в России, — подумав самую малость, добавил: — А может быть, и в Европе.

Такое мальчишеское бахвальство было в стиле Селезня и вызвало у Филата невольную улыбку.

— Представляешь, — не унимался Селезень, — не так давно из Турции мне привезли кальян. Мундштук выточен из слоновой кости, а сосуд для воды золотой. Меня уверяли, что этой штуке пятьсот лет.

— И во что тебе обошлось это удовольствие? — невинно поинтересовался Филат.

Селезень открыл резной шкафчик и выудил из него кальян, который больше смахивал на вазу для фруктов.

— Шестьдесят тысяч баксов.

Глянув на кальян, Филат не нашел в нем ничего примечательного: мундштук изрядно поцарапан, золото потускнело.

— А не лучше ли было купить хорошую тачку?

— Зачем она мне? — очень искренне удивился Селезень. Его изогнутые брови выползли на середину лба. — Я же коллекционирую трубки, а не автомобили.

— Да, Селезень, я ведь приготовил тебе подарок. — Филат с озабоченным видом похлопал ладонями по карманам. — Да где же она... Ах да, вот, отыскалась!

В руке Филат держал крохотную глиняную люльку, любимую игрушку запорожских казаков. Вещица и в самом деле была уникальная.

— Держи! Этой самой люлькой баловался гетман Украины Разумовский!

Как насчет гетмана Разумовского, сказать было трудно, но то, что вещь старинная и безусловно ценная, Селезень не сомневался.

— Вот это подарок! Ну удружил! — Селезень бережно взял из рук Филата люльку. В его огромных ладонях она и вовсе выглядела крохотулькой. На добродушном лице Селезня застыла счастливая улыбка — трудно было поверить, что обыкновенный кусок разукрашенной глины может принести такую несказанную радость человеку с многомиллионным состоянием. — Да от нее еще табачком несет. Неужто со времен Разумовского? — он хитро посмотрел на Филата.

— Да что ты! — отмахнулся Филат. — Это я ее вчера курил.

— Ишь ты!.. Я вот что думаю, а чего со встречей-то тянуть? У тебя сегодня время есть? Может быть, прямо сейчас и подскочишь туда?

Сыграла-таки люлечка-крохотулечка свою важную роль!

Селезень взялся за телефонную трубку. В этот раз поймать его взгляд Филату не удалось — миллионщик скользнул глазами куда-то мимо.

— Васильич? — запросто обратился Селезень к собеседнику. — Он самый! Не забыл мой голос. Ладно, ладно, все шутишь, никто тебя трясти не собирается. Дело есть. Дельце хоть и небольшое, но пустячком его не назовешь... Да кто же с тобой в темную играет... В общем так, придет к тебе сейчас от меня человек. Роман Филатов. Отнесись к его словам серьезно. Вот именно!.. Так, как если бы разговаривал со мной. Ну пока. — Селезень положил трубку на рычаг. Телефон жалобно звякнул. — Выкладывай ему все без затей, мужик он толковый.

— Ну спасибо, Игорек. Если время будет, заскочу еще раз, — поднялся Филат. У самых дверей он обернулся и, мазнув взглядом по комнате, сказал на прощанье: — Недурно здесь у тебя.

За порогом Филата встретил все тот же двухметровый блондин.

— Спускайтесь осторожно, на нижней ступеньке выбоина, — участливо предупредил верзила.

В серьезном тоне Филат уловил едва различимые нотки сарказма и в тон ему отреагировал:

— Ничего, дружок, не переживай, как-нибудь преодолею это препятствие, не споткнусь!

Глава 11

Выйдя на улицу, Филат почувствовал облегчение. Такое чувство возникает у зека, когда он покидает опостылевшую зону.

Если Селезень не сболтнул ради красного словца и человечек действительно сумеет помочь, тогда его поездка в Питер окажется не напрасной, тогда можно будет уже сегодня вечерком отрапортовать Михалычу о проделанной работе. Только бы не сорвалось... Только бы не какой-нибудь сюрприз... И Филат вспомнил о безрадостном конце Чифа. Ну ничего, он не Чиф, к нему не подъедешь за здорово живешь, он не лопухнется...

Данила тихо скучал в джипе, а Глеб, как и всякий водила, используя отлучку шефа, копошился в двигателе. К своим шоферским обязанностям Глеб относился придирчиво-трепетно — вот почему Филат в дальние поездки предпочитал брать с собой именно его. Глеб всегда готовил машину так тщательно, словно предстояло ехать не по накатанному асфальту, а по пескам трассы Париж—Дакар. Однако сзади по-прежнему зияла пробоина вместо стекла.

Заметив выходящего Филата, Глеб отер руки о ветошь и с готовностью опустил капот.

— Куда едем, шеф?

— К центру.

— Понял. А то застоялся я, как лошадка в стойле. И потом, что-то мне неуютно под окуляром этого сторожа, — он кивнул в сторону видеокамеры у подъезда.

Глеб повернул ключ в замке зажигания, и машина, показывая свой свирепый норов, по-звериному заурчала.

Улица вымерла — если не считать парочки машин на противоположной стороне. Одна из них припарковалась здесь еще до их приезда, другая — белая «вольво», видно, подвалила в отсутствие Филата. Едва джип отъехал, как тотчас тронулось и «вольво», и, держась на значительной дистанции, увязалась следом. «Ну-ну, посмотрим, что же это за салочки?» — подумал Филат, пытаясь рассмотреть людей в салоне автомобиля. После сегодняшнего происшествия верить в случайные совпадения было бы последней глупостью.

Некоторое время «вольво» висела на хвосте, лишь изредка теряясь в потоке попутного транспорта, а потом неожиданно свернула в переулок. Ругать себя за излишнюю подозрительность Филат не стал: не исключено, что слежку за ним передоверили кому-то другому, как эстафетную палочку. Вероятнее всего, кто-то вел его впереди, но, сколько он ни всматривался, в соседних машинах не заметил ничего подозрительного. Ладно, разберемся, остается надеяться, что палить снова не станут.

Глеб не врал, когда утверждал, что знает Питер неплохо — он сумел проехать едва ли не весь город насквозь за каких-нибудь двадцать минут, ни разу не угодив в пробку, петляя по переулкам без светофоров и игнорируя вопли клаксонов.

Следуя инструкциям Филата, Глеб подогнал джип к самому подъезду здания, в котором размещался горкомимущества. Ничего примечательного: ни псевдогреческой колоннады вдоль фасада; ни атлантов, подпирающих тяжелые своды; ни сирен, стыдливо прикрывающих руками срамные места, — ничего такого, что могло бы привлечь взор гостя северной столицы. Это был простой образец сталинской административной архитектуры — обычная трехэтажная коробка, выкрашенная в грязно-желтый цвет, каких в Питере можно отыскать не одну сотню. И уже совсем трудно было поверить в то, что за этим невзрачным фасадом определялась судьба денег, на которые вполне можно было бы кормить граждан небольшого европейского государства в течение целого года.

У подъезда Филат тоже не заметил ничего сомнительного — несколько мужиков неряшливого вида, в замасленных спецовках, явно базарили не о трудовых заданиях, а о том, где бы на скорую руку пропустить кружечку пенящейся «Балтики». Вряд ли у этих работяг под спецовками были припрятаны укороченные АКМы. И тем не менее ему следовало быть начеку.

— Я один пойду, здесь не надо светиться, отъезжай куда-нибудь в сторонку и жди меня.

— Сколько там пробудешь, Филат? — спросил Глеб.

— Думаю, не меньше часа.

— А может быть, мне пока стекло заменить? Тут, я знаю, есть автосервис — совсем рядом. Ребята там рукастые, поставят новое стекло за пять минут. Не хрена нам с этой дырой по городу таскаться. Только внимание ментов привлекать...

С доводами опытного шофера спорить не приходилось. Любой побитый автомобиль, тем более иномарка, вызывает интерес у инспектора ГАИ, словно вышедшая на панель красивая телка. Вообще странно, как это их не остановили до сих пор. Возможно, тому объяснение — картонка с надписью «Гордума» под лобовым стеклом, отпугивающая младший офицерский состав. Эту картонку ему сунул Красный — еще вчера.

— Хорошо, езжай. И чтобы больше никаких дел. Поменяешь стекло — и сразу сюда!

— Само собой!

Филат шагнул из джипа на серый заплеванный асфальт и неторопливой, но уверенной походкой делового человека пошел к подъезду. Мужички, стоявшие неподалеку, лениво посмотрели в его сторону и, не признав в Филате начальства, вполголоса продолжали соображать дальше.

Вахтер оказался не столь ленив. Он даже приподнялся со своего стула, чтобы преградить незнакомцу дорогу, но, натолкнувшись на жесткий взгляд Филата, тихонечко присел. Точно такой же неподдельный страх испытывает мелкая дворняжка, встретившись глазами со породистым сторожевым псом, приученным чуть что пускать в дело клыки. В эту секунду старика точно парализовало: если бы Филат потребовал отвесить большой поклон — эта прихоть мгновенно была бы исполнена.

Внутри здание горкомитета по имуществу выглядело не таким убогим, как снаружи, — чувствовалось, что в интерьер вбухано немало бюджетных денежек: везде ощущалось желание чиновников проводить рабочее время посреди новомодной роскоши. Вдоль коридора стояли даже хромированные плевательницы, возле которых валялись недокуренные сигареты. Проходя мимо, Филат сплюнул в угол.

Кабинет Петра Васильевича располагался на третьем этаже. Филат толкнул массивную высокую дверь, отделанную под орех. В приемной сидела молодая и очень красивая девица. Она подняла на вошедшего огромные черные глаза и вежливо поинтересовалась:

— Вам назначено?

— Передайте Петру Васильевичу, что я от Игоря Игнатьевича Селезнева.

Судя по реакции секретарши, имя произвело должное впечатление. Легкой птахой она мгновенно вспорхнула со стула и исчезла за ореховой дверью. Филат не без восторга посмотрел ей вслед и понял, что девка не такая уж и робкая, какой она ему показалась поначалу.

Чтобы надеть на службу такую коротенькую юбку в обтяг, требовалось или девичье озорство, или лукавая женская смелость. И ноги у нее были длинные и прямые — так что, судя по тому, какие кадры у Петра Васильевича сидят в приемной, тот был явно не пуританин.

Уже через мгновение ореховая дверь открылась, и секретарша, одарив гостя любезной улыбкой, пригласила его войти:

— Петр Васильевич вас ждет.

Филат поблагодарил секретаршу улыбкой, в которой горело восхищение и желание. Если бы не дела, он непременно разговорился бы с юной чаровницей и назначил ей свиданку...

Петр Васильевич оказался сравнительно молодым мужиком — в том самом возрасте, когда появление внуков доставляет куда меньше радости, чем приобретение очередной девятнадцатилетней любовницы. Председатель питерского комитета по имуществу завис над широким полированным столом огромной глыбой. Он даже не встал при появлении посетителя.

— Роман... А как по батюшке?

— Можно попроще — Филатом. Я привык к Филату, знаете ли, это даже не кликуха, а сокращение от фамилии.

Мужик сразу ему понравился: определенно свойский. А это значит, что не будет долгих словесных разминок перед главным вопросом. И это хорошо — прибережем сэкономленное время для других благих дел.

— Может, на ты?

— Можно. — Во взгляде Петра Васильевича промелькнула тень. Фамильярность гостя его покоробила. — Мне Игорь про ва... про тебя ничего толком не рассказал...

— Знаю-знаю. Он при мне с тобой разговаривал, — перебил Филат.

Хозяин кабинета кивнул:

— Ясно... Я так понимаю, ты не здешний? — Во взгляде прочитался вопрос.

— Из Москвы, — коротко пояснил Филат.

Брови вздернулись: в глазах мелькнуло удивление, сменившееся интересом. Взгляд остановился на переносице Филата, точно Петр Васильевич вознамерился рассмотреть его повнимательнее и понять, чем таким существенным московские законные воры отличаются от питерских. Петр Васильевич покрутился в кресле: было видно, что место во главе длинного стола доставляет ему удовольствие. Не дожидаясь приглашения, Филат расположился на одном из пустующих стульев — важно поставить себя правильно в самом начале разговора.

— Меня интересует контрольный пакет акций «Балтийского торгового флота», — сразу взял быка за рога Филат.

— Знаешь, пойдем-ка покурим, — предложил вдруг Петр Васильевич и вышел из-за стола. Филат, недоумевая, двинулся за ним. Выйдя в приемную, Петр Васильевич строго обратился к красивой секретарше: — Рита, мы с товарищем выйдем в коридор покурить. Если меня будут спрашивать — вернусь минут через двадцать, — и, не дожидаясь ее реакции, исчез в коридоре.

Филат одарил Риту широкой улыбкой и поспешил за Петром Васильевичем. Они удалились в дальний конец и встали у окна.

— В кабинете у меня такие разговоры вести не стоит, — понизив голос, сказал Петр Васильевич. — Итак, тебя.. тех людей, которых представляешь, интересует контрольный пакет? Сорок процентов?

— Я не целка, чтобы ломаться. Отвечу прямо: да. И если будет возможность, то все сто процентов.

Петр Васильевич задумчиво закивал.

— Полагаю, у нас с тобой игра в боевую?

Последние слова вызвали у Филата невольную улыбку. Его новый знакомый хотел показать, что ему не чужда феня и что он знается с уголовничками давно и прочно. Сказанное следовало понимать, что он предлагает играть без шулерских приемов, то есть в открытую.

— Принимается.

Легкой улыбочки Филата Петр Васильевич как бы не замечал. Скорее всего, по каким-то своим соображениям.

— Сделать это будет очень и очень непросто. В тендере примут участие крупные фигуры.

— Сколько? — не обращая внимания на дипломатические увертки, выпалил Филат.

Вот здесь Петр Васильевич задумался всерьез, как будто этот животрепещущий вопрос застал его врасплох. Как и всякий купец, он боялся продешевить, но вместе с тем полагалось назначить приемлемую цену, которая бы устроила клиента.

— Меня бы интересовал «лимон». Баксов, — чеканя каждое слово, произнес Петр Васильевич.

Пришел черед задуматься Филату. Он подозревал, что услуга так, наверное, и стоила. Но только в том случае, если обещания превращались в реальные дела, точнее, имели желаемый результат. Если же Петр Васильевич только и мог, что наговорить с три короба, взять солидный аванс, а потом начать ваньку валять — тогда, считай, дело провалилось. И виновником провала будет он, Филат. А за такое Михалыч и тем более Варяг не то что башку открутят — кожу сдерут с живого! Так что тут требовалось не только торг вести с достоинством, но еще и понять, на что способен Петр Васильевич, точно ли он такой надежный и влиятельный, каким его расписал Селезень.

Филат даже достал свою походную трубку, набитую ароматным голландским табачком, и вопросительно посмотрел на Петра Васильевича. Тот слегка махнул рукой: дескать, что за церемонии — кури себе, — и продолжал выжидательно рассматривать гостя. А Филат, и не думая прерывать молчание, сладко затянулся.

В глубине души он даже радовался, что сумма оказалась не столь велика.

На самом деле, «лимон» баксов за услугу — полпроцента стоимости «Балторгфлота» — цена скромная. Другой бы запросил и больше. Филат, разумеется, не знал, на сколько тянул этот самый флот — ему такие детали знать не полагалось. Правда, краем уха он слыхал, что Михалыч называл сумму в двести «лимонов» баксов. Да только Михалыч и соврет недорого возьмет. В любом случае, по его, Филата, разумению, «лимон», запрошенный чиновником питерского горкомимущества, был вполне приемлемой благодарностью за услугу. В Москве аналогичные чиновники за аналогичные услуги брали куда больше — это Филат знал точно. Ибо не раз выходил на важных особ в мэрии и договаривался об их доле то в бензиновом, то в строительном проекте.

Петр Васильевич выудил из кармана распечатанную пачку сигарет. «Нервничает», — не без удовлетворения отметил Филат. Что ж, неплохо. Легче будет уламывать.

Глубокое молчание гостя Петр Васильевич расценил по-своему. Он нервно выбил из пачки сигарету, слегка размял ее кончиками пальцев, а потом яростно скомкал в ладони. Рассыпавшийся табак коричневой пылью упал ему на брюки, но на такую мелочь обращать внимание он не стал.

— Бросил, знаешь ли... Год назад. А привычка дает о себе знать... — и добавил: — Врачи запретили. Тут у нас такие дела, что нервы ни к черту... Так что, Филат, ты думаешь, что миллион — многовато? — В его голосе появились просительные нотки. Филат обрадовался: клиент попался неопытный. Если бы у него был какой-никакой опыт, он бы заломил втрое больше! — Мне-то и с этого миллиона достанется дай бог четверть. Ты себе даже не представляешь, сколько надо будет заносить наверх! — Петр Васильевич поднял палец к потолку. — И в этом здании, и в Смольном...

— Да нет, сумма приемлемая. — Филат заметил, как по лицу Петра Васильевича пробежала тень довольной улыбки. — Даже более того. Я тебе добавлю сверху еще сто тысяч зеленых, если ты мне надыбаешь кое-какую информацию.

— Какую именно? — Голос равнодушный. Как будто не очень-то нужны ему еще сто тысяч баксов.

— Мне надо знать, кто реально претендует на флот. Только ли городские. Или чужие тоже.

— А зачем?

Так ли уж необходимо раскрываться перед человеком, которого он сегодня увидел впервые в жизни? Но здесь имеется маленькая деталь — Петр Васильевич рекомендован Селезнем, а его слово значит в воровском мире немало. И Филат решил приоткрыть карты.

— Хотелось бы знать конкурентов не заочно, а так сказать... в лицо. Не так давно тут убили нашего человека. Он тоже топтался около вашей конторы, и, насколько нам известно, угрохали его люди, которые так же, как и мы, нацелились купить контрольный пакет акций. Я должен выяснить, у кого поднялась рука на представителя московского сходняка. У меня такое впечатление, что кто-то и за мной следит.

Петр Васильевич не выглядел удивленным, наоборот, как-то слишком уж резко поддакнул.

— Вполне может быть. Здесь по коридорам шастает столько разного народа. Но я не знаю всего. Я лишь один из заместителей председателя. Не исключено, что кто-то ведет свою игру.

— А может, в этом замешан кто-то из питерских начальников? — хмуро предположил Филат. — Может быть, ваш мэр губы раскатал на флот?

— Чисто теоретически это возможно, но, минуя нас, он не сумел бы провернуть такую операцию. К тому же он не может лично выкупить акции. Но это может для него сделать кто-то другой...

— Ты не ответил на вопрос!

— Если у нас пошла игра в открытую, так сказать, не крапленым картами, тогда я отвечу откровенно. Конечно, кое о чем я догадываюсь. Даже больше того, на этот счет у меня имеется кое-какие соображения. — Лицо Петра Васильевича сделалось очень серьезным. Он не блефовал, это чувствовалось сразу, что-то ему и впрямь было известно. — Если я не ошибаюсь, если мои подозрения верны, то думаю, вы сели за стол играть с очень серьезными людьми. Игра будет крупная. Куш на кону стоит немалый. Я, наверное, мог бы для тебя кое-что узнать. Поконкретнее.

— Это каким же образом? — насторожился Филат.

— У нас тут и стены имеют уши, — усмехнулся Петр Васильевич. — Я могу предоставить информацию о конкретных людях, которые через нашу контору интересуются флотом. Ты ведь понимаешь, речь идет о том, чтобы все было официально, как бы официально... Чтобы тендер состоялся, чтобы в схватку вступили десяток конкурентов... Но победитель этого тендера определится заранее, в тиши наших кабинетов. Возможно, мне кое-что удастся выяснить задолго до... — Он сделал многозначительную паузу. — И эта информация будет стоить... скажем, двести тысяч. — И заметив, как губы Филата неопределенно дернулись, он добавил: — Или, как бы это сказать... вашу организацию не устраивает такая сумма?

Филат сумел изобразить на лице невозмутимость. Он хотел ответить, что Петр Васильевич сам уже фактически является частью той самой организации, о которой он неловко заикнулся, и давно работает на нее. Но решил ответить не так прямолинейно.

— Для организации, которую я представляю, возможно, двести тысяч зеленых и небольшие деньги, но мы должны быть твердо уверены в том, что деньги пойдут на дело... Хорошо, договорились, когда ты сможешь все выяснить?

— Думаю, что пары дней для этого будет вполне достаточно. У меня имеются кое-какие каналы. — Взгляд Петра Васильевича был красноречив.

— Мне бы очень хотелось продолжить наше сотрудничество. — Филат поднялся. Улыбка его выглядела самой естественной.

— Можешь не сомневаться, я вас не разочарую. — Тетерин вложил руку в протянутую ладонь гостя.

Они вернулись в приемную. Филат в дверях распрощался с Петром Васильевичем, а тот дал свою визитку, написав на ней прямой служебный номер.

Оставшись наедине с красивой Ритой, Филат, не таясь, обмазал ее всю с головы до ног похотливым взглядом. Она его возбудила, эта длинноногая секретарша, которая сразу уловила интерес Филата и манерно опустила ресницы, отгородившись от него, — точно накинула на лицо непроницаемую паранджу. «Теперь ее не достать! — досадливо подумал Филат. — Ишь ты, уползла в свою раковину!» Но неожиданно он вновь встретил ее взгляд.

Секретарша, не скрывая любопытства, пялилась на Филата. Интересно, чем это он так ее заинтересовал, что она не может отвести от него взгляда? Желание приятной волной пробежало по телу, как будто он ступил под горячий расслабляющий душ.

Секретарша неожиданно густо покраснела, как будто невзначай прочитала его мысли. Длинными изящными пальцами профессиональной пианистки она поправила на груди блузку, опустив в декольте изящный золотой медальон, словно опасалась, что рука неведомого посетителя способна сорвать с гибкой шейки дорогую безделушку.

— До встречи, Рита! — едва кивнул Филат.

В ответ — многообещающая улыбка. Он поймал себя на неожиданном предчувствии: в скором будущем он непременно опять повстречает эту девицу.

139

Белую «вольво» Филат увидел сразу, едва выйдя за порог здания. Он не сумел разглядеть номера, автомобиль стоял боком, спрятавшись под тенистым кленом. О том, что это всего лишь случайность, не могло быть и речи. Филат не доверял таким роковым совпадениям. Зачем, спрашивается, такой дорогой тачке заезжать на битый щебень, когда вокруг полно места для парковки. Мужиков в спецовках не было видно — скорее всего, пришли к консенсусу.

Джип, моргнув фарами, подрулил к подъезду. Филат не без удовольствия увидел, что заднее стекло было заменено и, только сидя в салоне, можно было заметить следы недавней атаки — битое стекло, засыпавшее сидень и вспоротую тяжелой пулей спинку заднего кресла.

— Чехлы бы накинули, что ли! — в сердцах бросил Филат.

В салоне он также отметил некоторые перемены — перед лобовым стеклом было укреплено крохотное распятие. Это что-то новенькое. Раньше за Глебом такого не наблюдалось. Но крест — воровской символ, и он всегда приносит удачу.

— Теперь куда едем, начальник? — бодро поинтересовался Глеб.

У водителя улучшилось настроение, и он чуть ли не любовно рассматривал новое бронированное стекло.

— «Вольво» давно там стоит? — показал Филат глазами в сторону затаившейся в тени машины.

— Эта? Без нас встала. Она уже здесь была, когда мы вернулись с автосервиса... Так куда?

А если все-таки случайность? Эдак ведь и свихнуться можно от подозрений.

— Давай в порт, у меня там дельце есть.

— Понял, — Глеб тронул рычаг коробки передач, и машина плавно тронулась.

Как только черный джип с московскими номерами выехал на проспект и скрылся вдалеке, из белой «вольво» вышел высокий мужчина в щеголеватом светло-сером костюме. Это был шатен с красивым лицом. Над верхней губой под левой ноздрей чернела крупная родинка, а уголки губ были изогнуты, точно у капризного ребенка. Он заглянул в салон, кивнул кому-то и уверенной походкой направился к подъезду. Не успел он исчезнуть за дверью, как из «вольво» вылез худой долговязый парень в джинсах и в легкой летней рубашке и рысцой побежал к казенной автостоянке. Он покружил между припаркованных машин и подошел к бежевой «девятке». Как бы невзначай сунув руку в карман, долговязый вынул какую-то коробочку и нажал кнопку. Фары «девятки» мигнули, раздался тонкий писк — отключилась охранная сигнализация. После этого долговязый вынул ключ, отпер дверцу и юркнул в салон. Он действовал уверенно и споро. Нагнувшись под приборную доску, он стал там копошиться. Буквально через пару минут он незаметно выскользнул из «девятки», огляделся по сторонам и бегом вернулся к «вольво».

Минут через двадцать из здания горкомимущества вышел высокий красавец-шатен. «Вольво» мягко подкатила к нему, дверца распахнулась — и шатен нырнул внутрь. Машина с тихим урчанием улетела прочь.

Часть II

Глава 12

После встречи с Петром Васильевичем Филат рванул в порт и, оставив ребят в джипе на стоянке, направился по причалам. Огромные портальные краны, точно диковинные исполинские птицы, вздевали свои стальные клювы, в которых несли многотонные грузы. Филат попытался угадать, какие из стоящих на приколе кораблей принадлежат ГАО «Балтийский торговый флот» — и не смог. На корме у большинства сухогрузов все больше трепыхались иностранные флаги. Российских триколоров совсем не было видно. То ли все суда были в рейсе, то ли на ремонте. Он добрел до свалки на окраине порта и задумчиво обвел взглядом безбрежное море вонючей рухляди, мешков, железного лома и зловонных куч какого-то дерьма. Над свалкой крича летали чайки. Здесь и нашли Чифа. Филата передернуло — не хотелось, чтобы и его охладевший труп валялся где-нибудь здесь.

Он обмозговывал свою беседу в горкомимуществе. Что мог сделать Петр Васильевич? Он мог сделать две вещи. Во-первых, вывести его на тех, кто реально решал судьбу приватизации «Балторгфлота» — и эти люди явно заседали в соседних кабинетах. И во-вторых, он мог назвать ему потенциальных покупателей. Вторая информация была даже важнее первой, потому что Филат отлично знал, по московским делам, что, если на лакомый пирог зарятся три рта сразу, хозяину пирога все равно, кому его отдать. Кто больше даст — тот и заглотит. Следовательно, узнав конкурентов, московские воры сумеют устранить их и расчистить вокруг флота поле. Для себя. Вот почему услуга, за которую Петр Васильевич запросил двести кусков, выходит, куда ценнее первой, оцененной им в миллион...

Филат глянул на часы. Седьмой час. Он ощутил голод. Вернее, жажду — ему нестерпимо захотелось промочить горло. Вернувшись к джипу, Филат попросил Глеба забросить его в какой-нибудь приличный бар в районе Невского.

И Глеб привез его в «Белый павлин».

По дороге сюда Филат то и дело поглядывал в зеркало — следил, нет ли хвоста. Это вошло у него уже в привычку. Уж больно нарочито следовала за ними белая машина. Как-то ему показалось, что их преследует синий «БМВ». Но теперь не было ни «вольво», ни «БМВ». Впрочем, вон то такси подозрительно плотно держалось за джипом всю дорогу от порта. Совпадение? Филат вполголоса приказал Глебу резко свернуть в переулок и проехать к Невскому кружным путем. Через несколько минут Филат оглянулся. Такси отстало. У него отлегло от сердца.

Бар был почти пуст.

В дальнем конце сумрачного зала сидела молодая пара. Похоже, у парня дела складываются неплохо: он то и дело трогал юную особу за колено и подливал ей шампанского, которое, как известно, действует на женщин возбуждающе. Невольно создавалось впечатление, что, прояви парень немного побольше настойчивости — и девица отдастся охальнику прямо на столе.

Филат сидел неподалеку, у самой стойки, вполоборота к входной двери. Такое положение позволяло ему видеть не только всех присутствующих в баре, но и наблюдать за каждым входящим — дурацкая привычка контролировать ситуацию: он вечно держался так, как будто в следующую секунду ожидал вооруженного нападения. И уж конечно, его бдительность никак не могла усыпить молоденькая парочка, вполне созревшая для коитуса.

Бармен, видимо, был рад немногочисленным посетителям и так мило улыбался сидящим, как будто каждый из них обещал оставить в его кассе целое состояние. По залу летела тихая чувственная мелодия, которая больше подошла бы для стриптиз-шоу. Но в этом баре стриптиза не было.

В бар вошла новая посетительница. Темно-синий жакет и опасно короткая юбка в обтяжку, решительная походка. Филат узнал ее сразу. Рита! Секретарша Петра Васильевича. Но она его явно не заметила и села за дальний столик в углу. Он даже вздрогнул: вот уж кого он никак не ожидал увидеть здесь! Что это — подарок судьбы или дьявольская ловушка, расставленная невидимым врагом?

Но тут он ощутил, как внизу живота пробежала горячая волна и между ног шевельнулся его «боевой товарищ», пробуждаясь от долгого покойного сна. Он отбросил дурацкие сомнения, встал, купил у бармена пузатую белую бутылку ликера «Мисти» и уверенно направился к темно-синему жакету. Ни слова не говоря, он присел к ней и разлил белую тягучую жидкость по рюмкам. Рита вскинула на него глаза: ее затуманенный какой-то мыслями взгляд просветлел, потом подернулся поволокой. Она нахмурилась, и ее губы разомкнулись.

— Вы? — испуганным шепотом вскрикнула она. — Вы что, следили за мной?

— Почему же, — усмехнулся Филат. — Мне показалось, что это вы за мной следите. Как вы оказались именно в том баре, куда я совершенно случайно зашел?

Она пожала плечами.

— Мы же в пятнадцати минутах ходьбы от горкомимущества — разве вы не заметили? Я всегда захожу сюда после работы... снять стресс. — Она слегка улыбнулась.

Филат повеселел. Нет, все в порядке. Не ловушка, а подарок судьбы!

— Ну тогда за случайную встречу! — Он поднял рюмку.

Она поблагодарила легким кивком головы и длинными пальцами обхватила тонкую стеклянную ножку рюмки.

— Я не та, за кого вы меня принимаете, — строго предупредила она.

Филат был готов к такому началу. Он улыбнулся. Царевна на глазах превращалась в обыкновенную лягушку.

— Не сомневаюсь. Я тоже не тот, за кого вы меня принимаете.

Рита посмотрела на него оценивающим взглядом, проворковала: «Очень надеюсь» — и осторожно пригубила напиток.

Филат продолжал любоваться ею. Хороша, сучка, ах как хороша! Он вспомнил вчерашнее невинное приключение с Глашенькой и сразу оценил разницу между жеманной блядью и этой чопорной самоуверенной дамой. Ему вдруг стало сразу понятно, почему Глашенька так и не возбудила его — а на эту Риту он готов прыгнуть как оголодавший тигр. Доступная проститутка из воровского притона не возбуждала и десятой доли азарта и похоти, как эта молодая обольстительница. Филат вдруг понял, что готов завести красивый роман с обязательствами, готов тонко ухаживать, дарить цветы, духи, и это возбуждало его воображение больше, чем заученные бесстыжие ласки проститутки, которую утром выпроваживаешь за дверь без всякого сожаления.

Ему было тридцать три года — переломный возраст. Он же, если разобраться, не успел обрести даже малого. Возможно, у него даже не было и женщины, которая любила его по-настоящему.

— Может, вы еще хотите чего-нибудь? — поинтересовался Филат ненавязчиво.

— А вы не боитесь? — Она подняла красивое лицо.

Не без удовольствия Филат отметил, что глаза у Риты большие и миндалевидные. Она казалась ему робкой и в то же время вызывающе-дерзкой. Хотя что в этом особенного — порочность всегда соседствует со стыдливостью.

— Чего же?

Филат улыбнулся, — разговор начинал забавлять его.

— Дело в том, что знакомство с девушкой в баре как правило, ни к чему хорошему не приводит.

— Почему? — Она то ли кокетничала, то ли прощупывала его. Филат еще не понял.

Рита загадочно закатила глаза:

— Опыт, опыт...

Филат заерзал. Ее обворожительный голос, тонкие красивые руки, рельефно прорисовывающаяся под жакетом грудь — все было таким призывным! Ему невыносимо захотелось обхватить ее своими сильными руками, расстегнуть пуговки жакета, сорвать с нее эту розовую блузку и смять в железных объятьях, повалить на кровать...

— Знаете, это ведь не знакомство. Мы ведь уже познакомились — в официальной обстановке, — хрипловато проговорил Филат. — Мне бы хотелось пригласить вас в куда более уютное место, чем этот бар. Мы могли бы просто посидеть, поговорить, допить эту бутылку... В общем, познакомиться ближе... — Заметив в ее глазах тень сомнения, он поспешил добавить. — Обещаю: никаких глупостей! К тому же вы меня знаете — я коллега вашего шефа. Из Москвы.

К его удивлению, Рита не заставила себя долго уговаривать. Она только взглянула на изящные золотые часики и небрежно бросила в ответ:

— Ну, минут сорок у меня есть. Это недалеко, говорите?

Мило беседуя, они вышли из бара на улицу. Уже темнело. Поддавшись какому-то неосознанному порыву, Филат слегка приобнял ее. Его встретил недоуменный, но не испуганный взгляд.

— Не бойся, не укушу! — шепнул Филат ей в самое ухо и вдохнул пьянящий аромат ее духов.

Он подвел ее к джипу и распахнул заднюю дверцу. Рита вопросительно посмотрела на него.

— Мы поедем в этом джипе?

— Да. Здесь надежнее. И безопаснее. Не бойся, я же сказал, что все будет без глупостей. Познакомьтесь, это Данила, это Глеб. А это Рита.

— Куда мы сейчас? — Теперь в ее голосе звучало опасение.

— Я хоть в Питере и гость, но тут, недалеко от Невского, у меня есть уютное гнездышко. Чудесная такая квартирка из трех комнат. Полгода назад я был по делам в Питере, вот и купил ее, чтоб было где жить. Думаю, тебе там понравится. — Филат распахнул дверцу. — Такую девушку, как ты, конечно, нужно возить в «линкольне». Но знаешь ли, и эта лошадка не так плоха, как может показаться. Прошу!

До места добрались быстро. Глеб вообще не умел медленно передвигаться, и если впереди шла машина со скоростью меньше ста километров в час, то он раздражался и дальним светом фар призывал убраться в сторону.

У большого старого дома позади «Гостиного двора» Филат велел остановиться.

— Не тревожьте меня до утра, — распорядился он, помогая Рите выйти. Ее короткая юбка при этом задралась едва ли не до ягодиц, и Филат не без удовольствия заметил черную узенькую полоску трусиков.

— Понятно, командир, — улыбнулся Данила и с трудом отвел взгляд от соблазнительной попки.

Филат не мог не признать, что для такого плейбоя, как его телохранитель, подобное поведение выглядело почти подвигом. Даже монахи-схимники, окажись они на его месте, вряд ли справились бы с вожделением.

— Я вам позвоню сам. Рвите в «Прибалтийскую» — там заночуйте.

— Хорошо!

Интересно, что бы подумал Михалыч, если бы узнал, как его посланник собирается провести ночь. Скверные мысли улетучились мгновенно, едва Рита тонкими пальцами коснулась его руки.

Глава 13

Петр Васильевич Тетерин пребывал в прекрасном расположении духа. Отпустив Риту ровно в шесть, он немного задержался, чтобы в одиночестве обдумать ситуацию. Сегодняшняя встреча с московским «коллегой» обещала круто переменить всю его дальнейшую жизнь. Он давно уже устал завидовать удачливым чинушам из комитета мэрии по приватизации, которые за несколько лет умудрились сколотить себе такие состояния, какие где-нибудь в солнечной Калифорнии делаются десятилетиями упорного труда. Океанские яхты, виллы на Лазурном берегу, «мерседесы» — все, конечно, записанное на имена жен, детей, двоюродных братьев — у них было все, о чем можно только мечтать в розовом сне. И его непосредственней начальник, старик Гаврилов, председатель горкомимущества, тоже себя не обижал. Правда, насколько было известно Петру Васильевичу, все, что нахапал старик, было оформлено на его единственного сынка...

Но вот и на его улице, кажется, будет праздник. Миллион долларов! Это не шутка. Миллиона долларов, которые он без труда сумел выторговать, ему вполне хватит на безбедное существование в одном из укромных уголков цивилизованной Европы. Если положить миллион в банк под пять процентов — останется, как говорится в народных сказках, только жить-поживать да добра на-

149

живать. Приятно, что двести тысяч он получит просто так, на халяву. Эти двести тысяч долларов можно воспринимать как вполне заслуженные премиальные. Петр Васильевич был прекрасно осведомлен о том, кто тянется к контрольному пакету акций «Балторгфлота», и даже на собственной шкуре ощущал его цепку хватку. Хотя он знал настоящую цену этому проекту, Петр Васильевич все тянул-тянул, дожидался более интересного предложения и, как оказалось, не прогадал!

Вопрос только в том, сможет ли он оказать протекцию этим бандюгам. Петр Васильевич почесал подбородок. Нет, не так. Вопрос в том, насколько искусно ему удастся сделать вид, что он смог оказать эту самую протекцию. Вот что самое главное в этом деле! Реально помочь бандитам из Москвы заполучить акции «Балторгфлота» — это пустой номер. Петр Васильевич не знал наверняка, но мог догадываться, что коли речь идет о приватизации обанкротившегося — фиктивно обанкротившегося — торгового флота, значит, на него претендуют городские киты. Может быть, сам Гаврилов. Или еще кто повыше... Нет, тут московским ничего не светит. Но важно теперь любыми правдами и неправдами заполучить этот «лимон». Да так, чтобы эти хмыри ничего не заподозрили...

Он догадывался, как это сделать. Надо точно выяснить, кто в Петербурге нацелился на покупку флота — и натравить на покупателя московских. Пусть бьются насмерть. Стенка на стенку. Кто победит — это его уже не касается, но свой «лимон» он получит. Если, конечно, его не обведут вокруг пальца. Петр Васильевич вздохнул. Да, кто знает этих бандитов: они же лажанут — и что с них спросишь! Ну да ладно, перво-наперво надо выудить из этого Филата двести кусков. Информацию о покупателях он добудет. Не выходя из этого кабинета. Надо просто полистать справочник акционерных обществ Петербурга.

Петр Васильевич усмехнулся. Он сам их лажанет!

Быстро спустившись вниз, Петр Васильевич направился к бежевой «девятке», одиноко стоящей на служебной парковке. Толпящиеся у ограды рабочие, заметив его, примолкли и даже слегка отодвинулись, освобождая ему проход. Он легко отомкнул дверцу и грузно опустился в кресло. Потом вставил ключ в замок зажигания.

Петр Васильевич не мог знать, что в этот самый миг гвоздевой ударник мгновенно отреагировал и с силой врезался в металлическую пластину, которая замкнула электрический контур. Ток мгновенно распространился по цепи, воспламенив тротил. Раздался мощный взрыв — точно лопнул исполинский воздушный шар. Взрывная волна подкинула машину до окон второго этажа, разметав в разные стороны дверцы. Секунду продержавшись в воздухе, раскуроченный автомобиль завалился на бок. Стекла брызнули колючим дождем, и машина оказалась в плену пламени. Автомобиль горел не более минуты, а когда сошел удушливый дым, то из почерневшего салона вывалился обугленный труп заместителя председателя городского комитета по имуществу Петра Васильевича Тетерина.

Стоявшие неподалеку рабочие с ужасом взирали на тлеющий каркас, не в состоянии выдавить из себя даже сердобольного вздоха. Гробовую тишину разодрал женский визг. А потом послышался другой голос, — мужской, явно начальственный, он веско распорядился:

— Ну-ка, быстро милицию вызывай! Чья же это машина? Мать твою!.. Петра Васильевича?.. Вот не повезло бедняге, за что же его так?

Под ногами громко и хрустко затрещало битое стекло. Все пришло в движение. К зданию стал сбегаться народ, но приближаться к обгоревшей машине никто не посмел. Минут через пять вдалеке заголосила милицейская сирена.

* * *

Перешагнув порог роскошной квартиры, Рита не стала делать удивленных глаз. Ее взгляд скользнул по дорогим безделушкам, которыми были забита комната. Уверенно походкой хозяйки дома она подошла к окну.

— Отсюда очень красивый вид на «Гостиный двор»!

Слова прозвучали буднично, как если бы она говорила о том, что сегодня опять дождь. Филат ожидал услышать все что угодно, но только не это. Рита ни словом не обмолвилась о китайских вазах, каждая из которых стоила тысячу долларов, она осталась равнодушной к голландскому сервизу, а вот разлапистое здание торговых рядов, известное по картинкам любому школьнику, почему-то привлекло ее внимание.

Филат подошел сзади и по-хозяйски обхватил ее за талию. Взгляд Риты блуждал где-то между деревьев сквера. Его ладони поднялись выше, крепкими пальцами он ощущал ее упругое молодое тело. Рита не отозвалась на его призыв, все так же сосредоточенно глядя в окно. Так же бесстрастно каменная Венера в парке принимает ласку припозднившегося гуляки. Пальцы Филата впились в ее крепкие, не знавшие молока, груди.

— Больно же, — почти равнодушным голосом отозвалась Рита. — Женщину никогда не трогал, что ли, — понежней бы...

— Таких, как ты, не доводилось, — откровенно признался Филат и решительно стянул с нее блузку.

— Только не у окна, — попыталась воспротивиться Рита и мягко отстранила его руки.

— А я хочу у окна... вот здесь... сейчас! — просипел Филат и снова облапил ее.

Рита насмешливо прищурилась, но убрать его руки не посмела.

— Если честно, я не привыкла к такому обращению. Не надо забывать: я не девка с Невского. Кто обещал — без глупостей?

Филат усмехнулся с довольным видом.

— А разве это глупости, Рита? Это все не глупости! Я когда тебя там, у шефа в приемной, заприметил — ты мне сразу приглянулась. Да что там приглянулась... — Он приблизил губы к ее уху и жарко зашептал. — У меня на тебя сразу кий встал! О, потрогай, как стоит! — И, схватив ее ладонь, прижал к вздыбившемуся над ширинкой холму.

Откликнувшись на яростный натиск Филата, она вздохнула глубоко и пододвинулась к нему вплотную. Филат бережно подсадил Риту на подоконник. Поток света упал на ее красивое лицо, и он заметил совсем махонькую морщинку на самой переносице. Запустив ладонь под коротенькую юбку и нащупав тоненькую упругую резиночку, Филат потянул трусики вниз. Рита свела ноги вместе, и он, без особого усилия, освободил ее от нейлоновых оков.

Слова были не нужны: что бы он ни говорил, выглядело бы банальным, лишним. Теперь она была вся в его власти. Рита широко распахнула ресницы, и в огромных глазах он прочитал желание. Осторожно, как будто бы опасаясь причинить Рите боль, он задрал юбку до пупка.

Филату почудилось, что он никогда ранее не ощущал такого желания — определенно, эта женщина могла свести с ума даже такого кобеля, как он. Печальные глаза монахини, только что замолившей давний грех усиленным постом, и откровенные руки бесстыдной блудницы — это нечто!

Она умело и быстро вытянула ремень, и брюки комом упали к его ногам. Обхватив Риту за бедра, Филат вошел в нее глубоко и мощно, и, словно в благодарность за свою решимость, услышал сладостный выдох. Рита закрыла глаза, обвила длинными руками его шею и, запрокинув голову, зашептала:

— Еще... Еще...

Филат склонился и поцеловал Риту под самый подбородок, вырвав из ее горла новый вздох радости.

— Как хорошо! — шептали ее губы.

Сумеречный свет из окна освещал раскрасневшееся лицо Риты, которое казалось ему сейчас чем-то похожим на светлые лики мадонн на картинах из музея. Видно, художники, творившие после эпохи мрачного средневековья, понимали толк не только в красках, но и в плотских утехах. Рита прижималась к нему все крепче, а когда и этого оказалось недостаточно, обвила ногами его спину и, уже не стесняясь нахлынувших чувств, горячо шептала:

— Давай, не жалей меня! Еще! Еще!.. Глубже! Сильнее, черт тебя возьми, давай же!

Порой Филату казалось, что еще мгновение — и женщина потеряет сознание, но уже в следующую секунду ее объятия становились еще крепче. Они превратились в диковинное животное о двух туловищах, бьющихся в конвульсиях сладострастия.

Он мерно раскачивался, всаживая в нее свой затвердевший поршень, и она, мягко поддаваясь, в такт его ударам выгибалась, точно гибкий трамплин под ногами у прыгуна в воду. Филат зажмурился, и разыгравшееся воображение нарисовало ему картину, от которой он достиг высшей фазы наслаждения. Из его груди вырвался вопль, и он изверг в нее свое горячее семя.

Некоторое время он стоял между ног Риты, ощущая на своей шее ее дыхание. За окном город жил своей жизнью: раздавались рокотание двигателей, истеричные вопли клаксонов, мерный рокот автомобильных моторов. Жизнь продолжалась.

— Господи, едва не умерла...

— От чего же?

— От удовольствия, — с блаженной улыбкой произнесла Рита. — Мне было хорошо. Как никогда! Ты молодец!

— Рад за тебя, — невольно улыбнулся Филат, польщенный.

Он и сам ощущал нечто подобное, но никогда бы не отважился признаться в этом, тем более женщине, которую так легко уговорил...

За свою жизнь он не однажды пользовался услугами жриц любви, расплачиваясь за их ласки то мятой десяткой, то сотней баксов. Но ни одна из них, даже при самом высочайшем профессионализме, не смогла дать ему такого наслаждения, как Рита — сейчас. Его невозможно было убедить в том, что полученное удовольствие женщина ценит куда больше новеньких купюр. Филат выучил едва ли не все приемы обольщения: он заваливал девушек цветами, водил их в дорогие рестораны, дарил красивые побрякушки, провожал до дома. Но смысл интриги заключался всегда в том, чтобы завалить их в койку. Рано или поздно это происходило, и на смятых простынях они щедро расплачивались своим телом за оказанное им внимание. С Ритой все оказалось по-другому.

Осознание того, что Рита не продалась, а подарила ему себя, породило в его душе нечто похожее на благодарность — тень чувства, о котором он никогда не подозревал ранее.

Очнувшись от своих дум, Филат неожиданно осознал, как вечерний город ворвался в распахнутое окно несмолкаемым многоголосьем, обрывками музыкальных мелодий, чьими-то выкриками, запахами и неразборчивым гулом. Это произошло так неожиданно, что он даже смутился: их страстное совокупление произошло на глазах у тысяч зрителей.

— Пусти... Не будем же мы тут стоять до утра! — беззлобно произнесла Рита.

Они не стали одеваться. Филат показал Рите, где ванная, а сам пошел в спальню проверить, чистая ли постель. В последний раз он спал здесь месяца три назад, с девкой, которую снял на Невском у «Гранд-отеля Европа», и теперь уж не мог вспомнить, поменял ли простыни после той ночи. Девка была опытная — до рассвета они кувыркались на широкой дубовой кровати, под музыку «Модерн токинг» и шампанское «Вдова Клико». Клевая была баба. По крайней мере, так ему тогда казалось. Но сейчас, после блаженного наслаждения, испытанного с Ритой, Филат уже усомнился в достоинствах «гранд-отельной» шлюхи.

Рита вернулась совершенно голая. Он с затаенным восхищением разглядывал в полумраке ее тело — высокие упругие груди, тонкую талию, широкие бедра... Она легла рядом на одеяло и, не робея, повернулась к нему, прижалась теплыми грудями.

— Тебе хорошо было? — спросила она просто.

— Не хорошо, а отпадно, — признался он. — Так давно не было.

— Давно? — с иронией в голосе переспросила она.

Филат, ни слова не говоря, прижал ее к себе и вдруг, приподняв обеими руками, взвалил сверху.

— Я еще хочу! — выдохнул он, ощутив прилив желания.

И вновь они слились воедино и стали напоминать сказочного четырехрукого, четырехногого зверя о двух головах, старательно роющего себе нору...

Приятная истома и усталость нахлынула на него волной, и он не заметил, как заснул в объятьях Риты.

Раздался телефонный звонок, расколовший тишину раннего утра. Филат, раскрыв глаза, не сразу отвел взгляд от спящей. Разрумянившаяся во сне, со сбившимися волосами, она показалась ему краше прежнего.

— Кто там еще! — чертыхнулся Филат, нехотя вылезая из-под одеяла.

Номер этого телефона известен был немногим: сюда мог позвонить либо Данила, либо Глеб. Или Михалыч из Москвы. Даже Красному он не дал этот номер, попросив в случае чего связываться с ним по мобильнику.

Филат подошел к столику в углу спальни и снял трубку.

— Да! — недовольно произнес он. Часы показывали семь.

— Ромчик! Как хорошо, что я тебя застал!

Он без труда узнал говорившего — Селезень! Ему-то что надо в такую рань?

— В чем дело, Игорь?

То, что он услышал, заставило его похолодеть.

— Не слыхал? Петра Васильевича Тетерина вчера вечером взорвали!

Петра Васильевича? Он невольно оглянулся на спящую Риту — его секретаршу. Такого поворота событий Филат никак не ожидал. Он был готов услышать от Селезня какую-нибудь нелепицу и уже подобрал несколько грубых фраз по поводу нежданного звонка, но язык пристал к пересохшей гортани.

— Где?

— Да прямо под окнами его рабочего кабинета. У здания горкомимущества. Только сел в свой «жигуль» — и ба-бах!

— Ошибки быть не может?

— Да какая ошибка, Рома, дорогой! Еще вчера в вечерних новостях передали. Машина дотла, труп обезображен, но личность убитого установлена. Тетерин Петр Васильевич.

Филат стиснул зубы. А он-то, мудила грешный, обрадовался. Рапортовать Михалычу собрался об успехах! Теперь все коту под хвост.

— Ладно, Игорь, я тебе перезвоню! — глухо произнес он. — Мне надо обмозговать ситуацию.

Перед его мысленным взором полетели обрывочные картинки последних двух дней. Грек со смеющимися глазками. Хвастливый балагур Красный. Белая «воль-

157

о». Вальяжный Петр Васильевич с хитрым прищуром. Рита...

Рита. Он стал вспоминать вчерашний вечер. Бар. Парочка за соседним столиком. Он сидел у стойки. Потом вошла Рита. Случайно. Случайно? Минут через десять после того, как он туда заявился. Она сказала, что зашла в бар с работы. Часто заходит туда снять стресс. Пятнадцать минут ходу... А он там во сколько был? В семь? Или в восемь? Он никак не мог вспомнить.

Филат подошел к кровати и внимательно посмотрел на спящую. Она зашевелилась под его взглядом и раскрыла глаза. На губах заиграла улыбка.

— Доброе утро!

— Доброе! — без улыбки отозвался он.

Рита сразу почуяла неладное.

— Что-то случилось?

— Почему ты спрашиваешь?

— У тебя серьезный взгляд.

Филат помотал головой:

— Ничего. Звонил приятель. По делу. Мне надо срочно уйти. А ты... — Он помолчал: сказать или не сказать? — Сейчас на работу?

Рита рассмеялась беззаботно.

— Да какая работа! Сегодня же суббота!

Он усмехнулся и махнул рукой. Потом отвернулся от нее и пошел звонить своим пацанам. Данила включился на второй звонок.

— Данила, — глухо заговорил Филат, — неприятность у нас. Вчера вечером грохнули того мужика из горкомимущества, к которому я в гости ходил. Да погоди ты, не перебивай! Бери Глеба за шкирку и дуйте ко мне сюда. Я сейчас свяжусь с Красным. Надо срочно принимать меры.

— Красному не дозвонишься, он вырубил свой мобильный, — огорошил его Данила. — Он пытался тебя еще вчера поздно вечером достать, но твой мобильник не отвечал... Сказал, что у него для тебя сувенир. Или сюрприз. Не помню, как он выразился. Назначил встречу...

— Словом, по коням, мужики! Чтоб через пятнадцать минут джип стоял под окнами!

— Будем! — с готовностью рявкнул Данила и отключился.

Рита, ни о чем не подозревая, прихорашивалась перед зеркалом и тонким черным карандашом подводила глаз: рот слегка полуоткрыт, веки распахнуты. Даже в этой забавной позе она не утеряла своего очарования, и Филат снова ощутил острое желание.

Покончив с нехитрым макияжем, Рита села на краешек дивана, и юбка очень невинно и в то же время весьма соблазнительно натянулась на ляжках. Так же прилежно выглядит ученица старших классов, без памяти влюбленная в своего учителя, и коротенькая юбка может восприниматься как приложение для более близкого знакомства. Ну просто наваждение какое-то! Ну в самом деле сексуальный маньяк! Филат вдруг понял, что более не в состоянии бороться со своим естеством, подошел к Рите и уверенно запустил ладонь под юбку. Ее взволнованная плоть дожидалась такого прикосновения: властного и в то же время необычайно нежного. Так вправе поступать только любящий мужчина, переполненный неодолимо сильным желанием. Вздох получился глубокий, она опрокинулась на спину и закрыла глаза...

С Ритой он расстался у подъезда, пообещав позвонить ей вечером сегодня или завтра.

Филат залез на заднее сиденье и блаженно откинулся на кожаную спинку.

— Что ему нужно, не уточнил? — поинтересовался он у Данилы с таким видом, будто они и не прерывали начавшийся пятнадцать минут назад разговор.

Данила, не отрывая глаз от удаляющейся девушки в темно-синем жакете, брякнул:

— Сказал, что грек выполнил свое обещание.

— Ладно, поехали. — Филат не мог вспомнить, что за обещание давал ему грек. Он, видимо, все еще находился во власти сладких воспоминаний о бурной ночи любви. А может быть, его настолько ошарашил утренний звонок Селезня...

В любом случае день сегодня обешал стать богатым на тревожные новости.

Глава 14

Стрелку забили неподалеку от морского порта. На его бескрайних просторах места хватало всем: бичам, что сосредоточенно и деловито толкались у бесчисленных мусорных баков в поисках добычи; ширяльщикам, которые ловили кайф в густых кустах акации; портовым грузчикам, что слонялись без дела между пакгаузов. Встречалась здесь и вездесущая ребятня, отыскивающая в портовом металлоломе непременно что-то очень нужное для мальчишеского хозяйства. Захаживали сюда и элегантно одетые мужчины, от которых за версту несло крупными бабками, и никогда нельзя было понять, что это за люди — то ли организаторы переброски контрабандного товара, то ли ответственные чиновники Балтийской таможни, что, впрочем, нередко было одно и то же.

Красный никогда не скрывал своего пристрастия — он любил море так же страстно, как раскрепощенных женщин без комплексов и веселое застолье. Он был истинным сыном своего города, который с младых ногтей мечтает стать моряком, чтобы красивым мундиром охмурять падких на внешний эффект девчонок. Значительно позже жизненные ориентиры меняются и вчерашние подростки, под воздействием телевизионной романтики, захотят носить за поясом черную «беретту» и быть такими же крутыми, как копы в американских боевиках.

У Красного было все для того, чтобы стать моряком: в его роду, начиная с прадеда, все мужчины дослуживались до капитана первого ранга. Да и природные данные не подкачали. Леха как будто бы сошел с пропагандистского плаката, призывающего пацанов служить в славном ВМФ. И рост у него был что надо — петровский! Когда Леха Красный появлялся на морском берегу, то напоминал самого первого устроителя России, и полы его кожаного плаща, точно так же как некогда иноземный кафтан государя, безжалостно трепал строптивый норд-ост.

Леха Краснов не стал моряком: судьба предначертала ему совсем иное поприще — он сделался предводителем питерской братвы, и его командирский зычный голос звучал так же уверенно, как лающий бас капитана дальнего плавания.

Морской порт Санкт-Петербурга Красный справедливо считал своей вотчиной, существующей по своим законам, в которых способен был разобраться только старожил. Что не говори, а в этом Красный очень был похож на основателя Санкт-Петербурга. Оба они занимались одним делом — «прорубали окно в Европу». Но если императорское «окно» было все равно что морские ворота, через которые русские суда уходили в Голландию, Швецию и Англию, то «окно» Лехи Красного скорее напоминало форточку, в которую протискивается домушник. Дело заключалось в том, что «окно» Петра Великого не закрывалось никогда, снабжая жиреющую Европу пенькой и соболиными мехами, а «форточка» Лехи Красного открывалась только на короткий срок, чтобы принять контрабанду из-за бугра. Своих людей он имел не только среди инспекторов таможенного терминала, но даже и среди начальства. И несмотря на то что их услуги обходились ему весьма недешево, он всегда оказывался в таком крупном выигрыше, от которого даже у самых удачливых западных бизнесменов головушка пошла бы кругом. Хозяин Питера отлично представлял, какие огромные возможности появятся у воров, когда удастся прибрать к рукам «Балтийский торговый флот». Леша не собирался оставаться на обочине. Питер не тот город, который будет довольствоваться крошками со столичного стола, и в грядущей приватизации флота он намеревался играть не последнюю роль. Но он понимал: серьезный разговор со сходняком следует затеять потом, когда флот будет оприходован, — вот тогда Красному придется поменять милую улыбку на гангстерский оскал. Но все это будет потом, а сейчас надо на время затаиться и по возможности ублажить Филата...

Леха нервно посмотрел на часы. Филат опаздывал уже на пять минут. С полным правом он мог бы сесть в машину и убраться восвояси. Возможно, так бы он и поступил, если бы Филат был ему без надобности. Он очень желал разобраться в тайнах, которые окутали город, а для этого следовало действовать заодно с представителем сходняка.

Когда-то за опоздание на стрелку серьезно штрафовали: награждали оплеухой. Но потом от этого отказались — ведь воры имеют одинаковый статус. Но тем не менее дожидаться слишком долго — больше пятнадцати минут — Красный терпеть не мог. Он сейчас даже не пытался скрыть того, что сильно нервничает. Его репутация смотрящего может серьезно пошатнуться, если ожидание в порту чересчур затянется.

Красный снова посмотрел на часы, и в этот раз решительно произнес:

— Ждем еще три минуты. Не сидеть же здесь до второго пришествия.

Его спутники согласно кивнули. Им тоже было в тягость тут торчать.

Опоздание нельзя было оправдать никакими причинами: ни автомобильной пробкой, ни третьей мировой войной. Правда, Красный нутром чувствовал: если Филат задержался, то, значит, что-то произошло — не физкультурой же он занимается с какой-нибудь симпатичной студенточкой с утра пораньше.

— Все! Пора! — бросил Красный и откинулся на спинку сиденья. Но он поторопился.

«Шевроле-блейзер» с московскими номерами выскочил из-за поворота на большой скорости и запрыгал по кочкам так резво, словно рвался к финишу престижных автогонок. Машина стремительно мчалась между металлических контейнеров. Мощные колеса уверенно уворачивались от выпирающих балок. «Мастак этот Глеб, ничего не скажешь!» — скривился Красный. Его водила так бы не сумел.

Мгновенно сбросив скорость, автомобиль остановился в нескольких метрах от «мерседеса», словно натолкнулся на невидимую преграду. Быстро распахнулись двери, и чуть поспешнее, чем следовало бы, к «мерседесу» затопал Филат в сопровождении верного Данилы-телохранителя.

В этот раз при встрече Красный не выражал особой радости, был подчеркнуто сдержан и перед ритуальным рукопожатием выразительно посмотрел на циферблат своего «Ролекса».

От Филата не ускользнул красноречивый жест. Он мрачно помотал головой, как бы давая понять, что всецело осознает вину, и произнес, слегка задерживая в своей руке ладонь Красного.

— Извини, по телефону говорил с Москвой, — честно признался Филат. — Ты в курсе, что вчера вечером...

— Да, знаю. Взорвали в личном автомобиле. Прямо у здания горкомимущества. А ты у него был вчера? — Красный исподлобья глянул на Филата — Шустрый! Как это ты проник к Петру Васильевичу? В городе и двух дней не пробыл — а уже на прием попал... И смотри-ка, не успел от него выйти, как бедолагу грохнули!

Филат пытался понять, что в этот момент у Красного на уме и как следует воспринимать его реакцию — то ли как незлобивую шутку, то ли как предупреждение. У него мелькнула в голове мысль: уж не Красный ли гробанул Петра Васильевича?

— Ладно, Филат, не бери в голову, — миролюбиво продолжал питерский смотрящий. — На Петре Тетерине свет клином не сошелся. Скоро и сам поймешь. Сейчас съездим кое-куда.

— И далеко?

— Нет, рядом. Сгоняем проветриться на Финский залив, — последовал беспристрастный ответ.

Нет, не случайно Михалыч предупреждал, что с питерским смотрящим нужно держать ухо востро. Красный напоминал дрессированного медведя, от которого не знаешь, чего следует ожидать в следующую минуту: то ли послушного кульбита, то ли удара когтистой лапой по мордасам.

Филат почувствовал, что кулаки, помимо его воли, чуть сжались, и он произнес, слегка растягивая слова:

— Ну разве я могу отказаться от твоего приглашения?

— Вот и отлично!

Филат запоздало подумал о том, что никто не знает о его морской прогулке. Но его больше заботило другое: если ловушку для Тетерина приготовил Красный, то интересно знать, какие дьявольские козни он плетет на сей раз?

— Пойдем. Тут недалеко, — предложил Красный и, не оборачиваясь, двинулся навстречу стылому ветру.

Идти пришлось действительно недалеко: через каких-то триста метров они вышли к небольшой бухточке. Могучий гранитный причал уходил далеко в море. У дальнего конца гранитной стены виднелся белый прогулочный катер.

Красный уверенно зашагал по причалу, и под его ногами хрустко поскрипывал слежавшийся гравий.

— Вот и пришли: это мой катерок. На вид он, может быть, и неказистый, но дизеля у него реактивные — при желании на нем можно обставить любой сторожевой катер.

— Девочек на нем возить — класс! Девчата любят ветер и соленые брызги, — скривился в усмешке Филат.

— Для этих целей мы снимаем комфортабельный лайнер, — серьезно отреагировал Красный. — Знаешь ли, не люблю качку. Когда надо натянуть бабу, качка мешает...

— Это точно, — отозвался Филат, как будто всю юность провел в компании любвеобильных морячек.

— Эй, на яхте! — проорал Красный. — Ты что же не встречаешь?!

Из рубки тотчас показался заспанный мужчина в морской фуражке с золотой кокардой. Лицо худощавое, в очках. По виду совсем не сказать, что слуга бога морей Посейдона.

— Ну чего сердишься, шеф! — протрубил капитан. — И десять минут нельзя подремать? Я же не знал, когда ты подъедешь.

Голос у него, как и следовало предполагать, оказался трубным — такой в одно мгновение разбудит даже мертвых.

— Взгляни на него, Филат, ну чем не морской волк? Владимир Пантелеевич, капитан второго ранга в отставке, избороздил все моря и океаны вдоль и поперек. На Балтике он каждую бухту знает как свои пять пальцев. Или как задницу своей нынешней возлюбленной.

— Но-но! Ты все шутишь, Леша, — миролюбиво запротестовал капитан. — Не надо про нее зубоскалить. Я ее люблю как дочь... Вернее, как позднюю любовь, по-тургеневски. Или по-бальзаковски!

— Смотри, как расчувствовался! — хитровато сузил глаза Красный. — А когда мы с тобой в Швецию ходим — ты в Гетеборге телок дрючишь — о своей питерской крале, небось, не думаешь!

166

— Думаю, — возразил морской волк. — Всякий раз слезами исхожу, когда сисястую негритянку на хрящ любви насаживаю. Только ведь любимая всегда единственная, ее никакими шведскими путанами не заменишь.

— Слушаю я тебя, Пантелеич, и мне начинает казаться, что это тебя за блядство с флота поперли. Разве не ты в восемьдесят пятом затрахал у себя в каюте жену норвежского атташе? Морячки рассказывали, что из-за тебя даже отплытие эскадры на два дня задержали.

— Все-то ты знаешь, Леша, хотя это государственная тайна, — осклабился бывший военный моряк.

— Мне эту государственную тайну еще два года назад нашептали в Смольном...

— Ладно, забудем об этом, — смиренно согласился Пантелеич.

— Согласен: позубоскалили и хватит, делом надо заняться. Тебе все разъяснили? — строго спросил Леха, быстро входя в роль хозяина. Несмотря на все внешнее дружелюбие, он не допускал никакого панибратства или, как сказали бы боксеры, умело держал дистанцию. Немногие могли похвастаться тем, что хоть раз побывали дома у Лехи Красного в качестве гостей, и уж совсем невозможно было найти человека, который осмелился бы потрепать его по плечу.

Перемену в поведении Красного морской волк оценил мгновенно. Человек военный, он тонко понимал нехитрую азбуку общения с шефом: когда тому весело, надо улыбаться ему в глаза, а когда у того хмарь на душе, лучше уйти с глаз долой, а то не ровен час, возьмет пустую пивную бутылку за и засунет в самую задницу. И бывший капитан второго ранга скорчил такую серьезную физиономию, будто ему только что фельдъегерь привез из Кремля пакет с приглашением на торжественный прием.

— Так что? Едем сейчас?

— Да.

— Эй, команда! — крикнул Пантелеич. И тотчас из-за его крутых плеч показались два парня лет двадцати, очень похожие друг на друга: круглолицые, с румянцем во всю щеку. — Ослепли, что ли?! Подать трап, высокое начальство пожаловало!

Один из молодцов, тот, что повыше, завертел лебедку, и трос, натянувшись на стальной барабан, зашуршал, словно колеса автомобиля по рыхлому гравию. Трап плавно опустился к ногам Красного.

— Милости просим, — трогательно произнес кавторанг. По его лицу было видно, что он сожалеет о том, что Леха не уведомил о своем приезде заранее, а так наверняка испекли бы каравай да вручили дорогому гостю. — Если бы ты знал, Леша, как я рад тебя видеть!

— Да ладно уж, старый лис... — беззлобно отмахнулся Красный. — Сам, наверное, думаешь о том, какую я мороку на твою голову нагнал. Если бы не я, ты бы уже наверное давно отсюда отвалил с какой-нибудь бабенкой на песчаную отмель.

— А я природу люблю, Леша, и по-другому с бабами не могу. Исключительно только на морском бережку. Без этого, знаешь ли, и куража нет.

— Черт ты старый! — Красный уверенно ухватился за поручни. — Ты скажи мне — всех проституток с Невского перепробовал?

Прозвучавший вопрос, видно, застал морского волка врасплох — Пантелеич задумался надолго. Он запустил короткие, корявые пальцы в поседевшую бороденку и задумчиво покачал головой:

— Может, кто и остался, но я таких не знаю.

Красный на катере вел себя как настоящий хозяин. Он, казалось, занял собой все пространство, оставив капитану и малочисленной команде крохотный клочок где-то у кормы. Он расхаживал по палубе и рассказывал Филату о том, как они славно провели время в прошлое воскресенье и сколько водки было выпито, каких девочек им удалось залучить сюда. Зная привычку Лехи разглагольствовать в кругу приятелей о всякой ерунде, его никто не перебивал, давая красноречию Красного выработаться по полную катушку. Но он вдруг осекся, стрельнул глазами по сторонам и рявкнул:

— Кончай базар, трогай!

Капитан стер с лица неуместную улыбку и крикнул своим молодцам:

— Заводи машину!

Гулко и мерно застучал дизельный поршень, по воде поплыли радужные пятна солярки. Катер медленно отвалил от причала.

Красный, похлопав московского гостя по плечу, произнес с довольным видом:

— Ты, Рома, глянь, какая красота вокруг! Вот отсюда царь Петр Первый шведам кулаком грозил! — Это было сказано с таким чувством, как будто Леха Красный лично был свидетелем давних сражений. — В Москве таких просторов не встретишь!

Филат не ответил: сцедил через щербину между зубами поднакопившуюся слюну и с интересом проследил за ее полетом. Ему определенно не нравился Красный. Он про себя только недоумевал, каким чудом этот бахвал все еще оставался в живых. От него так и несло беспредельщиной.

А Красный невинно продолжал, вцепившись руками в перильца:

— Все-таки я немного романтик, Рома. Для меня это все равно, что для поэта состояние влюбленности. Не могу я заниматься большими делами, если отсутствует кураж. Любое дело нужно обставлять красиво. Это тоже самое, как с бабой. Можно дело обтяпать где-нибудь в подъезде, по-кошачьи, а можно так, что даже гусары позавидуют. Цветы, шампанское, конфеты — и женщине приятно, и сам двойное удовольствие получишь.

Но Филат не слушал. Он сменил тему:

— Ребята сказали, что грек мне якобы какой-то сюрприз приготовил. Верно?

— Знаешь присказку, Рома, — ямщик, не гони лошадей! Не слыхал?.. — Красный выжидательно посмотрел на Филата и учтиво добавил: — Всему свое время.

Катер, рассекая волны, мчался в открытое море. Впереди была финская граница, и в какой-то степени подобное обстоятельство устраивало Филата. Если Красный решил подивить гостя заморской страной, пусть так и будет.

Прямо по курсу дрейфовала огромная баржа. Проржавленные бока свидетельствовали о том, что она болтается здесь с того самого времени, когда апостолы промышляли рыболовством. Похоже, что уже две тысячи лет на палубу этой баржи не ступала нога человека. Когда катер подошел ближе, Филат понял, что баржа прочно сидит на мели. Филат предположил, что катер, не сбавляя хода, ударит хлесткой волной в проржавленный борт и устремится дальше к берегам Суоми. Но неожиданно дизель сбавил обороты, и катер подрулил к барже.

Гостей уже ждали: у самого борта выстроились пять молодцов в выцветших тельниках и дружелюбно взмахнули руками, когда катер притерся к барже.

Сверху сбросили веревочную лестницу, и Красный, подавая пример остальным, стал уверенно взбираться по зыбким ступенькам.

Следом за смотрящим заторопилась и его пристяжь во главе с Пантелеичем, а затем и Филат с Данилой.

— А вот и сюрприз, — загадочно произнес Красный, и, оглядев сияющие лица моряков, проговорил: — Ну что, боцман, веди моего гостя в апартаменты.

— Сюда! — произнес старший из морячков увлекая гостей в трюм. Обветренная кожа на лице «боцмана» давала понять, что, прежде чем попасть на ржавую списанную баржу, он несколько раз совершил кругосветное путешествие. Его резиновые каблуки громко стучали по металлическим ступеням, наполнив трюм гулким эхом. Замыкал шествие высокий сутулый моряк. Он что-то пробурчал ехидное, когда Данила, зацепив каблуком ступеньку, едва не скатился головой вниз.

Баржа внутри оказалась на удивление вполне комфортабельной: мягким декоративным кожзаменителем были обиты стены: по углам стояла современная мебель; под потолком висела роскошная люстра, очень напоминающая театральную; в серванте красного дерева пылились на полках дары моря: огромные ветвистые кораллы и раковины величиной с голову. В общем, ни дать ни взять салон шикарного океанского лайнера.

Видно, в лице Филата произошла какая-то перемена, потому что Красный самодовольно улыбнулся, заметив, что сумел-таки удивить столичного гостя.

— Нравится? Ты бы знал, сколько сюда вбухано бабок!

— Ржавчину-то чего снаружи не соскребете?

— А зачем? — искренне удивился Красный. — Так оно и задумано — чтобы меньше любопытных было. Ладно, пойдем дальше. Я тебе не все еще показал, — и он повел Филата по ворсистой дорожке, что заглушала каждый их шаг.

Мохнатая дорожка привела к двери, обитой толстым дерматином.

— А это наша комната отдыха, — Красный толкнул дверь рукой,

Юмор Филат оценил, едва переступил порог. В центре «комнаты отдыха» стояло широкое деревянное ложе, по обеим сторонам которого — у ног и в изголовье — были встроены металлические трубы с воротами, на которые были намотаны толстые веревки. «Дыба!» — ужаснулся Филат. Если уложить на такую постельку жертву, да привязать его за руки за ноги к концам веревок, повернуть несколько раз рукоятки воротов — кости захрустят...

Боковым зрением Филат видел, с каким интересом Красный за ним наблюдает: не смутится ли посыльный московского сходняка от подобной неожиданности. Неприятный озноб прошиб Рому Филатова. От шального смотрящего можно было ожидать любого подвоха: вот кликнет сейчас своих заплечных дел мастеров — и распнут его на дыбе как великомученика воровского дела...

На страшное орудие пытки Филат старался смотреть равнодушно, тем самым доказывая, что его сей предмет нимало не пугает.

— Вот так мы и развлекаемся, — проговорил с улыбочкой Красный.

В правом углу «комнаты отдыха» стоял стул с металлическими подлокотниками, обтянутыми кожаными ремнями. На спинке был укреплен металлический ошейник, а рядом, в огромном корыте, лежали орудия пыток: плоскогубцы, клещи, гвозди, колпаки с шипами и прочая мрачная атрибутика, которая вызвала бы профессиональный восторг у любого палача инквизиции.

В противоположном углу стоял еще один исторический экспонат — «железная дева»: на голове шляпа, чем-то напоминающая девичий кокошник, металлическое платье искусно собрано в складки. Сразу было видно, что «дева» попала сюда прямехонько из четырнадцатого века.

— Не правда ли, хороша баба? — спросил любитель антиквариата, поймав взгляд Филата. — Ты не представляешь, сколько пришлось отвалить за этот шедевр. Прикупил в одном немецком музее. А как мы ее сюда волокли — морем из Гамбурга. Знаешь, Филат, сколько веков прошло, а эта бабенка не растеряла своих добрых качеств. Вот смотри: тут подведены специальные рычаги. Достаточно дернуть за один, как наша баба распахивает для объятия свои ручонки. Дергаешь за другой — объятия захлопываются вместе с узником. Вот только ее ласки не так нежны, как хотелось бы, — смеясь, посетовал Красный. — Внутри-то у нее во-о та-акие шипы. После одного такого укольчика на теле живого места не остается! Я вот думаю: до каких только чудачеств не додумывались эти средневековые палачи! А этот рычажок, знаешь для чего? — Красный показал пальцем на торчащий в стене крюк.

— Ну и для чего?

Филат все более мрачнел. Общество смотрящего на него начинало действовать угнетающе.

— А чтобы легче было хоронить, — бодро отозвался Красный.

— И как же это?

— Нажимаешь на рычаг — и пол под «железной бабой» проваливается. И покойничек оказывается на дне. — Красный нежно потрепал «железную бабу» по плечу. Истукан скрипнул, видно, понравилась хозяйская ласка. — Знаешь, чем хороша морская вода?

— Чем же? — усмехнулся Филат.

— В земле покойнички смердят, косточки от них остаются. В ментовке это называют уликами. А в воде — никаких улик. А потом морская водичка обладает еще одной важной особенностью. Растворяет кости не хуже соляной кислоты! Через месяц от трупа не остается и следа. — Красный обратился к «боцману». — Давай приводи их!

И вновь Филат подивился мгновенной перемене в смотрящем. Самодовольный бахвал исчез — и Красный превратился в холодного палача. Охотно верилось, что значительную часть своего времени Леха Краснов проводит на этой проржавленной барже, потому что обожает выкручивать плоскогубцами пальчики своим узникам.

173

— Сейчас, Леша, — равнодушно отозвался «боцман».

Ждать пришлось недолго. Сначала за переборкой послышалось металлическое звяканье, а потом в «комнату отдыха» ввели двух человек. На ногах у обоих были цепи; руки в деревянных колодках.

— Что-то вы уныло глядите, гости дорогие! — опечалился Красный. — Такое впечатление, что вас несколько дней не кормили.

— Брось ломать комедию, Красный, — тихо пробурчал Филат. — Объясни, что за люди?

В дверях толпились охранники Красного, морячки, Пантелеич, у кого-то из-за плеча выглядывала голова Данилы. По лицам присутствующих Филат понял, что им уже наскучили чудачества смотрящего и они с нетерпением ожидали финального акта.

— Выйдите! — Под строгим взглядом Красного все попятились. — А ты останься, боцман, — Красный посмотрел на ветерана флота, — не мне же с них цепи снимать! — Когда дверь захлопнулась, Красный мгновенно стал тем человеком, которого Филат знал по сходнякам, серьезным и хладнокровным.

— Этих ребят мне сдал Перикл. Мы их ночью взяли. Похоже, они тебе готовились испортить песню.

— А что за ребята? — Филат посмотрел на пленников, которые побледнели смертельно только потому, что услышали имя Перикла Геркулоса.

— Этих пацанов несколько раз видели в конторе «Балторгфлота». У кабинета генерального директора ошивались. Уж не знаю, на что эти мудаки рассчитывали.

— Ты их допрашивал?

— Нет еще? — усмехнулся Красный. — Для начала мы просто провели с ними профилактическую беседу. А право первого допроса, — Красный мило улыбнулся, — как право первой брачной ночи, мы предоставляем барину. Так что прошу, Филат, приступай!

Глава 15

Филат долгим взглядом смерил пленников. Хотя достаточно было посмотреть вполглаза, чтобы понять: пребывание на барже не приносило им радости. Выглядели они очень неважно: у одного лицо от побоев превратилось в сине-красный блин, и через махонькие пухлые щелочки глаз взирали злые черные зрачки. Другой тоже наглотался лиха — сломанный нос распух, на рваной нижней губе запеклась кровь.

Филат напоминал стервятника, высматривающего добычу. Брови слегка дрогнули, губы сжались, еще четче обрисовав упрямый рот. Кажется, он определился и подошел к парню с разбитой губой.

— Как тебя зовут? — голос прозвучал вполне дружелюбно.

— Гера.

— Хорошее имя, — спокойно отозвался Филат, — был у меня друг Гера. Герман на латыни значит единокровный. Мы с тем Герой действительно были, как братья. Жаль, прирезали его на одной пересылке. С тобой же у нас кровушка разная, потому как стоим мы друг напротив друга. Хочешь жить, Гера?

Цепи на ногах печально звякнули.

— Еще бы.

— Понимаю. У тебя единственный шанс на спасение. Но чтобы чудо произошло, ты должен честно ответить на мои вопросы. Первый... только подумай хорошенько, Гера, прежде чем ответить. Кого ты представляешь?

Взгляд у Геры помутился, лицо скривилось. Видно, не хотелось ему колоться, но и перспектива полежать на страшном пыточном ложе его тоже не устраивала.

— Этих людей я не знаю. Мы не встречались. Все задания передавались по телефону. Через посредников. Нам надо было просто выяснить состав руководства ГАО.

Филат удивленно поднял брови:

— Состав руководства? Это что же, такая страшная тайна? А разве начальники государственного акционерного общества «Балтийский торговый флот» — засекреченные люди? Да в многотиражке «Балтийское пароходство» можно узнать фамилию генерального директора, и замгенерального директора, и замзама генерального директора! Ты мне, Гера, яйца не крути! Боюсь, разговор у нас с тобой не получается. Повторяю мой вопрос: на кого ты работаешь?

— Не имею понятия. Гадом буду — не знаю!

— Хорошо. Кто посредники?

— Их я тоже не знаю, связь держали по телефону!

— И кто же с тобой расплачивался за работу?

— Они же.

— Интересная ситуация. Ну прямо как в сказке: иди туда, не знаю куда, возьми то, не знаю что. Ты, видно, меня держишь за мудачка — или не очень дорожишь своей жизнью. Может, ты не знаешь, сколько тебе лет?

— Двадцать пять.

— Женат? Дети?

— У меня пацан растет.

Филату показалось, что голос Геры на этих словах немного дрогнул.

— Видишь, как нескладно получается. Мы тебя головой в воду, а твой пацан даже не узнает, где папина могилка. Неужели тебе охота умирать за чьи-то интересы?

В лице Геры что-то переменилось.

— А может быть, за собственные интересы, — голос Геры зазвучал жестко. И из лопнувшей губы на воротник рубашки брызнула кровь. — На себе я уже давно крест поставил, но если они узнают, что я раскололся, — так прирежут жену с сыном.

— Вот как ты разговорился! Здорово же тебя напугали.

— Не напугали, просто я знаю здешние порядки.

Филат разозлился. Упрямый Гера начинал его раздражать.

— Ни хера ты не знаешь! Кроме здешних порядков есть еще и московские порядки — которые мне ближе! И по нашим московским порядкам, Гера, тебе в этой жизни уже ничего не словить!

Пленник печально взглянул на Филата:

— Значит, судьба такая. От судьбы не убежишь.

— Ладно, тогда второй вопрос, Гера. Пускай ты не знаешь людей, которые давали тебе указания, — назови места встреч с посредниками!

— Не знаю! Я все сказал, мне добавить нечего! — Гера набычился и закрыл глаза. Видно, он уже принял решение и сделал свой выбор. Филат перевел взгляд на второго. Тот отвел глаза и смотрел в пол. Губы его дрожали. Красный медленно подошел к железному истукану и похлопал рукой по одному из стальных обручей, образовывавших тело «бабы».

Поймав взгляд хозяина, «боцман» втолкнул пленного в железную клеть». Неожиданно она с лязгом сомкнула крепкие объятия. Парень пронзительно вскрикнул, ужаленный множеством ощетинившихся шипов. А «баба» неумолимо вбирала его в себя все глубже, пока наконец не сомкнулась вовсе.

Красный, держа ручку на рычаге, повернулся к другому пленнику и поинтересовался:

— Знаешь, что бывает с упрямыми людьми? — Он надавил на рычаг. Где-то под ногами послышался глухой скрежет — сработал какой-то дьявольский механизм.

В следующую секунду «баба» раскрылась, и окровавленное тело Геры провалилось в разверзшуюся дыру в полу.

— Погрузка завершена, — хмыкнул Красный. — Через пару деньков твоего неразговорчивого товарища можно будет отправить рыбкам на прокорм. Ну что, Филат, может этого на деревянной койке растянем? Проверим механизмы?

Московский гость покачал головой:

— Не надо, Красный, думаю, этот будет более сговорчивым. Итак, первый мой вопрос, как тебя зовут?

— Семен.

— Семен? — Филат выглядел несколько озадаченным. — Какие неожиданные кренделя подкидывает мне судьба. Именно так звали моего крестного. Славный был мужик, в люди меня вывел. Если бы не его опека, то пришлось бы мне лиха похлебать, а я сейчас, спасибо ему, эполеты на плечах имею. Но вот только и тут некоторая заминка: нет больше незабвенного Семена. Уже третий год пошел, как в сырую землю закопали. Ну а ты, Семен, как долго собираешься жить?

Парень не выглядел испуганным — может, он тоже, как Гера, уже распрощался с жизнью?

— Сколько позволит судьба.

— Может, оно и к лучшему. Так вот, твоя судьба находится в твоих руках. Или ты расскажешь все, что знаешь, и уйдешь отсюда на все четыре стороны, или можешь сыграть в партизана — разделишь участь Зои Космодемьянской.

— Хорошо. Я скажу, что знаю. Но где гарантия того, что вы не отправите меня вслед за Герой?

— Гарантией будет магнитофонная кассета с записью твоей исповеди. Если она попадет к тому, на кого ты работаешь, так тебя подвесят за яйца. Но, думаю, этого не

178

случится — кассета будет лежать у меня в надежном месте до тех самых пор, пока ты будешь на меня работать.

— Боцман, займись магнитофоном! — крикнул Красный.

— А все готово, — отозвался тот. В руке у него уже болтался кассетник «Шарп». Боцман нажал на кнопку, и кассета медленно завертелась.

— Ну, колись, браток, — улыбнулся Филат.

На лбу у Семена выступили капли пота и быстро стекали тоненькими струйками по переносице и щекам.

— Однако, я смотрю, пауза затягивается, — печально заметил Филат. — Мне это не нравится. Боцман, прижми-ка нашему герою пальцы щипчиками.

— Не надо, я все скажу. — встрепенулся Семен. — Спрашивайте!

— Кто стоит за тобой?

— Гера не соврал — я их не видел ни разу. Они нигде не засвечиваются. Предпочитают действовать через цепочку посредников. Мне известно только, что это очень влиятельные люди.

В центральном офисе ГАО «Балторгфлот» Семен с Германом появились дважды. Задание у них было несложное. Одному из них, пока второй стоял на стреме, нужно было застать заместителя генерального директора в кабинете и предложить за сто тысяч долларов внести кое-какие изменения в список участников предстоящего тендера.

— И все? — изумился Филат.

— Все, — подтвердил Семен.

— И какие же изменения?

— О конкретной просьбе нам должны были сказать потом. Для начала нужно было просто подкатиться к нему. Но мы не успели... — Семен мотнул головой в сторону Красного, давая понять, что их замели в самый разгар операции.

И все же Филату все это было непонятно. Зачем посылать каких-то хмырей в офис ГАО, неужели нельзя было обработать руководство иным, более надежным способом?

— Так кто вас туда направил? — строго спросил Филат.

Семен помолчал секунд десять, видно, собираясь с мыслями, и протянул:

— Кеша. Он назвался просто Кеша. Это посредник. Общались по телефону. Но я знаю, где он живет.

— Да что ты! — обрадовался Красный. — Это уже кое-что! И что это за Кеша?

— Может, кликуха, может, настоящее имя. Фамилии не знаю, — заторопился Семен.

— Как вы стали на него работать?

— В армии я с Герой служил в одном взводе, здесь, под Питером. Есть там одна секретная база ВДВ. Все два года мы занимались рукопашным боем и учились диверсионной работе. Вроде нас хотели использовать в горячих точках. А кто-то говорил, что нас готовили для каких-то тайных операций. В общем, два года прошли в ожидании. Иногда приходили «покупатели» и отбирали кого-нибудь из нас.

— Ближе к делу. Все это меня не интересует. Как ты попал к этому Кеше?

— За два месяца до окончания службы к нам в часть приехал парень лет тридцати. Уже одно то, что он попал на территорию части, говорило, что у него сильные покровители. Он подвалил на шикарной иномарке. Начштаба бегал вокруг него как собачка, разве что жопу не лизал. Парень назвался представителем «Росснабвооружения» и сказал, что ему нужны люди, которые готовы работать у него после демобилизации. У нас с Германом не было особых планов, поэтому мы к нему в списочек записались! — Семен сглотнул слюну. — Но потом мы его больше не видели... Через полгода после дембеля, когда мы уж и думать про него забыли, мне позвонил Кеша, напомнил о том хмыре... Звали его... — Семен на-

180

хмурился, припоминая, — то ли Антон, то ли Андрей. Он визитку оставил — там фамилия была какая-то простая, вроде Кузнецов, но он сразу сказал, что фамилия липовая и чтоб мы не забивали себе голову. Главное, говорит, телефон для связи.

— И что за телефон? — перебил Филат.

— Тоже липа оказалась, — горестно заметил Семен. — Я по нему как-то раз звонил — оказался коммутатор какой-то коммерческой фирмы. А Кеша оставил телефон уже не липовый.

— Ты спрашивал у него про того Антона—Андрея? — настаивал Филат. Он и сам пока не понимал, зачем он так настойчиво выпытывает у Семена про представителя «Росснабвооружения», но ему казалось, что это очень интересная зацепка.

— Спрашивал. Но Кеша сказал: забудь про него. Теперь твои дела к нему никакого отношения не имеют.

— И что за дела?

Пленник пошевелил деревянными колодками, точно хотел высвободить руки.

— Всякие. Взрывные дела. Платил хорошо.

— Кого взрывали? — заинтересовался Красный. — И где?

— Тут, в Питере. В порту. Прогулочный теплоход «Радуга»...

— ... твою мать! — заревел Красный. — Так это вы мне песню испортили? Представляешь, Филат, в прошлом году у нас тут одни энтузиасты организовали круизную турфирмочку для иностранцев, только я собрался взять ее под свое крыло, как они лишились своего единственного транспортного средства! Они на этой самой «Радуге» собрались интуристов возить по Неве...

— Погоди, Красный, сейчас не об этом речь! — Филат поднял руку. — Ну, а еще какие подвиги на вашем боевом счету были?

— Пару раз на оптовых рынках в области фейерверк устраивали, на таможенном терминале пожар... Еще по мелочи кое-что...

— Ну-ну! — помотал головой Красный. — Хотел бы я на твоего хозяина поглядеть хоть одним глазком — что за птица такая? Я про эти дела все знаю, — заметил он Филату, — да вот только так и не выяснил, кто это химичил. Сразу видно: конспирация!

— И как часто с тобой связывается Кеша? — продолжал вопрос Филат.

— Раз в неделю. Иногда он пропадает целыми неделями, но деньги в конце месяца платит исправно.

— Вы где-нибудь еще работали?

Парень отрицательно покачал головой.

— Абсолютно нигде. Это было главным условием нашего контракта — никаких дел на стороне! Кеша объяснял это тем, что в любой момент нас могут отправить на дело подальше от Питера.

— За рубеж были командировки?

Опять в комнате установилась зловещая тишина.

— Отвечай погромче, — глухо произнес Филат, — что-то я не расслышал.

— Бывало, — прошелестели губы Семена.

— Какого плана задания? — выжимал Филат из парня информацию, как зубную пасту из тюбика.

— Наша работа за рубежом мало отличалась от той, что мы делали в Питере.

Магнитофонная лента бесстрастно фиксировала каждое произнесенное слово. Филат протянул руку и нажал на кнопку — магнитофон мгновенно отключился.

— Интересные вещи ты нам порассказал. Так, значит, на флот претендует «Росснабвооружение»?

— Кто его знает, — покачал головой Семен. — Не исключено, может, кто-то из «Росснабвооружения» разжился солидными деньгами и решил прикупить «Балторгфлот». Только ведь такие сделки без поддержки на самом верху не делаются.

— Молодец! Верно мыслишь! Что делать с ним, Красный? — Филат посмотрел на смотрящего.

Красный поморщился:

— Я бы его для порядка отправил вслед за Герой. Больно болтлив!

Филат усмехнулся, глядя на побледневшее лицо бывшего десантника.

— А как же Кеша?

— Ну, уж этого Кешу мы и без него вычислим. Доберемся! — хвастливо заявил хозяин Санкт-Петербурга.

— Не доберетесь — я вам нужен, — сглотнул слюну Семен. — Он мне как раз должен позвонить завтра. Без меня вы на него не выйдете!

— Хорошо, — решил Филат. — Красный, пусть с него снимут эти цепки, а то у парня руки закаменели! — Он подошел к магнитофону и, надавив пальцем на клавишу, извлек кассету с записью и сунул ее во внутренний карман куртки.

На поясе «боцмана» болталось с полдюжины разнообразных отмычек. Деловито брякнув тяжелой связкой, морячок извлек нужный ключ. Поколдовав немного над цепями и вполголоса матерясь, он подарил Семену вожделенную свободу.

— Что собираетесь со мной делать? — спросил пленник, потирая затекшие запястья. Сейчас его голос немного окреп. Но даже неискушенный наблюдатель заметил бы, что он доверяет Филату не больше, чем овца волку-вегетарианцу.

— Ничего, — ухмыльнулся Филат. — Живи пока. — Он обернулся к Красному. — Надо бы раздобыть ему подходящий прикид. Да кровь с рожи смыть. Не возвращаться же ему в Питер в таком виде.

— Это ты в точку, Филат, — охотно согласился Красный. — Мы ему не только прикид найдем, но еще и морду пудрой посыплем — чтобы синяки не так заметны были.

— Что вы от меня хотите? — продолжал повеселевший Семен.

— Деловой вопрос. Вот так бы сразу, Семен. — В голосе Филата невозможно было услышать даже намека на иронию. — Ты покажешь нам, где живет Кеша. А уж мы найдем, что ему сказать.

Филат выглядел равнодушным. Ему в самом деле было все равно, как поступить с пленником: одинаково легко он готов был швырнуть его в объятия «железной бабы» или под стволом скорострельных пистолетов отправить на задушевную встречу к таинственному Кеше.

— Выбор невелик, — Семен тронул разбитую скулу. — А если ваша встреча с ним состоится, где гарантия того, что я останусь в живых?

— Гарантий на свете не бывает. Только надежда! На нее и уповай.

Глава 16

Семен не артачился. Он спокойно согласился со всеми инструкциями Филата.

Уже в джипе Филат напомнил ему:

— Твоя задача — выманить его из дома под любым предлогом, а то, что произойдет дальше, тебя не касается.

— Что мне потом делать?

— Отвали от него метра на три. Но предупреждаю: не вздумай шутки шутить. Если выкинешь фортель — получишь пулю в затылок. Уразумел?

Вымученная улыбка, застывшая на лице Семена, ясно давала понять, что он еще не позабыл о своем приключении на ржавой барже.

— Уразумел, — охотно согласился Семен и неверной рукой поправил просторную застиранную рубаху, доставшуюся ему из гардероба «боцмана».

Кеша жил на Малом проспекте Васильевского острова, в небольшом пятиэтажном доме, разукрашенном так же пестро, как голландский штандарт. Со стороны могло показаться, что стоит задуть ветру с моря — дом воспарит над шпилем Петропавловского собора.

— Вот здесь, — Семен показал на средний подъезд, возле которого на узкой лавочке сидел парень в футболке и глазел на прохожих.

Мазнув взглядом по черному красавцу-джипу с московскими номерами, он мгновенно потерял всякий интерес к дорогой тачке и перевел взгляд на сверкающий шпиль Петропавловки.

— Ты все понял? — в который раз предупредил Филат. — Шаг в сторону — пуля в затылок. Ступай!

Семен болезненно поморщился, будто почувствовал, как в череп вошла свинцовая плюха. Он распахнул дверь и спрыгнул на асфальт. Следом, отставая всего лишь на шаг, вышел Данила. Руки в карманах, вид беспечный. Но Филат знал: в случае опасности Данила начнет палить из двух стволов, не вынимая рук.

Сам он достал рацию и негромко произнес:

— Красный на стреме!

В ответ раздалось:

— Понял!

Через несколько секунд к подъезду подкатили две машины с затемненными стеклами — белая «девятка» и синий «опель». В каждом сидели четыре бойца — на всякий случай. При «всяком случае» парни были готовы открыть шквальный огонь из автоматов. Третья машина остановилась у противоположного торца дома, куда выходили окна Кешиной квартиры. Гвардия Красного расположилась боевым порядком.

Квартира Кеши располагалась на третьем этаже — сразу напротив лестницы. Ничего особенного — металлическая дверь, обитая кожей. Скорее всего, за дверью располагалась обычная двухкомнатная квартира, куда Кеша мог без опаски пригласить девчонку для приятного времяпровождения.

— Позвони! — шепнул Данила,, ощутив пальцами прохладную рукоять пистолета.

— Я же говорил, — нервно зашептал Семен. — Мы никогда к нему не заходили. Еще неизвестно, как он воспримет мое появление.

Филат свирепо ткнул стволом Семену в бок и процедил:

— Парень, ты, видно, чего-то недопонимаешь. Ты остался в живых только благодаря моей милости.

В глазах Семена блеснул страх. Не сказав ни слова, он нажал кнопку звонка. Раздалась мелодичная трель. Прошла минута, другая. Тишина. Парень вопросительно посмотрел на Филата. В ответ тот ввинтил ствол под ребра. Вновь раздался звонок, более настойчивый.

— Возможно, у него не одна квартира, — извиняющимся тоном произнес Семен. — Если бы он был дома, то отозвался бы.

Филат осмотрел дверь. Странно, судя по внешнему виду, даже на сигнализации не стоит.

— Стой и не рыпайся! — приказал Филат.

В левом кармане у него лежали три небольшие отмычки, каждой из них можно было отомкнуть не менее полусотни замков. С их помощью можно, наверное, отпереть и этот. Возня с замком отнимет не менее пятидесяти минут. На площадке были еще две квартиры — глазки были направлены прямо на их лица. Придется рискнуть. Филат достал пластилин и залепил окуляры.

Филат любил баловаться с замками. Этот был из самых простых. Отверстие для ключа круглое, не шире двухсотдюймового гвоздя, чуть махонькая насечка — в ней-то весь секрет.

Тут можно взять длинную отмычку с крохотным крючком на конце и с неглубокими надрезами в середине. Осторожно, стараясь прочувствовать малейшую впадинку прорези, Филат просунул отмычку. Слегка повертел. Ага, чуть-чуть зацепилось. Он нажал немного и почувствовал, как щелкнула личинка. Однако дверь не поддавалась — оставался запор. Еще одно усилие — опять не то. По привычке Филат похлопал себя по карманам, пытаясь отыскать трубку и тут же мысленно выругался — не самое удачное время, чтобы раскуривать табачок. У этого замка была какая-то особенная хитрость, но вот в чем она заключалась, он понять не мог. Филат был уверен, что уже отомкнул замок.

Ах, конечно, ну как он мог проморгать! Этот замок был двойного действия: у самой макушки находилось еще одно отверстие шириной со спичку. Он достал булавку и сунул ее внутрь, после чего слегка повернул. Дверь дернулась вперед, издав негромкий мелодичный звук — еще один сюрприз для непрошеных визитеров. Внутри оказалась вторая, деревянная, дверь, снабженная парой английских замков. Ну уж с этими серийными запорами иметь дело одно удовольствие: раскрываются, едва к ним притронутся умелые руки. Оба замка Филат открыл ровно за полминуты.

— Ну, что встал, Семен? — процедил сквозь зубы Филат. — В комнату шагай! А ты тут покарауль, — бросил оно через плечо Даниле.

Едва Семен распахнул дверь, как в лицо им обоим ударил смрад гнилого мяса. Вонь была настолько сильной, что Филат невольно закрыл рот рукавом и отступил на шаг.

— Крепко провоняло, — выдохнул он, поморщившись. В квартире царил идеальный порядок: на полках книги рядком, два кресла, торшер в виде огромной вазы; платяной шкаф из карельской березы. В таком порядке хозяин оставляет дом, когда уезжает надолго... Но вот только, судя по тяжелому запаху гниения, командировочка вышла куда более дальняя, чем предполагалось.

Семен прошелся по комнате и вдруг замер у окна, глядя за шкаф.

— Он здесь! За шкафом... Это Кеша.

Теперь понятно, почему Филат не разглядел его сразу. В мягком низком кресле сидел хозяин квартиры. Тело Кеши было покрыто желтым покрывалом, из под которого торчали худые ноги в носках ядовито-зеленого цвета.

Преодолев брезгливость, Филат приблизился и двумя пальцами приподнял покрывало. Даже жмурик, покоящийся на мраморном столе в морге, выглядит куда более живым, чем эта полуразложившийся труп...

— Ну и несет от него, — морщась пробормотал Филат.

В самой середине лба виднелось небольшое отверстие с темными пороховыми опалинами вокруг. Не оставалось никаких сомнений, что стреляли почти в упор — и сделал это человек, которому Кеша доверял. Иначе как тогда убийца сумел преодолеть двойную дверь?

— И кто же это его уделал? — Филат перевел взгляд на Семена, который столбом стоял посреди комнаты.

— Понятия не имею... Похоже, кто-то из своих...

— И кто же?

— Не знаю. Я вообще о нем мало что знал.

В комнате не было ни одной фотографии и вообще ничего такого, за что можно было бы зацепиться. Покойник, судя по скромной обстановке, вел аскетический образ жизни. Пустых бутылок тоже не наблюдалось. Филат достал из кармана тонкие кожаные перчатки: он как будто предвидел подобную ситуацию, а потому позаботился о перчатках заранее, — и уверенно натянул их на руки. Открыл шкаф — ничего, кроме стопки аккуратно уложенного постельного белья. В другой половине шкафа висело три модных костюма, пара рубашек, джинсовая куртка. Негусто.

Он прошелся по комнате, осмотрел все углы, журнальный столик, телевизор. Заглянул на кухню — ничего, открыл дверь ванной — ничего. Он выдвинул все ящики в кухонном столе, перерыл все вверх дном в платяном шкафу — надеялся найти записную книжку. Но квартира оказалась абсолютно пустой. Будто тут вообще никто не жил постоянно. Разумеется, не нашел он никаких документов убитого. Либо он сам ничего не держал здесь, либо убийца тщательно подчистил все за собой.

И все-таки квартиру не хотелось покидать просто так. Что-то неосознанное, на уровне подсознания, подсказывало ему, где следует покопаться. Филат подошел к книжному стеллажу и взял один из томов. Чехов! Оказывается, Кеша любил почитывать русскую классику. Полистав книгу, Филат аккуратно поставил ее на место.

Запиликал сотовый телефон. Филат нажал на кнопку приема и коротко бросил:

— Слушаю!

На фоне слабого хрипа раздался бодрый голос Красного.

— В чем дело, Филат? Что там, пузырь давишь с клиентом?

— Да нет, если бы. Хозяин квартиры уже покрылся трупными пятнами.

— Грохнули?

— И очень аккуратно. Пледом прикрыли, чтобы не замерз. Похоже, это все не случайно.

— Ну тогда сваливай! Не хрена светиться без толку.

Филат не отходил от книг.

— Спущусь минут через пять. Тут еще кое-что надо посмотреть.

— Ладно, но не больше! Как бы бдительнее соседи ментов не вызвали — херово, если вас там засекут!

Филат представил, с каким напряженным ожиданием Красный разглядывает окно на третьем этаже.

Следующей книгой было «Преступление и наказание» Достоевского. На обложке был изображен хмырь в студенческой шинели: пряча топор под полу шинели, он боязливо озирался. Разносторонние литературные вкусы у покойника, ничего не скажешь. Полистав книгу, Филат не обнаружил ничего интересного и уже хотел было поставить том на место, как вдруг из середины выпал махонький листок, покружился в воздухе и упал прямо к ногам Кеши.

— Подними, — приказал Филат.

Отвращение на лице Семена увеличивалось по мере того, как его рука приближалась к ногам покойника. Филату даже показалось, что еще мгновение — и он извергнет на ярко-зеленые носки зловонную блевотину.

— Дай-ка!

На клочке бумаги были написаны какие-то цифры, напротив — несколько кривоватых букв. «Номера телефонов», — осенило Филата.

— Посмотри внимательно, не знакомы тебе эти номера? — прикрикнул Филат.

Семен поглядел на цифры, потом отрицательно покачал головой.

— Понятия не имею!

— Ладно, иди вперед, — отобрал Филат бумагу и аккуратно вчетверо сложил ее. Он не мог отделаться от ощущения, что в этих телефончиках скрыта важная тайна.

Вышли на площадку. Рома Филатов осторожно прикрыл за собой дверь. Окуляры дверных глазков по-прежнему были заляпаны. Никого. Сверху тихо спустился Данила.

Неторопливо, с уверенностью людей, не раз ходивших по этой лестнице, они спустились на первый этаж. Через приоткрытую входную дверь Филат увидел сидящего парня в футболке, который никак не мог выйти из состояния глубокой задумчивости.

Джип стоял на том же месте. Не озираясь, Филат двинулся прямо к распахнутой дверце. Следом, отстав на пару шагов, шел Семен. За ним — Данила. Своим обреченным видом Семен напоминал губастого телка, которого недобрый хозяин ведет на бойню.

...Сначала Филат услышал за спиной чей-то возглас. Потом увидел, как перекосилось лицо Данилы. И больше инстинктивно, чем осознанно, бросился под прикрытие джипа, одним движением вырвав из-за пояса пистолет. Уже в падении Филат услышал пистолетный выстрел и успел заметить, как тело Семена надломилось

191

и он повалился на асфальт. По проспекту на огромной скорости помчался мотоцикл с двумя седоками в черной коже. Тот, что сидел сзади, держал в вытянутой руке пистолет. Одну за другой он всадил три или четыре пули в лежащего Семена. Вскочив на ноги, Филат инстинктивно бросился вдогонку мотоциклу, крепко сжав рукоятку «вальтера» обеими руками. Он почувствовал, как напряглись плечевые мышцы. Прищурив левый глаз, он поймал удаляющуюся цель — темную кожаную куртку, в самой середине которой четко вырисовывалась рожица какого-то загадочного зверя. Эту стальную игрушку Филат подбирал под себя: рукоять как будто была создана для его ладони, вес пистолета идеально подходил к массе его тела, даже пули как будто были отлиты с поправкой на его конституцию. Он настолько хорошо знал свой «вальтер», что стрелял из него почти не целясь. Филат почувствовал, что правый локоть провалился куда-то в пустоту, но не обратил на неудобство внимания. Указательный палец прижался к спусковому крючку и мягко надавил... Прогремел выстрел. И еще. Тело пассажира дернулось, ствол, выпав из его руки, отлетел к тротуару. Мотоцикл сильно вильнул, едва не зацепив встречный автобус, и скрылся за поворотом.

Поразмыслив секунду, Филат решил Семеном не заниматься и в два прыжка достиг джипа.

— Быстрей! — Он запрыгнул в салон. — Повернешь направо, а там через соседнюю улицу вырулишь к набережной!

Машина, рванувшись с места, визгнула резиной, оставив на асфальте двойной черный след, и, вскарабкавшись на бордюр, проворно юркнула в ближайшую подворотню. Джип лихо запрыгал на колдобинах. Впереди, метрах в ста, черной прорехой зиял выезд на оживленную улицу, где запросто можно было затеряться в потоке машин. Разворачиваясь, джип задел бампером громоздкий мусорный бак, который опрокинулся и вывалил на асфальт все свои смрадные потроха. Впереди показался аккуратный четырехугольник детской площадки с песочницей в середине. Широкие колеса с легкостью подмяли ее деревянные борта, с громким треском расщепив их.

Филат глянул в боковое зеркало и увидел, как в крохотный двор, включив сирену, въехал милицейский «уазик». Неужели влипли.

— Газу прибавь! — крикнул Филат, понимая, что подобное указание было излишним.

Глеб, почуяв азарт, гнал джип прямо в створ арки. Интуитивно он понимал, что «шевроле» пройдет сквозь каменный лаз впритирку. На подобный подвиг способны были только водители экстра-класса, а милицейский «уазик» наверняка затормозит перед аркой и потеряет драгоценные секунды. За это время джип на широком проспекте сумеет не только затеряться в потоке автомобилей, но и поменять засветившиеся номера где-нибудь в авторемонтной мастерской в каменных лабиринтах Васильевского острова.

Когда они вырвались из подворотни на улицу, Филат понял, что погоня безнадежно отстала.

Глава 17

С Красным встретились только часа через два, в казино у Перикла Геркулоса. Едва Филат с Данилой подошли к входной двери, как она мгновенно распахнулась — наверняка охрана уже была предупреждена об их появлении. Казино в этот ранний час пустовало — лишь к вечеру его залы заполнятся игроками. Теперь же в этих роскошных пустых помещениях витал запах денег — так аромат духов тянется шлейфом за красивой дамой.

Лицо старого грека источало благодушие, хотя нетрудно было догадаться, что он уже знал о происшедшем, ибо слишком уж пристальным был его взгляд.

— Красный здесь? — спросил Филат, пожав пухлую ладонь хозяина казино.

— Здесь. Уже минут двадцать тебя дожидается. На тебе лица нет — случилось что? — очень серьезно поинтересовался Геркулос.

— Понимаешь, Перикл, пробка на дороге, едва пробились, — в тон ему отвечал Филат.

Взгляды их столкнулись, подобно двум оголенным электрическим проводам. Старик определенно знал больше, чем хотел это показать. У Филата даже мелькнула шальная мысль: уж не в курсе ли он того, какого цвета носки на тощих ногах убитого Кеши!

— Тебе понравился мой сюрприз? — любезно поинтересовался Перикл.

В глазах ни намека на иронию — вопрос опять прозвучал очень серьезно.

— Во всяком случае, Перикл Кириллыч, один из двух оказался полезным.

— Рад.

— Каким же образом удалось их вычислить?

Перикл продолжал обворожительно скалиться, как будто участвовал в конкурсе «Лучшая улыбка года».

— Помилуй бог, дорогой Филат! Разве возможно во время секи спрашивать у партнера, какие он держит на руках карты?

— Ладно, я понял тебя.

Геркулос вел гостя все дальше по коридору. Старик не обращал внимания ни на статуи, расположенные вдоль стен, ни на гобелены, развешанные точно боевые трофеи — немое свидетельство его финансового благополучия. Глядя на его размеренную, величавую походку, трудно было поверить, что большую часть своей жизни он провел не в обществе светских львов, а в компании обычных зеков. Мраморные изваяния безмолвно посматривали на своего хозяина, но Перикл не удостоил их даже взглядом.

В комнате Красный был один. На столе стояла батарея пивных бутылок и большое блюдо, на котором были веером разложены ломтики жирного угря. Чувствовалось, что вынужденным одиночеством питерский смотрящий не тяготился. Он живописно расположился под изваянием какого-то античного героя с рельефной мускулатурой.

— Ну и наделал ты там шума, — громко произнес Леша вместо приветствия. — Ментов понаехало со всего района. Ты что молчишь? Перикла застеснялся? От него разве можно что-то скрыть? Он уже все знал, до моего приезда. Его телеграф работает бесперебойно. И потом, к твоему сведению, это казино едва ли не самое надежное место в Питере. Ни одно слово не выходит за пределы его стен. Так что говори смело!

195

Перикл с хитроватой улыбкой развел руками: дескать, если бы не воля смотрящего Питера, он занялся бы сейчас своим хлопотным бизнесом. Помедлив секунду-другую, Филат опустился на свободный стул.

— Свежак! — Красный отхлебнул из бокала пенящийся напиток. — За что я люблю твое заведение, Перикл Кириллыч, так это за пиво и жирного угря. Того и другого у тебя всегда в избытке. Так что там произошло, а, Филат? — Он взял лоснящийся кусок копченой рыбы и медленно поднес его ко рту.

Дверь неслышно распахнулась, и вошел официант с огромным подносом. Ни на кого не глядя, он поставил на стол шесть бутылок пива «Хайнекен», выложил закуску: бутерброды с черной икрой, тонко нарезанные ломтики салями и буженины. В его движениях чувствовалась профессиональная выучка. Впрочем, в этом не было ничего удивительного: Геркулос дрессировал своих слуг со знанием дела. Несмотря на внушительные габариты, парень держалсяб как вышколенный официант в дорогом ресторане. Забрав пустые бутылки, он незаметно растворился в проеме двери.

Филат налил полный бокал и сделал затяжной глоток. Отдышался. Второй и третий получились покороче. В голове весело загудело. Он с удовольствием проглотил кусок угря, по-свойски закинул ногу на ногу и неторопливо заговорил:

— Когда мы вошли в квартиру, этот Кеша уже несколько дней был мертв, и от него разило гнилью, как от мусорной кучи. Так что откровенного разговора у нас, к сожалению, не вышло.

— Убит? — спросил грек.

— Да. Кто-то впечатал ему в лоб свинцовый поцелуй. Причем, похоже, кто-то из своих.

— Понятно. Значит, потихонечку избавляются от лишних свидетелей? — задумчиво высказался Красный. — И Семена тоже пристрелили?

— Да. Получается, что они следили за домом Кеши и держали наготове тех двух хмырей с мотоциклом.

— Как, по-твоему, Красный, кто мог все это затеять? — спросил Филат, потянувшись к бутерброду с икрой.

— Да хрен его знает! — беспечно отозвался смотрящий. — Сейчас в городе столько всякой шпаны, что за всеми и не уследишь. Палят, как в тире. Едва ли не каждый день приходится разборки улаживать. Признаюсь тебе, Филат, если бы не я, так эти салажата давно бы перестреляли друг дружку. Они никому не подчиняются, и мы даже не догадываемся, где они собираются. Это группы-однодневки. Сегодня они в компании, дельце провернули — и делают ноги. Скорее всего, кто-то нанял этого чиграша для разовой работы.

— Но кто в Питере может подвязываться на такие заработки?

— Могут воркутинские. Очень старательные ребята — совмещают крутой рэкет с учебой в университетах. Казанские могли выделить для подобной операции своего парня.

— А может, местные? Из области?

— Не думаю. В последнее время они стали осторожничать. В прошлом году их крепко потрепала «контора», так что они затаились. — На секунду Красный задумался. — Впрочем, если предложить хорошие бабки, то на такой подвиг отважатся и они... В этой истории, Филат, мне не нравится то, что мотоциклист пристрелил раненого — такие вещи у братвы не в ходу. А ты что скажешь, Перикл? — и, заметив несколько удивленный взгляд грека, живо отреагировал: — Только не надо строить из себя пацифиста, Перикл, ты такой же агнец божий, как я монах!

Филат едва сдержал улыбку: внезапная вспышка беспричинного раздражения была в характере Красного. Лицо грека оставалось серьезным: он сумел сделать вид, что ничего не понял.

— Мы, конечно, попробуем поискать мотоциклиста, хотя это будет не так-то просто... если возможно вообще. Так же сложно найти человека, который отправил на тот свет Петра Васильевича. Сработано очень чисто.

— Но я еще не все сказал, — Филат сделал один большой глоток. — Я устроил небольшой шмон у Кеши и вот что нашел в одной из его книг. — Филат тщательно отер ладони о салфетку, запустил два пальца в нагрудный карман и выудил клочок сложенной вчетверо бумаги. — Мне кажется, что это номера телефонов. Судя по тому, где я их нашел, покойничек их явно скрывал их от чужих глаз.

— Ну-ка, дай взгляну, — потянулся Красный к листку. Он долго смотрел в цифры, морщил лоб, как будто хотел припомнить что-то важное, а потом протянул листок старику. — Может, это тебе что-нибудь скажет? Судя по первым трем цифрам, это где-то в центре.

Перикл нацепил на нос очки в золоченой оправе и поднес листок к глазам.

— Это определенно телефонные номера. Альфред! — громко крикнул он.

Дверь открылась почти мгновенно. И на пороге появился тот самый молодой человек, который полчаса назад принес пиво и закуски. Создавалось впечатление, что он ждал под дверью на тот случай, если хозяину что-то вдруг понадобится.

— Слушаю вас, Перикл Кириллович!

— Проверь по нашему справочнику, кому принадлежат номера этих телефонов.

— Хорошо, Перикл Кириллович. — И парень исчез с расторопностью привидения.

— У меня самый подробный телефонный справочник нашего города, — с загадочным видом пояснил грек. — Там все номера сгруппированы не только по названиям абонентов, но и по порядку следования цифр – чтобы легче было искать...

Филат и Красный переглянулись. Хитроумию плутоватого Перикла не было границ. Посыльный отсутствовал не более пяти минут. Вернувшись, он вопросительно посмотрел на Филата и Красного, тем самым давая понять, что для него не существует важнее персоны, чем его шеф, пусть даже один из гостей имеет мандат от самого держателя российского общака, а другой и вовсе считается хозяином города.

Возникшее напряжение Геркулос разрядил мгновенно:

— Говори смело, Альфред, в этой комнате мои друзья.

— Этих номеров нет даже в нашем справочнике...

— Это все, что ты хотел мне сказать?! — Старый грек не смог скрыть раздражения.

— Нет... Зато они есть в справочнике мэрии. Один из этих телефонов принадлежит пресс-секретарю вице-мэра, другой — заместителю генпрокурора города, третий — председателю горкомимущества. — Альфред бережно положил на стол лист бумаги, на которой ровным почерком старательного второклассника были написаны имена и фамилии абонентов.

— Хорошо, можешь идти, — кивком головы Геркулос отпустил верного слугу.

На некоторое время в комнате воцарилось молчание. Филат снял ногу с колена, слегка задев носком ножку стола, и бутылки, столкнувшись стеклянными боками, протестующе звякнули.

— Ну и что будешь делать, Рома? — сочувственно спросил старый грек.

Филат молчал, крепко задумавшись. Итак, невидимый противник пользуется покровительством высших городских властей. Выходит, борьба ожидается куда более крутой, чем предполагалось вначале.

— Пока не знаю, — честно признался Филат, — надо все тщательно продумать. Когда назначен тендер?

— Вроде как осталось дней десять, а то и неделя — Красный состроил кислую гримасу: мол, шансов на копейку.

— Маловато, — помотал головой Филат. — Боюсь, можем не успеть. Мне надо посоветоваться... В Москву придется вернуться. Это займет два дня, не больше. Красный, ты можешь пока приставить дозор к этим людям? Пускай твои пацаны снимают всех на видеокамеру. Потом пропустим пленки через сито, выявим того, кто нам нужен.

Красный кивнул:

— Сделаю. Тем более что зампрокурора живет в одном доме с председателем горкомимущества. В разных подъездах. Есть такой нехилый домишко на набережной Мойки, отреставрированный старый особняк.

— Я тебе оставлю Данилу — лишним он не будет... — Филат посмотрел на Красного, который допивал последнюю бутылку «Хайнекена». — Не возражаешь?

Отставив бутылку в сторонку, Красный невесело улыбнулся:

— Это просьба мне напоминает одну байку про палача. Прежде чем опустить топор на шею преступника, он интересуется у бедняги: «Не возражаешь ли, любезнейший, если я отрублю тебе голову?» Что я могу тебе ответить, Рома? Оставляй! Ты ведь свой верный глаз здесь хочешь иметь, чтобы за нашими делишками присматривать. Ладно, не хмурься, делай что хочешь, — примирительно улыбнулся Красный.

— Ты, Леша, конечно, мужик проницательный, как Феликс Дзержинский, но только на сей раз тебя интуиция подвела. Даниле я дам задание, которое к тебе никакого отношения не имеет, — усмехнулся Филат.

Питерский смотрящий, злобно сощурившись, сверкнул глазами на Филата и выдавил натянутую улыбку.

Ему очень не понравился намек на «Феликса». Красный, при всей своей широте душевной, очень ревниво относился к тому, что о нем люди говорят за спиной. И свое прозвище «Железный Феликс» недолюбливал, полагая, что наградили им его в насмешку. Ведь всем в Питере было известно, что после трех палок подряд Красный надолго скисает...

Глава 18

Кроме Варяга, Михалыча и Барона, в комнате присутствовали еще четверо. Самый старший из них был семидесятилетний грузин, которого все называли просто Шота. Законным вором Шота стал в те самые достопамятные времена, когда не существовало деления на грузинских и славянских воров и все были объединены одной идеей — нестяжательства. В те годы его не без иронии называли «фартовый парень» — скорее всего, по той причине, что большую часть жизни он провел на нарах. Трудно было отыскать в России хотя бы одну чалку, куда он не наведался хотя бы на полгодика. В этом плане Шота был ходячей энциклопедией: знал, где искони сидят сговорчивые кумовья, а где барин зловреднее таежного гнуса и где самые горячие вольнонаемные бабы.

Глядя на импозантного старика с густой седой шевелюрой, трудно было поверить, что еще каких-то пятнадцать лет назад он был настоящим бродягой и из наличного капитала имел только пару золотых коронок во рту. Сейчас же Шота был хозяином чуть ли не всего Черноморского побережья Кавказа, которое со всеми санаториями и пансионатами потянуло бы на сотни миллионов долларов. Его богатству позавидовал бы любой из грузинских князей. Ни Москва, ни Тбилиси не имели власти в его владенияю В своей вотчине он оставался полноправным господином, и в его замок в Минводах народ шел за правдой, как некогда крестьяне в поместье барина.

Грузинские воры в законе и в прежние времена исполняли роль третейских судей, и к их властному слову прислушивались не только главари перессорившихся банд, но и обыкновенные мужики, обремененные домочадцами и небольшим хозяйством. Бывало и так, что вору в зоне приходилось мирить между собой соседей, поцапавшихся во время совместной пьянки. В отличие от многих воров Шота редко брал деньги за свое участие в качестве судьи, а если все-таки такое случалось, то держать их у себя он не любил и отправлял с гревом по зонам, тем самым давая понять, что подельников своих не позабыл и что имеются на свете вещи куда более значительнее, чем накопленное богатство.

А потом произошло деление на «пиковых» и «славян», когда у каждого выявилась своя правда. Приверженец старых устоев законных воров, Шота жениться не посмел, хотя не единожды сходился на «малинах» с женщинами и даже сумел прижить четверых сыновей от трех марух, отчего его авторитет только вырос.

Когда же «союз нерушимый» затрещал по швам, как ветхая одежонка на теле нищего, был раздроблен единый воровской общак и большая часть здравниц Черноморского побережья перешла под покровительство грузинских воров. Держателем черноморской общаковской кассы был избран Шота. «Пиковые» законные посоветовали старейшему вору как можно быстрее избавиться от аскетических привычек и построить у моря дом, в котором не стыдно было бы принять даже самых именитых гостей.

— У нас свои традиции, дорогой Шота, — втолковывали старику «пиковые» законные. — Это русские могут неделю ходить в одних штанах, а нам так не положено. Нас должны уважать простые люди, и как же они к нам будут относиться, если нам нечего будет показать им?

Они скажут, что мы не умеем жить. Ты же знаешь, дорогой Шота, что почти в каждом грузине есть капля княжеской крови, а разве князьям полагается прозябать в лачуге? То-то и оно!

Поразмыслив, старик решил поступиться некоторыми принципами и скоро воздвигнул в горах неподалеку от Минеральных Вод такой дом-замок, что ему позавидовали бы московские бароны Рублевского шоссе. Достаточно было только разок взглянуть на этот шедевр зодчества, чтобы понять: Шота окончательно отошел от старой веры.

Шота принял новые правила игры. Правда, чего он никак не мог понять, так это того, как же можно передавать воровскую корону по наследству. Именно таким образом поступали большинство его приятелей — «пиковые» законные жаловали сыновьям воровскую корону, как фамильный титул, как сундук с сокровищами. И их отпрыски, не успев проявить себя ни в чем, получали почет и уважение, которое зарабатывается только благими делами.

В отличие от многих воров, Шота всегда держал связь со своими детьми, помогая им по мере надобности, но когда старший (вылитый Шота в молодости — даже характером вышел таким же: дерзким и непреклонным) попросил отца похлопотать перед другими ворами о законном титуле для него, Шота сгоряча чуть не выставил его за порог.

Потому что, несмотря на золотые цепи и кресты, которыми Шота обвесил себя, несмотря на роскошный дворец в горах, которому подивился бы даже удельный князь, в душе старый грузин был все тот же праведник и бессребреник, каким он слыл в далекой молодости. Насупился старый вор, но расшатанные нервы сумел намотать на кулак крепко.

О поступке Шота скоро прослышали все. Многие не верили, что он отказал сыну, принимая эту историю за красивый вымысел, но те немногие, кто давно и хорошо знал старого вора, понимали, что он иначе и поступить не мог.

Держателем общака старого Шота сделали не случайно. Всему воровскому обществу он был известен своей честностью и неподкупностью. Все вспоминали, как Шота долго не соглашался с решением сходняка выдать ему деньги на постройку дома. Возможно, его так и не удалось бы убедить, если бы на сходняке не оказался тот, из чьих рук он когда-то принял воровскую корону — патриарх грузинских воров Вано Тбилисский.

— Я всегда знал, что ты хороший бичо, Шота, — старческим фальцетом проговорил Вано. Он был настолько стар, что ему прощали такое невинное обращение, как «мальчик». Этим ласковым словом он называл даже великовозрастных воров, потому что даже самому старшему из них он годился в отцы. — Так почему сейчас ты хочешь ослушаться нас? Мы все желаем тебе только добра. Что будут думать о нас люди, когда узнают, что держатель общака мыкается по гостиницам? Все станут говорить: если так живет держатель общаковской кассы, тогда как живут другие грузинские воры? Мы должны показать, что кое-что имеем. Так что бери, бичико, эти деньги и живи богато. Ведь если ты не позабыл, мы ничего не даем просто так. Мы уверены, что ты вернешь нам долг через год, а своей скромной жизнью ты сумел доказать, что не способен потратить понапрасну даже копейку.

Сходняк не ошибся в выборе. Деньги Шота вернул уже через полгода, и за это же время сумел увеличить общак почти вдвое. Основные средства поступали от продажи оружия, драгоценных металлов и спирта. Шота всегда обладал отменными организаторскими способностями, а сейчас он сумел поставить дело так, что от грузинской контрабанды застонали даже в Кремле и в Пограничной службе России стали всерьез подумы-

205

вать об укреплении границы с Грузией. Шота всегда был сторонником крупных коммерческих проектов, сулящих огромные барыши от перекачки нефти в западные страны до торговли героином в больших городах.

Он решил принять предложение Варяга и принять участие в покупке ГАО «Балторгфлот». Выгода была прямая — грузинские воры получали прямой выход в Балтийские страны. Потомкам викингов можно будет доставлять из Афганистана качественный героин, а обратно морем (на собственных судах!) переправлять автомобили, электронику, бытовую технику. Наверняка российские друзья потребуют за транзит деньги, но это в любом случае будет выгоднее, чем тащить менее качественный товар откуда-нибудь из Тайваня.

Идея покупки торгового флота была блестящей, она открывала перед грузинскими ворами большие перспективы, и Шота буквально загорелся ею. Однако дело пока совсем не двигалось, и это очень ему не нравилось. Тем более что в проект уже было вложено немало средств.

Другим гостем Михалыча был Закир Буттаев, или просто Закир Большой. Родом он был из Дагестана. В высший совет сходняка Закир входил по праву, так как был старым законным и среди воров имел немалый вес. Редко когда дагестанец становился вором в законе. Дело в том, что дагестанцы, как и чеченцы, искони придерживались патриархальных обычаев и не признавали ни уголовных традиций, ни титулов. Они всегда держались обособленно не только на воле, но и на зоне, составляя как бы отдельную касту, с которой приходилось считаться даже блатным. И воровскую политику у них проводили не люди с богатым уголовным прошлым, а исключительно выдвиженцы родов — их называли старейшинами. Распоряжения вождей клана не подлежали обсуждению, их выполняли так же беспрекословно, как приказы смотрящего где-нибудь в «чалкиной деревне». Их всех связывали невидимые нити, и как только одному из них угрожала какая-то опасность, удержать остальных не могли ни заборы локалок, ни колючая проволока вокруг заборов.

Возможно, Закир Буттаев со временем стал бы старейшиной рода. Для этого у него имелись все необходимые качества — воля, обаяние и безукоризненная родословная: его предки не ломались ни при царских генералах, ни тем более при партийных боссах. Но судьба распорядилась по-другому: в четырнадцать лет он пошел по малолетке за убийство. Закир прирезал сожителя бабушки, посмевшего влепить ей оплеуху. Причем он не собирался пускаться в бега, искренне считая, что совершил благое дело, и когда в отделении милиции седой капитан с отеческой укоризной поинтересовался: «— Что же ты натворил, сучонок? Зачем человека жизни лишил?» — Закир, не опуская черных глаз, гордо объявил:

— Я заступился за честь женщины.

В этих словах был весь Закир Буттаев, и мало что изменилось в его мировоззрении даже по прошествии двадцати лет. Несмотря на благородную седину, посеребрившую его виски, он оставался все тем горячим юношей, не способным идти на компромисс: если он любил — то пламенно, если ненавидел — то до мышечных судорог.

Волей обстоятельств он невольно стал вникать в сложную систему уголовных понятий. Незаметно для самого себя он не только принял установившиеся на зоне порядки, но сумел вжиться в них и за пятнадцать лет заключения одолел все ступени уголовной карьеры, побывав и «быком», и «пацаном», и «положенцем», и «паханом».

Тюрьма никогда не признавала национальностей, и в лагерной элите одновременно могли быть азербайджанцы и армяне, татары и русские, а потому, когда в среде блатных оказался дагестанец, многие восприняли новость равнодушно. Лишь когда Закир проявил себя настоящим вором и на деле доказал, что тюрьма ему мать родная, и законные, отмечая его благие дела перед миром, предложили вступить в воровской орден, весь блатной мир России немного опешил: не бывало еще среди дагестанцев законных воров. И только когда со всех концов России в Пермскую колонию, где Закир отбывал очередной срок, полетели ксивы с одобрением, стало ясно, что он личность в воровском мире весьма уважаемая. Так что ни у кого не вызывало сомнений, что вором в законе он стал вполне заслуженно, хотя бы даже потому, что никто не мог вспомнить единственного случая, когда бы он действовал вразрез с понятиями. О таких говорят: душа у него чиста. Коронация Закира напоминала посвящение в рыцарское братство. Приняв сан коронованного вора из рук самых именитых законных, он обязан был изменить свое прежнее погоняло, и сходняк, где решалась его участь, дал ему второе имя — Большой. Новое погоняло должно было свидетельствовать о том, что с этого дня вор вступает в новую жизнь, которая должна решительно отличаться от прежней. С тех пор его величали не иначе как Закир Большой.

Закир Большой любил называть себя горцем, и совсем не потому, что зачат был на скалистых склонах Кавказа и юность свою провел среди снежных вершин. В горы из плодородных долин, как правило, уходили те, кто не желал идти ни на какие сделки с завоевателями, сохраняя при этом не только традиции отцов, но и их боевой дух.

Своей непримиримостью Закир Большой пришелся по душе русским законным, которые также не терпели банды беспредельщиков, шатающихся по ночным улицам Москвы и сеявших сумятицу и разбой. Нет ничего хуже, чем «несанкционированные операции» бандитских групп, когда молодые отморозки в масках налетают на торговые точки и за несколько сотен баксов готовы перестрелять и продавцов, и покупателей. Три года назад на московском сходняке было решено дать Закиру Большому под контроль один из самых «беспредельных» участков Москвы — Центр, где крутились очень большие деньги.

По существу, подобное назначение было весьма серьезным испытанием: но Закир Большой только сдержанно улыбнулся, выслушав решение сходняка, и произнес:

— Харашо, я сдэлаю этот район абразцовым! Если жэлаэтэ, могу в руке принэсти уши асобенно нэрадивых.

Трудно было понять, говорил это Закир всерьез или шутил в духе янычарского аги.

Как бы там ни было, но скоро в курируемом им районе и впрямь установился порядок. Центр Москвы превратился в островок спокойствия посредине бушующего моря беспредела. И ментам оставалось только чесать затылки и недоумевать, что за таинственный воспитатель заставил бандитов Садового кольца уважать христианские заповеди «Не убий!» да «Не укради!». Им было невдомек, что все это дело рук Большого Закира, который никогда не признавал полумер. Уже через неделю он выявил всех беспредельщиков и залетных, что портили лицо Центрального округа. Три шайки оказались состоящими из восемнадцатилетних юнцов, но, несмотря на подростковый возраст, за ними тянулся кровавый шлейф от Сибири до Москвы. Они успели «покиллерить» во многих крупных городах, где отстреливали финансовых тузов едва ли не за ящик водки. Парни, точно голодные шакалы, рыскали по оптовым рынкам, потрошили киоски и наводили такой шухер, что продавщицы отказывались выходить на работу, опасаясь напороться на приставленный к горлу нож. Закир Большой почитал уничтожение беспредельщиков за благое дело. Небитые и непуганые, они не имели понятий, не знали вкуса смерти, а потому им предстояло преподать суровый урок вежливости. Ведь входя в чужой дом, гости снимают шапку и отдают поклон хозяевам.

На время операции Закир удалился в Сандуновские бани. Первый звонок по мобильному телефону застал его в тот самый момент, когда он, обмотав смугловатое тело белой простыней, словно тогой, сделал первый глоток прохладного баварского пива.

— Слушаю!

— Первый пошел в лес, — сообщил далекий голос.

— Меня это устраивает, — произнес в ответ Закир.

Безобидная на первый взгляд фраза означала, что главарь шайки беспредельщиков был отвезен в лес и подвешен за ноги на толстом суку, а голова его опущена в бочку с водой под деревом.

Закир Большой любил спецэффекты.

Второй звонок застал его в тот самый момент, когда он возлежал на красивой блондинке и мерно работал тазом. Не сбавляя темпа, он взял трубку и произнес:

— Слушаю!

— Второй уехал за город.

Только ему одному было понятно сообщение. Главаря второй банды зарыли на пустыре рядом с Химкинским кладбищем, где обычно хоронили неопознанные трупы.

Третий звонок потревожил его чуть позже: Закир лежал в джакузи, раскинув руки в стороны. Он дотянулся до бортика и зажал в ладони телефон:

— Клиент споткнулся...

Закир довольно улыбнулся. Все шло именно так, как он и планировал. Третьего беспредельщика заперли в обшарпанной «шестерке», на которой бандиты-малолетки приехали покорять Москву, и столкнули с обрыва в Москву-реку.

Акции Закира Большого имели огромное воспитательное значение: кореши-беспредельщики, созерцая распотрошенные тела своих подельников, невольно задавались вопросом: «Кто следующий?»

Если так можно было выразиться, Закир был чистильщиком, но таким основательным, что после него на ухоженном газоне рыночных отношений долго не появлялась сорная трава беспредела.

Закир Большой был одним из доверенных людей московского сходняка, и, когда чеченские кланы стали понемногу усиливать свое влияние в Москве, пытаясь оттеснить местных законных от самых лакомых мест, он стал одним из тех, кому путем переговоров удалось предотвратить большую войну. Закир прекрасно разбирался во всех тонкостях уголовного бытия, отдав «чалкиной деревне» пятнадцать лет, и между тем принадлежал к одному из самых авторитетных и уважаемых горских кланов. Именно эти два обстоятельства помогали ему подбирать нужные и правильные слова как для элиты российского уголовного мира, так и для старейшин своей общины.

Третьим в компании гостей был законный с воинственным погонялом Кайзер. В миру его знали под куда более прозаическим именем — Максим Шубин. Кликуху свою он получил во время первой ходки, когда сокамерники выяснили, что его мать — чистокровная немка. Кроме немецкого, который, естественно, был для него родным языком, он неплохо владел английским, немного французским и, всякий раз попадая в тюрьму, расширял свои познания в философии Ницше и Шопенгауэра.

Кайзер сравнительно рано угодил за решетку, в неполные восемнадцать лет: он промышлял тем, что грабил старателей в поездах дальнего следования. Освободившись в двадцать лет, он вернулся к прежнему ремеслу и сколотил крепкую банду, которая вычисляла богатых купцов и трясла их вовсю. У Кайзера всегда водились деньги — даже в свои восемнадцать лет, находясь на зоне, он имел карманную мелочь, на которую можно было купить приличные «Жигули». Отличительной его чертой была азартность: он обожал игру в карты, но если проигрывал по-крупному, то всегда рассчитывался в тот же день. Немецкая педантичность была одной из главных черт в его характере: он умел считать деньги и, что самое ценное, приумножать их. Однажды, когда для более тонкого душевного общения начальник тюрьмы распорядился посадить Кайзера в пресс-хату, тот был выпущен уже через час. Потому что одному из сокамерников он порвал ухо, другому выбил глаз, а третьему — проломил череп. Зеки встретили эту новость одобрительно: сидельцы пресс-хаты были известными стукачами.

Безусловно, Максим Шубин был сильной личностью. Сей факт подтверждался тем, что, когда ему едва минул двадцать первый год, он попал в Бутырку. В то время там сидели очень крупные воры, под чьим присмотром находились целые регионы России, но Кайзер не затерялся среди них, а, наоборот, встал с законными вровень. И еще через год ему доверили держать тюремную кассу...

Четвертым был седоватый мужчина с очень короткой стрижкой. На вид ему было лет пятьдесят, не более. Был он крепок и жилист, словно соткан из одних сухожилий. Звали его Аркадий Тимаков, или попросту Тима. В Москве Тима курировал несколько шикарных гостиниц, с чьих апартаментах не однажды организовывал сходняки. И московский РУБОП подозревал, что под видом крупных бизнесменов в «Балчуг» стекаются законные воры со всех регионов страны. Воровской профессией Аркадия Тимакова была фарцовка. Скупкой валюты он занялся еще в те времена, когда за это давали куда большие сроки, чем за бытовое убийство. Первый раз он угодил на нары в восемнадцать лет, пропарившись на строгаче шесть зим. Парень он был фартовый и за колючей проволокой жил ненамного хуже, чем на вольных хлебах. Мясцо едал исключительно с колхозного рынка, водочку кушал регулярно, а еще потягивал жену кума, который о похождениях своей благоверной не ведал ни сном, ни духом. Злые языки судачили, правда, что заместитель по оперативной части обо всем прекрасно осведомлен, но не спешил с разоблачениями, ибо получал от ухаря-зека мзду в твердой валюте. Жену кума он знал еще на воле: она напару со своей младшей сестрой частенько захаживала в бар, где ошивался его лучший друган. Тогда ему больше по вкусу пришлась ее шестнадцатилетняя сестренка — бедовая и разбитная девица. И вот теперь, по прошествии многих лет, он убедился, что особой разницы между ними не было: даже в койке они вели себя уж очень похоже — разметав руки по сторонам, высоко запрокинув голову, а когда наступал оргазм, они так орали, как будто из них клещами кишки тащили. При этом они впивались ногтями в спину Тиме, да так немилосердно, что ему казалось, будто он продирается через колючую проволоку. Возлежа рядом с сисястой женушкой кума и выслушивая ее излияния о неудавшейся судьбе и муже-поганце, Тима не без гордости думал о том, что наставил куму такие рога, какие ему не спилить до самой пенсии.

Его богатые познания в области финансов очень пригодились во времена рыночной экономики, и за что еще несколько лет назад давали огромные срока стало называться коммерцией. Поначалу Тимакова пригласили консультантом в крупный коммерческий банк. Но только посвященные люди знали, что настоящим хозяином банка является именно Тима. Позже, не без помощи воров, он организовал собственное банковское дело и отчислял в общак десять процентов прибыли.

А спустя три года Тимаков имел в своих руках уже три банка в Москве и два в Санкт-Петербурге, причем вел свои банковские дела умело: в крупные проекты не лез, довольствовался малым, но стабильным доходом, и, когда разразился банковский кризис 17 августа, практически ни один из его финансовых институтов не пострадал. Теперь у него было достаточно средств, чтобы в одиночку купить контрольный пакет акций «Балторгфлота», но, верный своим принципам, он не бежал впереди паровоза и предпочел войти в долю, предложив Михалычу тридцатимиллионный кредит.

Собравшиеся у Михалыча авторитеты внимательно выслушали долгий рассказ Филата, который говорил без умолку битый час.

Закончив отчет, Филат неторопливо набил трубку, привычно раскурил ее, а потом выдохнул в воздух густой сизый дым.

— Невеселая складывается ситуация, — заметил Варяг. — Значит, тебя всю дорогу пасли?

Филат только молча качнул головой, вновь пыхнув дымом. В разговор вступил Михалыч:

— Я даже не могу представить, кто бы мог нам с таким упорством перебегать дорогу. В Питере не отыщется ни одной структуры, которая способна была бы нам бросить такой дерзкий вызов.

— И тэм нэ мэнее, батоно Михалыч, вызов брошен, — произнес Шота, — и нам нэобхадима его принять.

— Сначала надо понять, кто палки в колеса ставит, — веско высказался Кайзер, — а только потом можно что-то предпринимать.

— Так, значит, ты говоришь, что в этом деле первую скрипку играют гендиректор флота и председатель комитета по имуществу?

— Именно так. — Филат аккуратно выбил о край тарелки серый рыхлый пепел.

— Крупняк. Если они от этого акционирования отхватят немалый кусок, тогда им есть за что бороться, — изрек Михалыч.

— А что же вы думали! — Закир Буттаев посмотрел прямо на Филата. — У них тоже имеется чавкало, и они тоже хотят вкусно хавать.

— Может быть, это и разумное замечание, но почему они хотят хавать именно наш пирог? — жестко заметил Кайзер.

Вшестером основные авторитеты России собирались очень редко, чаще всего обходилось перезвоном по телефону.

Интересы общего дела привели их в этот солидный особняк, в эту небольшую комнату, и они неторопливо и несуетливо обсуждали запутанную ситуацию в Питере. Сторонний наблюдатель, глядя на них, ни за что бы не подумал, что эти шестеро мужчин имеют прямое касательство к таинственному и пугающему миру «теневой экономики», о котором наперебой кричали газеты и журналы России и Запада. Скорее, их можно было принять за старинных приятелей, собравшихся в доме у Михалыча, чтобы в неспешной беседе просто отвести душу.

— Так что ты предлагаешь? — откинулся на спинку кресла Михалыч. — Поообломать им всем рога?

— Это всегда успеется, — ответил Филат почтительно. — Меня беспокоят многие вещи. Во-первых, Кеша. Если Кеша был связан с отцами города, с комитетом по имуществу и если он действовал по их наущению, на кой хрен он заставил своих пацанов выйти на контакт с администрацией «Балторгфлота» — это же можно было сделать одним телефонным звонком из кабинета председателя комимущества. Непонятно. Второе. Кто все-таки сел мне на хвост? Выходит, им были известны все мои передвижения по городу, все мои контакты. И всех, с кем я общался, замочили...

— Но ведь ни Красного, ни Перикла не тронули? — задумчиво заметил Михалыч.

— Я думал об этом, — согласился Филат, — но если ты, Михалыч, намекаешь, что это дело рук Красного — так я сомневаюсь. Не похоже. Красный осторожничает. Он явно хочет урвать себе кусман от этого флота, но втихаря против нас идти не станет. Он не идиот: понимает, каким косым боком это ему выйдет.

— Но что ты можешь предложить? — с нетерпением спросил Варяг. — Конкретно?

— Конкретно вот что, — Филат вздохнул. Он за время долгого путешествия из Петербурга в Москву в джипе все продумал. Только не знал, как осуществить задуманное. — Я считаю, что ветер дует из властных структур Питера. С самых высоких этажей. Из мэрии. Из прокуратуры. Из горкомимущества. Тамошние ребятки уперлись рогом. Встали стеной. Если мы добудем убойный компромат хотя бы на тех троих, чьи телефоны Кеша хранил в книжке, то, наверное, можно будет с ними поработать. Все-таки когда решается судьба городского имущества, их слово не последнее.

Михалыч поморщился:

— И что же ты желаешь получить? Видеокассету из бани, где заместитель прокурора балуется с проститутками? Или неопровержимые доказательства того, что вице-мэр Санкт-Петербурга тайно ездил в Ялту на всероссийский съезд «голубых»?

Шота хохотнул, остальные невесело улыбнулись. Михалыч умел порой находить очень остроумные слова, чтобы выразить свой гнев или милость. Только Барон помалкивал, что было на него не похоже. Ведь если разобраться, он был не самый последний человек в этой компании. Михалыч смерил было Барона таким тяжелым взглядом, что им впору гвозди заколачивать по самую шляпку.

— А ведь все твоя затея, Назар! Кто нам пел, что «Балторгфлот» ляжет под нас, как гулящая баба за гривенник? А теперь вон тут какие фигуры нарисовались. Шутка ли — отцы города! Ну, что ты теперь предлагаешь? Может быть, закопать вице-мэра живым где-нибудь на пустыре? А заместителя прокурора разрубить на куски и засолить в бочке у Шота в Минводах?

— Не надо так, Михалыч, — хмуро отозвался Барон. — Дело не такое гибельное, как тебе представляется.

— Не гибельное, говоришь? Да вокруг этого ГАО уже валяется столько трупов, что впору целое кладбище заполнить. И представляется мне, что зампред горкомимущества не последний покойничек. Ладно, хватит о грустном, — махнул рукой Михалыч, — давайте сообща подумаем о том, как же все-таки поступить.

— Филат прав, — произнес Закир Большой, поигрывая четками, с которыми не расставался даже в бане. — Надо на кого-нибудь из них наехать, и я прэдлагаю начать с прокурора.

На минуту Михалыч задумался. Связываться с властью — лишний раз накликать на себя неприятности, тем более после всех последних событий в Питере. В подобной ситуации надо бы действовать похитрее. Самое разумное — обратиться к генералу, уж он-то не должен обидеть отказом старинного приятеля.

— Наехать-то, конечно, можно, — наконец произнес Михалыч, поморщившись. — Но я попытаюсь придумать еще что-нибудь. Конечно, не обещаю, но, может, что и выйдет. Когда приватизация?

Этот вопрос был обращен не к Филату, как можно было ожидать, а к Барону. Но тот только пожал плечами. За него ответил Филат:

— Через полторы недели.

— Через полторы недели! — веско повторил Михалыч, в упор глядя на Барона. — Через неделю, если не случится чуда, все полетит на хер! Ты знаешь, Барон, сколько бабок нам всем пришлось вывести из дела и заморозить? Ты же сам бизнесом занимался на Алтае, сам знаешь, что такое упущенная выгода!

В комнате воцарилась тревожная тишина. Барону ли не понимать, что проваленных дел не прощают, и сам он мог вспомнить немало случаев, когда опальному вору давали всего лишь один патрон и сутки на осуществление приговора. За оставшиеся двадцать четыре часа он должен был проститься со всеми, кто ему дорог в этой жизни, написать завещание, а если имелся долг перед умершими — выполнить его. Святое!

Взгляды их встретились. У одного глаза слегка печальные и сочувствующие — это Михалыч; у другого полные надежды — это Барон.

— Вот как!.. Жаль. Остается очень мало времени. Значит, говоришь, они действуют через цепочку посредников? — вопросительно посмотрел Михалыч на Филата.

— Да. Но кто эти посредники — неизвестно. Подозреваю, что о них не знает даже генеральный директор ГАО «Балторгфлот». Все замыкается где-то в Смольном.

Михалыч поиграл перстнем-печаткой. Несмотря на преклонный возраст, он любил золотые побрякушки. На шее у Михалыча висела толстая, с мизинец, золотая цепь, под ней — другая, поскромнее, с маленьким крестиком. Перстень, какой носил Михалыч, указывал, что он принадлежит к высшей воровской касте и входит в число доверенных лиц сходняка. Это был магический ключик, который отмыкал двери самых высоких кабинетов...

Михалыч крутанул перстень и перевел взгляд на Варяга.

— Ну а ты что скажешь, Владислав? Твое слово решающее.

— Мое мнение таково, — жестко проговорил Варяг. — Это теперь дело принципа. Мы не должны упустить эту компанию. Если же мы ее просрем — то будем просто посмешищем, нас последний московский отморозок перестанет уважать. Стеной встали, говоришь, Филат? Ладно. Мы им свою стену выставим. Посмотрим, кто кого. По-моему, Филат дело предложил. Надо бы этих питерских господ-товарищей ломануть. Хочу тебя попросить, Михалыч, займись этим сам. Я знаю, у тебя есть связи. Поковыряйся там...

Они поняли друг друга с полувзгляда. Михалыч обратился к Филату:

— Что намерен дальше делать?

— Мне активно помогает Красный. Явно не бескорыстно. Когда мы купим флот, наверняка попросит свою долю, — усмехнулся Филат. — Его люди сейчас вычисляют все контакты гендиректора компании, если будет что-то достойное, они сообщат. Еще они установили наблюдение за чиновниками мэрии. Пока непонятно, что это даст, но там посмотрим.

— Хорошо. Я постараюсь добыть кое-что — если удастся, информацию ты получишь на днях. Хочу спросить вас, люди, никто не разочаровался в проекте? Есть время, чтобы выйти из игры, и если вы сделаете это сейчас, то сэкономите немалые деньги.

Напряжение буквально витало в воздухе. Первым тишину нарушил Закир Большой, который по договоренности должен был получить самую крупную долю.

— Насколько я панимаю, мы собралис нэ для таго, чтобы отдават наши дэнги чужакам. Я еще плюну на их могилы.

Шота улыбнулся:

— Я того же мнения.

Тима молча кивнул.

— Хорошо. Вижу, что других мнений у нас нет, и я поддерживаю вас, — произнес Михалыч.

Сход закончился. Все поднялись, но Михалыч попросил Варяга задержаться. Когда охранники проводили гостей в коридор, старик знаком пригласил его сесть.

Глава 19

— Что-нибудь случилось? — напрягся Варяг, глядя в лицо старому вору.

Тот усмехнулся:

— Нет, просто все как-то не доводилось нам с тобой пошушукаться с глазу на глаз.

— Но ведь мы с тобой не кумушки, чтобы шушукаться, — серьезно ответил Варяг. — Давай начистоту. Мы же свои люди.

— Я вот все никак не могу понять, — хитро прищурившись, начал Михалыч. — Как же тебе, Владик, удалось очиститься от прежних грехов?

— Каких таких грехов, Михалыч? — нимало удивился Варяг.

— Ну как же, тебя в Москве в аэропорту, едва ты прилетел из Америки, менты взяли под белы руки, но ты от ментов сделал ноги, потом тебя снова взяли, судили за вооруженное ограбление, дали «десятку», упрятали на зону, ты оттуда сбежал по подземному ходу, попутно убил охранника, а то и двух, тайком вернулся в Питер, там замочил полковника... А теперь, ни от кого не таясь, преспокойно сидишь себе в Москве в красивом трехэтажном особняке, рядом с правительственной трассой, работаешь в государственной конторе под своим именем... Непонятно как-то...

Варяг усмехнулся и положил ладонь собеседнику на плечо.

— Стареешь ты, Михалыч! Неужели и тебе это неясно?

Старик вздернул густые брови.

— Да по правде говоря, мне это невдомек. Я, конечно, не скажу, что ты к ментам в услужение нанялся, но другим-то это все странно. Как-то ведь случилось, что ты чистеньким ходишь...

Варяг задумался. Он не обиделся на старого вора. Тот все еще придерживался прежних понятий, и ему трудно было «въехать» в нынешние правила, по которым жила новая Россия — когда криминальные авторитеты не по тайным хазам скрываются, а преспокойно заседают в Госдуме, разъезжают по миру с дипломатическими паспортами, руководят металлургическими комбинатами и инвестиционными фондами.

— Многим мы нужны сегодня, Михалыч, — вот поэтому у меня есть добрые благодетели и там! — Варяг ткнул пальцем куда-то в сторону — в направлении Садового кольца. — А что касается того, будто я с зоны в побег ушел, будто я сержанта-охранника прирезал или начальника лагеря замочил — так ведь этого не было. — Варяг усмехнулся. — То есть это, может, и было — но не со мной. Знаешь старую советскую поговорку, Михалыч: без бумажки ты — какашка, а с бумажкой... Так вот, в моем досье, что пылится в толстом эмвэдэшном сейфе, нет никаких таких бумажек — ни о неснятой судимости, ни об убийстве, ни о побеге... Ничего нет! Я кругом чистый!

Михалыч недоуменно покачал седой головой:

— Так ведь о тебе, Владик, все газеты наперебой трубили...

— Да ты их больше читай, старик! — от души расхохотался Варяг. — Они за жирную подмазку из любого народного певца сделают прожженного пахана! Мало ли что газеты писали — пусть докажут! Нету никаких документов — ни протоколов допроса, ни постановления об аресте! Все подчистил генерал Артамонов, царствие ему небесное! — Последние слова Варяг произнес без смеха, на полном серьезе. Он встал, давая понять, что беседа подошла к концу. — И спасибо, Михалыч, за поддержку!

— Ты о чем? — не понял старик.

— О Бароне. Ты правильно решил своего человека в Питер послать. Этот флот нам самим надо окучивать. Не хрена Барону туда свои жирные лапы тянуть. Да и к Барону у меня особого доверия нет.

Михалыч устало прикрыл веки.

— Да нет, он парень вроде честный. Вот только все под себя норовит подгрести — это нехорошо. Но ведь он же не нашей косточки, он из новых, они все сейчас такие...

— Так ведь и я из новых! — улыбнулся Варяг.

— Ты — другое дело, Владик, — сурово возразил Михалыч. — Тебя Егор Нестеренко воспитал. А это школа! — И, посмотрев на него, старик добавил: — Так что ты хотел мне рассказать? Наезжают на тебя?

Варяг помрачнел и снова сел. Теперь разговор пошел серьезный.

— Наезжают, Михалыч. И понять не могу, откуда ветер дует.

— Может, пора Сержанта вызывать? Чего зря рисковать головой? — с искренним сочувствием произнес Михалыч. — За Сержантом ты будешь как за кремлевской стеной.

Варяг чуть заметно кивнул.

— Может, и пора, — задумчиво произнес он и быстро добавил, словно невпопад: — Ты ничего не слыхал про молодого сибирского вора по кличке Колян?

Михалыч покачал головой:

— А что? Помочь надо?

— Нет, ничего. Я сам разберусь. Ты лучше займись тем, о чем Филат просил.

На другом конце провода раздался глухой бас:

— Слушаю.

— Привет! Михалыч тебя тревожит. Чем занят?

— Очень важным делом. — Голос собеседника начал приобретать теплую тональность. — Раскрашиваем с внучкой картинки. Хочу тебе заметить, очень непростое занятие. Не доводилось заниматься подобным?

— Пока нет.

— В свое время я упустил такую возможность. Вот теперь приходится наверстывать упущенное.

— Очень неудобно отрывать тебя от такого важного занятия, генерал, но мне нужно переговорить с тобой. Дело очень срочное.

— Где будем говорить?

— На старом месте. Я пошлю за тобой машину... Скажем, часа в два. Устроит?

— Вполне. Высылай своих орлов.

— Договорились!

Этим «старым местом» был Тверской бульвар. Самый центр Москвы. Любимейшее место всех москвичей-сторожилов. Здесь, под тенью древних лип, можно было неторопливо выкурить пару сигарет, наблюдая за новыми москвичами и москвичками, неистово возвещавшими о себе из разноцветных колясок. Приятно было тут, устроившись на скамейке в тени деревьев, попить пивка, глядючи на проплывающие в вышине белесые клочковатые облака.

Тверской бульвар издревле был знаменит. Уже чуть ли не двести лет он был излюбленным пятачком отдыха и почти домашнего уюта, который может дать только покой и тишина в центре суетливого, шумного мегаполиса. В прошлом веке сюда стекалась едва ли не вся московская знать, чтобы повидать старых друзей и поделиться новостями. Впрочем, тусовался здесь разный люд: отпрыски разночинцев, и дворян, и конечно же купцов. Последние выглядели настоящими барами! Им хотелось пустить пыль в глаза слушательницам бесстужевских курсов, и отпрыски миллионщиков старались показать, что чувствуют себя на Тверском бульваре так же свободно, как титулярные советники в приемной генерал-губернатора. Кавалеры расхаживали с дамами под руку и чинно раскланивались со знакомыми. Даже приезжие спешили заскочить в тенистый оазис, прозванный Тверским бульваром, и хотя бы ненадолго окунуться в атмосферу столичной неги. По мостовым лихо летали пролетки с отважными седоками, норовили удивить незрелых барышень под зонтиками. Каждый из них желал казаться богачом и, когда расплачивался с кучером гривенниками, заявлял:

— Это тебе на чай, голубчик, — купишь детишкам пряничков.

И кучер, с самым серьезным видом глядя в прыщавое лицо юнца, охотно принимал предложенную игру и весело отзывался: «Благодарствую, барин».

Любил Тверской бульвар и этот старик. Прохожие, посматривая на пожилого мужчину, вряд ли предполагали, кто он такой. В его седой голове, как в несгораемом сейфе, хранилось немало государственных секретов, среди которых отправка шпионов в республики бывшего Советского Союза казалась невинным баловством. Именно с его ведома и при его личном участии в кабинетах вице-премьеров ставились сверхчувствительные «жучки». Он был в курсе многих тайн личной жизни министров и депутатов Госдумы и однажды шутки ради посчитал, что если бы он продал на Запад все секреты, которыми владел, то сделался бы самым богатым человеком в России. Отставной генерал ФСБ Герасим Герасимович Львов знал совершенно точно, какие беседы ведут высшие госчиновники у себя на дачах, на кухнях и в супружеских постелях. Часто на подобные

224

«подвиги» генерала подвигало исключительно любопытство. Он осознавал, что обладает едва ли не абсолютной властью и стоит ему только пожелать, как принципиальный или несгибаемый ~осударственный муж может превратиться в зловонную кучку навоза. Влияние возглавляемой им «спецгруппы связи» усилилось в нынешнее неспокойное время, когда на кремлевский Олимп норовили взобраться выскочки из провинции. У большинства от таких альпинистских подвигов начинала кружиться голова, и новоявленные вожди, едва постояв на самом верху, падали вниз, ломая себе хребты...

Михалыч редко покидал свой особняк. Скорее всего, он стал домоседом поневоле, из-за нелюбви ко всяким малоприятным сюрпризам вроде автоматной очереди по стеклам автомобиля или встречи с отвязанными омоновцами. А потому каждый выезд в город он готовил очень обстоятельно и отправлялся на место встречи только в том случае, если был уверен, что не напорется на мину, а в лощине у МКАД его «мерседес» не будет терпеливо дожидаться скучающий мальчик с оттопыренным карманом, где спрятан крупнокалиберный «кольт». При встречах с генералом Львовым на Тверском бульваре все соседние лавочки обычно оккупировали люди Михалыча; на входе и выходе дежурили по два человека. Телохранители ничем не отличались от прочих гуляющих — вот только если повнимательнее всмотреться в их лица, то сразу можно было заметить особенный взгляд: парни не упускали из вида даже детишек, семенящих мимо, и в случае необходимости готовы были открыть пальбу похлеще, чем на полковом стрельбище.

В этот раз Михалычу было чего опасаться. Два дня назад был расстрелян известный московский положенец по кличке Плут. Самое странное заключалось в том, что убийцам удалось вычислить его тайную квартиру, где он по субботам встречался с любовницей. О существовании любовного гнездышка практически никто не знал. Смертельный выстрел застал Плута в ванной. Можно только догадываться, сколь немилосердной показалась ему смерть, когда он, расслабленный, возлежал на черном итальянском мраморе и на его лице блуждала довольная улыбка... Ребята Михалыча рассказывали, что, когда Плута нашли, выглядел он почти как живой, вот только картину портила аккуратная дырочка в двух сантиметрах повыше переносицы. Убийца не пожалел и бабу Плута. Бронебойная пуля угодила в ее перекошенный от ужаса рот, выбив передние зубы и выйдя через затылочную кость.

Киллер сработал грамотно — единственной уликой был пистолет «браунинг-бак» с глушителем. Не пожалел красивую игрушку, швырнул ее без сожаления на измятую простыню, где за полчаса до его появления происходила неистовая любовная пляска.

Одновременно с Плутом застрелили и Гулливера. Несмотря на свой огромный рост и недюжинную силу, после отстрела Гнома парень побаивался в одиночку появляться на улице. Причина была в том, что на него уже дважды совершалось покушение, и оба раза ангел-хранитель накрывал его своим светлым крылом. Даже портьеры, во избежание возможного выстрела, Гулливер всегда задергивал так плотно, что через них не мог пробиться ни лучик света из квартиры. Но вопреки всем принятым мерам предосторожности Гулливера убили... Как это ни странно, снайперская пуля влетела именно через плотно занавешенное окно, вырезав в стекле махонькую розочку.

Выстрел был произведен через двадцать секунд после того, как во дворе раздался громкий взрыв — это у самого подъезда взлетела на воздух чья-то старенькая «шестерка», переполошив всех жильцов дома. Гулливер приоткрыл занавеску только на мгновение и тут же был отброшен на пол пулей калибра 7,25 мм. Дальнейшее его просто не интересовало. Его длинное нескладное тело неловко застыло посредине комнаты. Телохранители Гулливера предположили, что «жигуленок» во дворе взорвали с единственной целью — выманить на божий свет авторитетного отшельника. Смертельный выстрел был произведен с величайшей точностью — с расстояния почти в полкилометра, с крыши семнадцатиэтажного здания.

Самым тревожным в этой череде убийств было то, что и Плут, и Гулливер были причастны к ГАО «Балтийский торговый флот». Заслав Филата в Питер, Михалыч одновременно поручил им прощупать кое-кого в Питере на предмет интереса к морской торговле. Судя по тому, как внезапно и одновременно они закончили свое земное существование, их поиски шли в правильном направлении. Ребята кого-то вспугнули в Питере. Оставалось неясным — кого...

Михалыч не высказывал своих опасений перед сходняком, но ему самому уже начало мерещиться, что где-то рядом топчется и его смерть.

Явка на Тверском бульваре была подобрана с особой тщательностью, — это была отдельно стоящая лавочка в дальнем конце сквера, спрятанная густыми зарослями сирени. Даже если предположить, что неведомый снайпер и попытается залечь где-то поблизости, он все равно не сможет ничего увидеть сквозь стену зелени. К тому же по скверу загодя рассыпались великовозрастные мальчики Михалыча и вели наблюдение за прохожими.

Михалыч явился за пятнадцать минут до установленного времени. Он одобрительно крякнул, когда осмотрел место, и, покрутив головой, сразу приметил своих людей.

Ему следовало продумать разговор до мелочей: от этого, возможно, зависит не только судьба «Балторгфлота», но и его собственная жизнь. Генерал предпочитал играть в лобовую, что значительно упрощало дело. Чем меньше будет недомолвок, тем яснее станет картина. Придется рассказать все как есть, не таясь...

Пунктуальность была отличительной чертой генерала Львова. И когда на электронном циферблате высветились цифры «14:00», густые ветки сирени раздвинулись, и к Михалычу шагнул его старинный приятель.

Одевался Герасим Герасимович всегда очень просто и буквально терялся в толпе — возможно, в этом ему помогали профессиональные навыки. Вот и сейчас Михалыч не заметил во внешнем облике генерала ничего запоминающегося: обычный пенсионер, каких на Тверском бульваре можно встретить едва ли не на каждой лавочке.

Михалыч поднялся и первым протянул руку:

— Здравствуй, Герасим Герасимович!

— Ишь ты!.. — искренне подивился генерал. — Я уж и не помню, чтобы ты меня последний раз величал по имени и отчеству. — И он крепко пожал протянутую руку. — Инстинкт сыщика мне подсказывает, что дело и впрямь серьезное. И что здесь попахивает очень крупными деньгами, которые ты можешь потерять. Твои псы, поди, весь бульвар оцепили? Я прав или нет, Толя?

Между двумя стариками уже давно стерлись барьеры неловкости, они знали друг друга много лет, и порой обоим начинало казаться, что и в детстве они играли в одной песочнице.

— Ты, как всегда, прав.

На скамью опустились одновременно, и широкая доска жалобно скрипнула под тяжестью двух старых задов.

— Так в чем же дело, рассказывай, — произнес генерал, доставая папиросу из простого алюминиевого портсигара.

Новомодных сигарет генерал не признавал и предпочитал исключительно острый табак, такой же жгучий, как перец «чили».

— Мне нужна серьезная «компра» на некоторых крупных чиновников Петербурга, — без предисловий начал Михалыч.

Генерал не округлил глаза. За свою жизнь он наслышался и повидал такого, что удивить его, наверное, могла бы только атомная война, начатая по инициативе губернатора Красноярского края.

— Ого, куда хватил! — бесцветно произнес генерал.

По глазам генерала было видно, что он ожидал от Михалыча нечто подобное. Не стал бы старый вор выдергивать своего давнего приятеля из тиши кабинета ради какой-нибудь ерунды.

— Тут, понимаешь, без тебя не обойтись, — продолжал Михалыч. — Я бы не хотел говорить каких-то громких фраз, но без твоей помощи я как без рук. Мне нужна конфиденциальная информация.

Генерал улыбнулся:

— В твоих словах я слышу иронию. Или мне показалось? Ладно, попытаюсь. Конкретно — имена?

— Мне нужен «конфиденц» на председателя горкомимущества Санкт-Петербурга. Для начала.

Генерал сплюнул окурок на траву и серьезно поинтересовался:

— Что же так мелковато? Не узнаю тебя, Толя. Почему бы тебе не попросить «компру» на самого мэра Питера? Очень даже возможно, что в моем архиве отыщется и материалец, от которого станет икаться и мэру Москвы...

— Пока рановато, — в тон генералу отозвался Михалыч. — Ну так как, пособишь?

Сразу за зеленой стеной сирени топтались два охранника Михалыча.

Но Генерал осмотрелся по сторонам, картинно заглянул под скамейку и спросил:

— А «жучков» у тебя случайно здесь нет? Я хоть и в отставке, но, сам понимаешь, не хочется подыхать раньше положенного срока.

— Ну, Герасим, обижаешь, — протянул Михалыч. — Тебя твое ведомство все-таки испортило. Нельзя же быть таким недоверчивым.

— Ладно, замнем. Давай лучше обсудим финансовый вопрос. — Заметив хитрый прищур Михалыча, он добавил: — Да речь не обо мне, старый плут! Мне, знаешь ли, и своей пенсии вполне хватает. Тут еще приглашают в одно акционерное общество... консультантом. А спроси меня, к чему я все это говорю?

— Ну, спрашиваю: к чему?

— Я тебе отвечу. Бабки мне ни к чему. А вот моей внучке со временем пригодились бы.

— Понимаю... — разъехались в улыбке губы Михалыча. — Будущее наших детей и внуков всегда обходится нам очень дорого. И все-таки меня интересует циферка, генерал. Я, знаешь ли, люблю точность.

— Хорошо. — Герасим Герасимович посерьезнел. Очевидно, именно таким — строгим и важным — он выглядел в мундире у себя в кабинете. — Не буду набивать цену, скажу так, как есть. Мне придется поделиться кое-с кем, сам понимаешь, такие сведения я ведь не держу в сортире в шкафу, и потом нужно еще пошукать, есть ли такой материал вообще. Тебя же интересует забойный компромат?

— Разумеется!

— Поэтому разумная цена будет... Кстати, а сколько стоит это ГАО? — вдруг спросил генерал.

Михалыч сделал вид, что задумался. Хоть и давно были они знакомы, хоть и оказали за многие годы друг другу немало ценных услуг, но все равно незримая стена между ними сохранялась всегда, потому что один был старым вором в законе, а другой — кадровым гэбэшником, и, что бы их ни связывало, об этой разнице никто из них никогда не забывал.

— Что-то около ста миллионов долларов, — осторожно произнес Михалыч.

— Да? Ну тогда полпроцентика будет довольно. Пол-миллиона!

Герасим Герасимович полез в портсигар за новой папиросой.

Михалыч внимательно проследил за пальцами генерала. Разумеется, никакой дрожи в них быть не могло, но уж слишком медленно старый гэбэшник достает свой «Беломор» из портсигара, очень уж тщательно разминает пальцами слежавшийся табак. Потом хлопнул ладонью по карману пиджака, выудил пластмассовую зажигалку с надписью «Playboy». Он ждал, что скажет Михалыч.

— Дороговато, Герасим, — заметил почти смущенно старый вор.

— Толя, мы же с тобой не на базаре, чего торговаться? Я тебе говорю, сколько стоит реальная работа, — пожал плечами генерал. — Причем, хорошо бы получить половину суммы сегодня... или, скажем, завтра. Не то сейчас время, Михалыч, никто не будет на меня пахать за бесплатно, даже у нас в конторе, где еще остались старые кадры.

— А если материал будет не такой убойный, как мне хотелось бы?

Герасим Герасимович посмотрел на него озорным взглядом:

— Я гарантирую качество, Михалыч. У нас не бывает залежалого или некачественного товара. Петербург, Ленинград — в нашем ведомстве к этому городу всегда приглядывались особенно пристально. А знаешь почему? Ненадежное место — слишком много там всегда было людей себе на уме. И в смысле политики, и в смысле экономики. Думаешь, зря что ли первого секретаря Ленинградского обкома при Андропове мордой в грязь ткнули? Или недавнего мэра прищучили так, что он из-за бугра вернуться боится... И сегодняшние отцы города, уверяю тебя, у нас под колпаком!

— Ну и отлично! — Михалыч повеселел и взглядом привлек внимание отставного генерала к потертой пухлой сумчонке, лежащей рядом с ним на скамейке. — Я как догадался про твою цену. Захватил задаток с собой. Здесь двести пятьдесят тысяч. Бери!

Сумчонка как нельзя удачно вписывалась в антураж этого угла Тверского бульвара. На фоне втоптанных в песок чинариков, разбросанных в траве пустых бутылок она не привлекала внимания. Герасим Герасимович и то, при всей своей наблюдательности, не заметил, как она тут очутилась: казалось, что ее по рассеянности забыл на этой лавке какой-нибудь алкаш или бомж.

Михалыч оставался верен себе: он обожал такие хохмы — кого удивит модный кейс из крокодиловой кожи? А вот когда сотенные баксы уложены аккуратными пачками в потрепанной хозяйственной сумчонке — это клево...

— Можешь не пересчитывать, — Михалыч положил сумку на колени генералу и, заметив, как тот слегка поморщился, добавил: — Не беспокойся, сумка чистая.

— Да зачем же пересчитывать — мы ведь с тобой как-никак партнеры, — попытался пошутить Герасим Герасимович. — Мне понадобится неделя.

— Увы, неделя нас никак не устраивает. Иначе вся эта затея просто не имеет смысла. Могу дать только два дня... максимум три.

Генерал взвесил на руке сумку. Четверть миллиона долларов — две с половиной тысячи зеленых бумажек с портретом президента Франклина — обладали приятной весомостью. Четверть миллиона рублей явно весили бы куда меньше, даже если были бы сделаны из настоящего дерева.

— Да не взвешивай ты ее, — усмехнулся Михалыч, — все равно на вес не определишь, но если желаешь — можешь не отходя от кассы пересчитать! Денька через два я тебе позвоню. Если управишься до моего звонка — не откажи в любезности, сам объявись. Мне это срочно нужно. А как передашь материал, так получишь вторую половину суммы.

— Договорились. Ох ты, — генерал посмотрел на часы. — Я ведь опаздываю: сегодня вечером идем с внучкой в кукольный театр. Надо еще ее обедом накормить...

Поднялись одновременно. Герасим Герасимович взял сумку под мышку, как будто в ней было не четверть миллиона долларов, а грязное постельное белье.

— Если хочешь, тебя проводят мои ребята, — предложил Михалыч.

Генерал развеселился:

— Ха-ха-ха! Михалыч, дорогой, ты, видно, позабыл, с кем имеешь дело. Неужели я настолько глуп, чтобы являться на ответственную встречу в одиночестве!

— А ты мне не доверяешь! — не без обиды протянул Михалыч.

— Да и ты мне тоже — иначе разве стал бы окружать себя такой гвардией? Ну, пока! — Генерал выставил пятерню и, пожав руку Михалычу, шагнул на аллею и едва не столкнулся с парочкой влюбленных, которые самозабвенно тискали друг друга в объятиях.

Михалыч отметил, что те с нарочитым безразличием посмотрели в его сторону. Вполне можно предположить, что у парня где-нибудь за поясом заткнут новенький «макаров». Да и девочка, пожалуй, способна с трехсот метров влепить пулю в глаз. Наверняка поблизости разгуливает столь же милая парочка.

Так уж заведено: за генералом Львовым всегда оставалось последнее слово...

Часть III

Глава 20

Свое дело Андрей Антонович Гаврилов начал с небольшого торгового кооператива с многообещающим названием «Русь». Уже через несколько месяцев он успешно конкурировал с крупнейшими государственными предприятиями торговли. Его стремительный успех объяснялся тем, что в свое время он возглавлял комсомольскую организацию Питера и связей с бывшими идейными соратниками не растерял. После развала Советского Союза они позанимали ключевые посты в городской администрации, в банках. Именно с помощью этих людей ему удалось получить первый крупный кредит. Немаловажным, а может быть и решающим, фактором успеха Андрея Гаврилова было то, что его отец Антон Лаврович Гаврилов долгие годы сидел в кресле второго секретаря Ленинградского обкома, а после бурных событий начала 90-х годов вовремя успел примкнуть к «демократическому» движению, обзавелся новыми связями и занял пост председателя городского комитета по имуществу. В его ведении находились все объекты недвижимости города на Неве, общая стоимость которых исчислялась миллиардами долларов. Правда, когда в городе и области началась приватизация, заводы и магазины, порты и склады распродавались по столь мизерной цене, что ими могли завладеть люди самого скромного достатка — не только бывшие директора этих самых заводов и магазинов, но даже прорабы и бригадиры. Однако к участию в приватизационных конкурсах-тендерах допускались далеко не все. То есть по закону, конечно, допускать к конкурсам следовало любого желающего, но по тому же закону ответственный чиновник, распоряжающийся городским имуществом, был волен определять порядок проведения конкурсов. А по сути, он и решал, кого следует допускать к лакомым кускам государственного пирога, а кого стоит мягко или твердо оттеснить подальше. Этим всесильным чиновником и был Антон Лаврович Гаврилов, осанистый старик с пышной седой шевелюрой и строгим взглядом.

Сын Антона Лавровича, еще будучи городским комсомольским вожаком, быстро смекнул, какие перспективы открываются перед ним. И как-то вечерком завел с папой доверительный разговор: рассказал о планах создания сети комсомольских кооперативов и магазинов в городе, о перекачке средств из комсомольских касс на расчетные счета новых банков и акционерных обществ. Он не знал, как отреагирует папа на этот разговор. К его удивлению, Антон Лаврович отреагировал адекватно. Он сразу взял быка за рога и отрубил: «Пользуйся, Андрюша, пока я в Смольном сижу! Чем смогу — помогу. Сейчас видишь, что в стране творится: этот медведь в Кремль-то влез, да неясно, надолго ли. Может, его на следующих выборах скинут. Так что торопись! И учти: надо, чтоб все было по закону, чтоб комар носа не подточил!»

Опасения папы не подтвердились: на следующих выборах власть в стране укрепилась. И Андрей принялся с удвоенным усердием ковать железо. Поначалу он занялся перевозкой хозяйственных грузов. Потом с помощью папы он получил выгодные лицензии на вывоз драгоценных металлов, леса, нефти. ТОО «Русь» было преобразовано в ЗАО «Петротранс».

То, что Андрей занялся бизнесом, ни у кого, кто его знал, не вызвало особого удивления. Он был из того сорта ухватистых ребят, которые в десять лет моют машины на перекрестках, в двенадцать дают своим ровесникам деньги под процент, в пятнадцать уже имеют небольшой капиталец, а в восемнадцать на собственные бабки покупают первую иномарку. Кипучая натура Андрея Гаврилова всегда стремилась к созданию крепкого тайного общества — такого же влиятельного, как масонская ложа, и такого же закрытого, как китайская «Триада». Андрей не претендовал на то, чтобы созданная им система соперничала с государственными структурами, он просто хотел стать передовиком-ударником нарождающегося торгового бизнеса. А для этого мало было только обладать мозгами, требовались еще крепкие кулаки и мохнатые связи.

Мохнатые связи ему обеспечил всесильный папа, а вот что касается крепких кулаков — мощной службы безопасности, которую в случае чего можно было бы использовать для ведения боевых действий, — ему предстояло создать самому.

И первое, что сделал Андрей, когда раскрутился по-крупному, — поехал в одну из элитных частей ВДВ под Питером. Молодой, безукоризненно одетый, он остановил синий «мерседес» перед воротами военного городка и — сразу поразил своих ровесников в капитанских погонах. Офицеры уже были предупреждены о появлении важной персоны (звонок был сделан из Смольного) и имели весьма жесткие инструкции. Андрея Антоновича Гаврилова встретили с таким рвением, как будто он возглавлял высокую московскую комиссию. После традиционного аттракциона с пальбой из автоматов по пустым бутылкам Андрей Антонович пожелал встретиться с дембелями. Из предварительной беседы с командиром части он узнал, что многие из них успели повоевать в горячих точках СНГ. Словом, это был благодатный материал, о котором он мечтал. Молодые и самоуверенные, вэдэвэшники считали, что пришли в этот мир осчастливить человечество. Каждый из них был полон грандиозных планов, и вместе с тем никто не знал себе подлинной цены. А молодой и богатый гость на «мерседесе» представлялся тем самым добрым волшебником, который сумел бы помочь им раскрыть свой потенциал.

Дембелей набралось двенадцать человек. Прежде чем отправиться на беседу с ними, Андрей досконально изучил личное дело каждого. В форме все они выглядели одинаковыми, но достаточно было полистать досье, чтобы убедиться, насколько ошибочно первое впечатление. Они не только имели разные физические данные: цвет глаз, вес, рост, их разъединяла национальность, социальное происхождение и пути, приведшие их в эту элитную часть. Одни сознательно сделали свой выбор, другие попали сюда благодаря связям могущественных родственников, а третьи просто оказались баловнями судьбы, и не будь за их спиной доброго ангела-хранителя, то наверняка все два года строили бы в какой-нибудь глухомани аэродром и жрали бы перловку с сушеной скумбрией.

Надо было отдать должное прозорливости военкомов, сумевших разглядеть в угловатых переростках настоящих бойцов. Сравнивая их фотографии, сделанные на гражданке и здесь, в части, можно было заметить, насколько жестче сделался у них взгляд, насколько крепче стиснулись зубы.

Несколько ребят заинтересовали Андрея Гаврилова особенно. Первым среди них был Павел Орлов. Отличные физические данные: рост сто девяносто, мастер спорта по биатлону, классный стрелок, опытный снайпер. Лицо у парня было по-крестьянски добродушным и простым. Такого человека легко представить где-нибудь на тракторе в поле или с кнутом в руках на дальнем колхозном выпасе, но уж никак невозможно — со снайперской винтовкой СВД-С, затаившимся среди руин разбомбленного здания. И тем не менее на его боевом счету было восемнадцать успешно выполненных заданий (то есть убийств) и правительственные награды: медаль «За отвагу» и орден Красного Знамени. Характеристика личных качеств скупая, но красноречивая: силен, храбр, доброжелателен, отношения с людьми ровные.

Парень действительно был из далекого сибирского села, и самое большее, на что он мог рассчитывать в этой жизни, — охмурить какую-нибудь сельскую красавицу и возглавить бригаду трактористов. Нужно будет растолковать парню, что у него куда более светлые перспективы, чем он думает, а для начала посулить ему квартиру в Петербурге, отличную зарплату и возможность каждый год оттягиваться где-нибудь в Анталии.

Совсем иное дело Артем Козырев. Коренной москвич. Вот этого трудно будет удивить каким-нибудь дешевым шиком вроде «штуки баксов» в месяц или блока импортных сигарет. Здесь нужно все продумать до мелочей, чтобы осечки не произошло. Такой парень, как этот, редкость даже в боевых частях: отличный стрелок, мастер рукопашного боя, участвовал в миротворческих операциях в Абхазии. С первой страницы личного дела смотрели выразительные большие глаза. Парень красавец — ничего не скажешь, такие ребята похотливы, словно кролики. Наверняка в первые полгода после демобилизации он отправится по институтским общежитиям. Чем же такого можно заинтересовать?

Андрей отложил в сторону еще одну папку.

Можно только догадываться, какая драка начнется за этих парней, когда они выйдут на дембель. Их будут тащить в охранные фирмы в банки, в политсоветы, к ним будут присматриваться уголовнички — и только у него есть возможность заявиться в элитную часть и первому предложить свои услуги. Снимать пенки — очень приятное занятие!

Он неторопливо листал дела своих будущих служащих. Очень аккуратно, как опытный кадровик в солидной фирме, он что-то черкал в своем блокноте, отдельные абзацы перечитывал заново, стараясь сразу определить кандидату место его будущей работы в соответствии с его способностями. Снайпер... Как звать? Ага, Александр Тимофеев. Славная получится троица. Этому пришлось поскитаться изрядно: Таджикистан, Северный Кавказ. Имеет два ордена Красного Знамени. Неплохо. Откуда такой кудрявый экземпляр? Наверное, из какой-нибудь заповедной глуши, где лешие кружат хороводы с русалками, а древние бабки, тайком от внучат-насмешников, ходят по старинке в дремучий лес помолиться неведомым богам.

Для бесед с дембелями командир части выделил дорогому гостю отдельную комнату, где по-прежнему на стенах висели портреты почивших вождей, а от обилия красных полотнищ в глазах рябило. Бойцы входили в комнату четко чеканя шаг и на каждый вопрос отвечали коротко и четко. Их незамысловатая речь напоминала стрекот короткоствольных автоматов. О таких живых роботах мечтает любой начальник. Андрей не скупился на обещания — сулил большие оклады, квартиры в Санкт-Петербурге, дорогие автомобили. И к концу дня он понял, что победил с крупным счетом — из всех дембелей от его предложения отказалось только трое.

В этот же день он решил подобрать и отца-командира для своих будущих бойцов. Он понимал, что выбор здесь должен быть особенно тщательным, в первую очередь потому, что этот человек должен стать одной из ключевых фигур в его системе. Такому придется доверять многие секреты, а значит, он должен быть не только докой в своем деле, но и молчуном.

Целую неделю Андрей копался в личных делах офицеров, стараясь отыскать тот самый алмаз, которому предстояло придать надлежащую огранку. Большинство офицеров были хорошими службистами, мечтавшими о сытной военной карьере. Они грезили академиями, большими окладами да государственными дачами и на службу вне военного ведомства смотрели как на крах больших надежд. Подумав, Андрей решил сделать ставку на стариков, глотнувших горького лиха за скромный государственный паек, не испорченных большими деньгами и в то же время не запавших на новейшие веяния. Среди них он присмотрел опытного военного разведчика, начальника особого отдела части полковника Баринова Якова Степановича. Судя по его личному делу, карьера у полковника складывалась блестяще. Уже в двадцать пять лет он был капитаном и имел правительственную награду за какую-то тайную операцию в Афганистане. Дальше его судьба сложилась и вовсе необычным образом — он отказался от заманчивого предложения служить в Генеральном штабе и отправился военным экспертом в Эмираты. Оставалось предполагать, что он не только демонстрировал богатым шейхам преимущества российского оружия, но и расширил агентурную сеть ГРУ. В Россию он вернулся с повышением, и опять по ведомству военной разведки. А дальше начались затяжные командировки не только по широким просторам страны, но и в зарубежье, где местами его службы значились Куба, Ирак, Ливия, Кипр, Югославия и даже Италия. Где-то в Москве наверняка пылилось его более полное досье с многочисленными дополнениями «доброжелателей», но даже из тех документов, которые удалось прочитать Гаврилову, становилось ясно, что перед ним блестящий специалист, какой встречается только на тысячу профессионалов.

Когда начались так называемые «реформы», жизнь армейская стала ему совсем невмоготу. Довольствие ухудшилось, зарплату задерживали, пайковые не давали — в общем, хренотень. Он стал подумывать, а не пора ли все это бросить к едрене фене и уволиться. Конечно, жить пятидесятилетнему здоровому мужику на полковничью пенсию не ахти как легко, но все ж таки можно. Да и найти какую-никакую работенку он надеялся... Дважды за последние три года он подавал рапорт об увольнении и дважды командующий накладывал резолюцию: «Несвоевременно!»

Достаточно было единожды взглянуть на фотографию Баринова, чтобы понять: человек смертельно устал от службы и остаток жизни рассчитывает прожить полегкому, сидя с бутылкой пива у телевизора или копаясь на грядке садового участка. Андрей решился предложить ему больше: солидный пансион, которого бы хватило не только на то, чтобы каждый год посещать экзотические уголки планеты, но и откладывать весомую копеечку на немощную старость.

Уговаривать полковника долго не пришлось. Разговор проходил конструктивно.

— Хорошо бы получить аванс, — сразу отреагировал Баринов.

— Вы его получите в размере шестимесячного оклада. Вас это устраивает? — серьезно поинтересовался Гаврилов. Он был готов увеличить сумму вдвое.

— Но у меня есть одно условие.

— Какое? — насторожился Гаврилов.

— Насколько я понимаю, дело идет о промышленном шпионаже. А самые важные секреты прячут в больших кабинетах. Так?

— Допустим, — сдержанно отозвался Андрей. — Но это будет только часть работы. Полагаю, что круг наших интересов будет постоянно расширяться. Поэтому...

— Поэтому нужно будет иметь досье на всех реальных и потенциальных партнеров и конкурентов. А это очень кропотливая работа — слежка, подслушивание... Возможно, не обойтись и без диверсионных акций. Я правильно вас понял? — Баринов испытующе посмотрел в глаза будущему шефу.

Их встреча происходила все в том же кабинете, увешанном ликами многочисленных вождей. Андрей посмотрел на противоположную стену, и ему показалось, что самый главный диверсант ободряюще подмигнул.

— Не исключаю и таких действий...

— Ну вот, видите, — в голосе Баринова прозвучало неприкрытое облегчение. — Работы будет невпроворот. Хочу вам сказать, что все это мне знакомо. Примерно этим я и занимался все двадцать пять лет безупречной службы.

— Я это знаю! — мягко заметил Гаврилов.

— Разведчик, — продолжал Баринов, — это не тот, кто сидит за бугром в посольстве и выуживает нужную информацию из газет, настоящий профессионал должен уметь многое другое... Я посмотрел тех ребят, которых вы отбираете... да, бойцы они неплохие, умеют стрелять, драться. Но им приходилось действовать всегда в открытую, их так учили. Сейчас, насколько я понимаю, пойдет невидимая война. И им придется делать то, чего не умеют. А следовательно, учить их всему должен буду я...

— Говорите откровенно, вас не устраивает оклад?

Андрей не пытался скрывать своего удивления. Даже по западным меркам пять тысяч долларов в месяц — неплохие деньги. А если сюда добавить еще квартальные премии, затем гонорары за конкретную работу, так первоначальная сумма вырастает до десяти тысяч баксов. Совсем неплохие деньжата!

— Я не о том. — Профессиональный разведчик почти обиделся. — Мне нужен толковый помощник. Без него с таким объемом работы просто не справиться.

— Только-то и всего? У вас есть на примете подходящий человек? — поинтересовался Гаврилов.

— Да. Он работает вместе со мной. Долгое время был моим заместителем.

— Как его зовут? — Андрей раскрыл блокнот.

— Цивильный всегда заметен издалека, как пугало среди вспаханного поля, — Баринов осклабился. — Прошу прощения, не принимайте это на свой счет. Привычка старого солдафона зубоскалить не к месту. Я вот о чем. Настоящий разведчик старается ничего не записывать. Нужно держать все в голове.

Полковник проследил за тем, как Гаврилов послушно захлопнул блокнот, и произнес:

— Его зовут Семен Хруль. Майор. Очень толковый.

— Он согласится?

Баринов неопределенно пожал плечами:

— Это уже ваша проблема. Потолкуйте с ним, поговорите по душам. Заинтересуйте его как следует. Вы же это умеете! А потом я ему шепну на ушко заветное слово.

Семен Хруль на деле оказался не так капризен, как могло показаться со слов Баринова. Достаточно было пообещать российскому майору оклад сержанта морской пехоты США, как он растянул рот в довольной улыбке, показав большие желтоватые зубы.

Майор был из тех людей, кто принимал жизнь такой, какая она есть, а значит, принадлежал к армии реалистов. Он не хватал звезд с неба, но отличался редким трудолюбием и усердием. Но вместе с тем осознавал, что рядом находятся более удачливые люди, у которых папа или дядя занимают большие посты и способны подтянуть родственничка до таких высот, о каких мало кто из стариков помышляет. Чего греха таить, встречаются и более талантливые люди, способные за счет личностных качеств добиться немалых успехов. А себя он считал среднестатистическим служакой, обделенным влиятельными родственниками. Ему нечего было рассчитывать на солидное наследство: по отцовской линии все его предки были батраками, по материнской линии — городскими рабочими.

А потому Хруль без долгих колебаний принял предложение Гаврилова.

Глава 21

Баринов не умел работать вполсилы, считая, что это значит жить только на пятьдесят процентов. А потому он ввел в службе безопасности «Петротранса» дисциплину, которая мало чем отличалась от армейской.

— Партизанщины я не люблю, — часто любил повторять Яков Степанович. — У меня всюду должен быть порядок. Если кто не согласен, того можно быстро разжаловать... в покойники.

Суровый тон, которым общался полковник со своими подчиненными, давал понять, что поблажек он делать не привык и что работу на Гаврилова каждый из них должен воспринимать как продолжение службы в армии.

Первое, что сделал Баринов, так это составил на каждого сотрудника подробнейшее досье. При описании сильных и слабых сторон характера он старался не пропустить ни одной мало-мальской детали. Так, если его боец был охоч до женщин, прямо писал: «Склонен к беспорядочным половым связям». Подобная характеристика могла дополняться какими-то более мелкими деталями: «Особенно нравятся блондинки в возрасте двадцати — двадцати трех лет». Если кто был замечен в пристрастии к спиртному, констатировал: «Любит красное вино, предпочитает грузинские сухие». Опытный глаз разведчика старался не пропустить ничего, что в дальнейшем пригодилось бы в деле. В досье фигурировали адреса родственников, друзей, любовниц. Яков Степанович знал, сколько денег его ребята тратят на обед и какую музыку заказывают в ресторанах. Своим вниманием Баринов не обделял бойцов даже за пределами конторы: у каждого в квартире затаились крохотные микрофоны или видеокамеры. Тайно прослушивались телефонные переговоры бойцов, позволявшие составить более точное представление о каждом. Но даже и это Яков Степанович считал недостаточным: он тихо создал собственную агентурную сеть в охранной службе.

Отдав советской, а затем российской армии двадцать пять лет жизни и дослужившись до полковника, Яков Степанович вдруг осознал, что все предыдущее его существование было лишь забавной прелюдией к основной деятельности, позволившей его способностям раскрыться полностью. Четверть века он трудился во имя идеи, получая за свои старания жалкие подачки, которых едва хватало на то, чтобы сводить очередную возлюбленную в ресторан, да благодарности хозяина в личное дело. Теперь же хозяином он был сам и работал не на какого-то абстрактного дядю с красным флагом вместо лица, а на конкретного человека, который был крайне заинтересован в его труде и соответственно оплачивал этот труд...

В новой работе Баринов раскрылся по-настоящему, в нем обнаружились способности, о которых он даже не подозревал, и, как бывало в лейтенантскую пору, мог пахать по двадцать часов в сутки.

Яков Степанович не был бы разведчиком, если бы не имел собственных источников информации. Он собирал сведения и о самом генеральном директоре «Петротранса» Андрее Антоновиче Гаврилове. И скоро знал о своем подопечном куда больше, чем питерское гэбэ.

Для начальника службы безопасности «Петротранса» не было секретом, где и с кем шеф проводит свободные от работы часы. Незримые глаза и уши Баринова видели и слышали, в компании с какой девкой отправляется Андрюша Гаврилов к себе на загородную виллу и сколько он проиграл или выиграл в казино «Олимпия», которое держал старый уголовник-грек. Страсть молодого хозяина к картам удивляла Баринова. Старый служака не мог взять в толк, что находит этот умный, чертовски умный, трудолюбивый парень в картах. По его разумению, просиживать часы за столом в клубах табачного дыма — пустая трата времени и денег.

Только много позже он догадался, зачем Гаврилов так часто наведывается в казино «Олимпия». Его интересовали не деньги, не карты, не рулетка. Его интересовали люди, там появлявшиеся. Как-то он вызвал к себе Баринова и напрямик дал ему новое задание: установить плотную слежку за греком Периклом и завсегдатаями его казино, среди которых выделялся криминальный авторитет по кличке Красный, он же Леша Краснов, держатель городского воровского общака.

Под особо пристальное внимание отставного полковника попадали финансовые операции Гаврилова — через «Петротранс» проходили такие гигантские суммы, что у каждого нормального человека просто захватывало дух. Большая часть денег прокручивалась через зарубежные компании и воплощалась в качестве недвижимости на многих курортах Европы. Только на одном испанском побережье Андрей Антонович имел три виллы, каждая стоимостью почти в миллион долларов.

Баринов следил за генеральным директором «Петротранса» совсем не потому, что не доверял ему, а скорее всего по привычке профессионального разведчика и по-другому действовать просто не мог. Такой характер он сумел выработать в военной разведке: прикуривать на бочке с порохом для него было первейшей необходимостью. Баринов не сомневался в том, что узнай Андрюша о его шалостях, так добрые люди в белых халатах быстро бы засунули холодный труп в холодильник пятого морга на Литейном.

Баринов собирал досье и на местных воров в законе. Андрей Гаврилов видел в них своих главных оппонентов в борьбе за флот. Неплохо разбираясь в сложной структуре их взаимоотношений, он по своим каналам определил законных, которые имеют важное влияние в Северо-западном регионе. Баринову поручалось куда более тонкая и деликатная работа, больше смахивающая на хирургическую операцию, — внедриться в их систему и вести наблюдение изнутри. Поначалу порученное задание отставной полковник воспринял обыкновенно: за годы службы ему неоднократно приходилось проделывать многоходовые комбинации в странах, где ему довелось бывать. Он внедрял своих людей на военные заводы и в ведомства, в чьих сейфах таились интересные документики государственной важности. Однако в случае с ворами подобные игры не проходили. Во-первых, невозможно было своего человека выдать за вора. Их круг был не столь широк, и если воры не знали друг друга в лицо, то были хотя бы наслышаны. Во-вторых, невозможно было вырастить такового — на это требуются не только многие годы, но и соответствующий характер, а также заслуги, которые оценило бы криминальное сообщество. В-третьих, полагается иметь рекомендации от признанных законных. Даже при наличии уважения коллег по рисковому бизнесу нет гарантии того, что сходняк разомкнется и примет новичка за равного. Прежде всего соискателя на титул ждет пристрастная обработка, которая не может сравниться даже с перекрестным допросом опытных следаков...

Баринов месяц прокачивал вариант подкупа питерских законных, но потом решил отказаться и от этого варианта. Нечего было и рассчитывать на то, что смотрящий какого-нибудь района способен позариться на жирную халяву. Вовсе не потому, что смотрящий ближе всех стоит к общаку и способен использовать кассу на свои нужды точно так же, как горький пьяница проковыривает дырочку в цистерне со спиртом, а скорее потому, что они были очень идейные и заботились о чистоте души не меньше, чем монахи в канун Страстной недели.

Оставались воры, вышедшие в тираж. Таких называли «прошляками». У этих все было в прошлом — репутация и кураж. Они не представляли интереса для сходняка. Вот ими и заинтересовался Баринов. И нашел с ними контакт.

Скоро он знал о питерских ворах почти все. Была установлена теле- и радиоаппаратура в тех местах, где они обычно любили появляться: в барах, в отелях, в казино. Едва ли не в каждом ресторане, где обедали законные, Баринов имел своих людей, которые не только прослеживали за перемещением воров, но подмечали каждую их новую подружку, с которой те решались провести вечер. Баринов умело подсовывал девиц в постели к законным и скоро знал о жизни каждого из них так много, как если бы был для них сводным братом.

Его картотека быстро пополнялась. Отснятый видеоматериал заносился в каталог и аккуратно ставился на полочку. Архив размещался в огромной четырехкомнатной квартире, где места хватало не только для шкафов с документами, но и для мягкой двухспальной кровати, на которой он частенько проводил время с молоденькой официанткой из «Невского Паласа».

Особенно интересовал Баринова Красный, которого он мысленно называл «верховным главнокомандующим» питерского криминалитета. Знаменательно то, что Красный был держателем общаковской кассы, а значит, как никто другой мог влиять на политику сообщества, на так называемый «теневой бизнес». Но Красный как раз оставался одним из «белых пятен» в его картотеке. Он был чрезвычайно осторожен, как битый лис, и коварен, как медведь-шатун. Невозможно было проследить за его стремительными перемещениями по городу и области, личных привязанностей он не имел.

Дважды Баринов пытался установить недалеко от его загородного дома фургон, из которого можно было бы вести наблюдение за воротами, но всякий раз его негостеприимно выпроваживали. Создавалось впечатление, что за высоким кирпичным забором проживал не авторитетный вор в законе с немалым стажем отсидки, а серьезный кремлевский начальник.

По своему опыту разведчика Баринов знал, что не бывает неприступных крепостей, есть только плохие полководцы, а потому предстояло более тщательно выискивать слабые места в фортификациях Красного. На первый взгляд казалось, что у Красного напрочь отсутствуют слабые места, он был закрыт для всех в своем доме точно так же, как мумия фараона в каменном саркофаге. Но, присмотревшись поближе к его окружению, Яков Степанович сделал неожиданное открытие: среди приближенных Красного нашлись салажата, обуреваемые завистью. Свой взор Баринов обратил на молодого парня, Толика Ильина, который был в команде Красного чем-то вроде вестового. Должность, конечно, не самая видная, но парень пользовался доверием и мог достаточно подробно рассказать о каждом прибывающем к Красному госте. С Толиком Баринов встречался раз в неделю в укромных местах, но даже этого было достаточно, чтобы подробно вызнать, какие мысли роятся в башке у Леши Краснова. Единственное, чем отличался Толик от прочих сексотов Баринова, так тем, что никогда сам не брал денег из рук, а терпеливо дожидался, когда тугая пачечка зеленых купюр ляжет на скамейку (если встреча происходила в городском сквере) или скользнет на пластиковый столик (если встреча была в кафешке недалеко от стадиона). Только после этого рука Толика лениво тянулась за гонораром.

Именно от него Баринов и услыхал впервые о том, что Красный ведет какие-то важные переговоры с Москвой. Речи о «Балтийском торговом флоте», правда, не было, но дока-Баринов сразу прочухал, чем пахнет: московские уголовнички потянули свои жадные лапы к питерскому порту. Эта информация стоила дорого, ведь Гаврилов уже едва ли не полгода расчищал поле вокруг флота, избавляясь от сильных питерских конкурентов. Но конкуренты появились с той стороны, откуда их не ждали...

Узнав об интересе московских законных, Гаврилов распорядился:

— Этих бандитов в город не пускать! Я не знаю, как вы это сделаете, но здесь их быть не должно!

Баринов поморщился: так скверно он не чувствовал себя даже под разъяренным взглядом командующего.

— Как же я их не пущу? Здесь же не граница. Что мне их, отстреливать, что ли?

Неожиданно Гаврилов перешел на шепот, а это было хуже всякой брани.

— Мне плевать, что вы намерены делать. Отстреливайте, умасливайте — но в Питере их быть не должно. Это мой город! И я здесь хозяин.

— Понимаю, — стиснув зубы, спокойно согласился отставной полковник.

В тот же день Баринов дал команду действовать по классу «А», что означало: жесткий прессинг. Теперь в поле зрения бойцов Баринова попадали не только законные, но и их ближайшее окружение, их гости, их родственники и даже соседи.

Первой жертвой в этой невидимой битве стал московский гонец Чиф. Возможно, к его ликвидации можно было бы и не прибегать, если бы законный не успел переговорить с местными авторитетами, которые и подсказали ему, кто может быть реальным покупателем флота. Решение об уничтожении Чифа Баринов принял самостоятельно. Операция была продумана до мелочей. Его воспитанники, Паша Орлов и Артем Козырев, переодевшись в милицейскую форму, затолкали Чифа в «уазик», вывезли на безлюдный пустырь, где и грохнули без свидетелей.

Война была объявлена, и Баринов справедливо полагал, что скоро в Питере следует ожидать появления нового эмиссара. И он не ошибся.

Глава 22

Встреча состоялась ровно в три часа на морской яхте Андрея Гаврилова. Баринова с Хрулем ждали у самого трапа четверо крепких парней в белых рубашках с коротким рукавом. Они любезно пригласили их на шикарную посудину. Достаточно было одного мимолетного взгляда, чтобы понять: в яхту вбуханы большие деньги. На таком корабле не стыдно принимать глав государств, а не то что катать девчонок по Финскому заливу...

Баринов желал бы жить точно так же, как Андрюшка, — в свое удовольствие: каждый уик-энд проводить в плавучем доме, лопатой грести огромные деньги из государственного котла и знать, что отданные приказы будут исполнены четко и беспрекословно.

Отставной полковник постарался не поддаваться унынию и при появлении шефа сумел даже изобразить гримасу неподдельной радости. Андрей был в цветастых шортах и белой рубашке-поло, на носу — большие солнечные очки, загорелый, крепкий, — в общем, выглядел весьма представительно. Он умело играл роль радушного хозяина — крепко пожал руки, улыбался широко, вот только невозможно было рассмотреть глаз за зеркальными большими очками.

— До тендера осталась одна неделя, — веско проговорил Гаврилов, когда они прошли в капитанскую каюту — огромный зал, где стены и потолок были инкрустированы черным деревом, — такой шик был доступен немногим миллионерам. Он устало плюхнулся на диван, разметав руки в обе стороны. — Я хочу, чтобы все было проделано без сучка и задоринки.

— Так оно и будет, Андрей Антонович. — Баринов не расставался с улыбкой: казалось, она приклеилась к его губам сама собой. С такой гримасой клоуны выходят на цирковую арену.

— Что у нас со списком? — Андрей скрестил ноги.

— Я подготовил полный список. Там фигурируют наши «мертвые души» числом двенадцать. И три темные лошадки. Вот, взгляните... — Баринов щелкнул замками кейса и, вытащив из него несколько листов бумаги, протянул их Гаврилову. — Проведена большая работа! — Ему пришлось привстать, в то время как Гаврилов не сделал даже усилия, чтобы приподнять свою задницу хотя бы на миллиметр. Эта мелочь не испортила настроения Баринову, он продолжал скалиться, старательно изображая подобострастное усердие. Что поделаешь, приличный оклад приходится отрабатывать и таким образом.

— Отлично. — Гаврилов наконец снял зеркальные очки и положил их рядом на диван. Теперь было видно, что он не так безмятежен, каким выглядел в очках.

Он погрузился в изучение списка конкурсантов.

— Ого! Это неожиданно. А все прибедняются, что у них денег нет! На прошлой неделе говорил с этим... — Он щелкнул пальцем по листку. — Михаил Тимофеевич, говорю, давай войди в долю, закупим бумагу в Сыктывкаре, придержим, а к осени, глядишь, цена подскочит, и мы с выгодой продадим... Нет, говорит, средств нема. А тут на тебе — пакет флотских акций захотел прикупить.

Баринов исподлобья глянул на Гаврилова. Явно, что ему не терпелось что-то еще сообщить шефу.

253

— У меня есть ощущение, что московские воры теперь будут действовать осторожнее. Не так прямолинейно, как раньше.

— На чем основаны ваши предположения? — насторожился Гаврилов.

— Филат после неудачного покушения остался в Питере. Но после ликвидации Тетерина и Кеши уехал. Я решил, что больше он у нас не появится, и даже подумывал снять людей с наблюдения за Красным. Но сегодня утром Филат вернулся. Его опять встречал Красный со своими боевиками...

— С кем прибыл Филат?

— Опять со своими людьми. Телохранитель Данила Волохов и водитель Глеб. Мы Филата не теряем ни на секунду.

— Хорошо, не теряйте и дальше. Следите за всеми, кто входит с ним в контакт. Особое значение уделите Геркулосу. Это еще тот прохвост! Он может отколоть такой сюрприз, после которого нам долго чихаться будет.

— Мы знаем об этом, — Баринов качнул головой. — В его казино постоянно находится кто-то из наших людей. Да и вы туда наведываетесь...

— С кем еще встречался этот Филат? — Андрей вопросительно посмотрел на Хруля, расположившегося в самом углу и не принимавшего участия в беседе.

Тот буквально съежился под взглядом шефа, и его слегка выпуклые лягушачьи глаза от волнения выползли из орбит.

— В прошлый приезд он встречался со своим подельником Селезнем. Пробыл у него недолго.

— А что Селезень? Он мог рассказать Филату о «Петротрансе»?

— Мне кажется, Филат каким-то образом и сам догадывается... о нашем интересе, — отозвался Хруль.

— Вот как? На чем основаны подобные подозрения?

— Несколько дней мои ребята дежурили у него под окнами. И направленными микрофонами записали очень любопытный разговор. —Хруль достал из кармана кассету и передал ее Гаврилову. — С девушкой, которая у него живет...

— Кстати, о девушке... — Гаврилов отложил листки бумаги в сторону и строго поглядел на Баринова. — Как она? В порядке?

Баринов энергично кивнул. По его губам пробежала легкая усмешка.

— Все в полном ажуре, Андрей Антонович. Рита поселилась в квартире Филата, видно, надолго. Какие будут инструкции?

Гаврилов только угрюмо усмехнулся:

— А какие тут могут быть инструкции? Селезня нужно немедленно убрать. И еще вот что: весь наш личный состав проверить на вшивость. Тех, кто внушает хотя бы малейшее подозрение, нужно безжалостно отсекать!

— Дело в том...

— Меня совершенно не интересует, как вы будете это делать. В конце концов вы все-таки профессионал. Не доверять никому! Не исключено, что кто-то из наших ведет двойную игру. Я не хочу, чтобы Филат или кто другой раньше времени узнал про изменения в графике проведения тендера. Вопросы есть?

Баринов с Хрулем переглянулись.

— Нет.

— Ну и отлично. И еще вот что: я не исключаю того, что московские попытаются сорвать торги. Поэтому все ваши усилия должны быть направлены на то, чтобы не допустить никаких эксцессов. Разведка и контрразведка должны работать на пределе возможностей. Если мы проиграем конкурс, то проиграем и войну с московскими бандитами. Не знаю, как вы, но я привык побеждать. Какие у вас будут предложения по этому вопросу?

— Я располагаю достоверной информацией, что в случае неудачи московские бандиты могут устроить теракт — взорвать здание горкомимущества, уничтожить документацию и тем самым отменить результаты тендера по «Балторгфлоту», — громко произнес Хруль, хотя вопрос Гаврилова был обращен не к нему, а к начальнику службы безопасности.

Баринов подумал о том, что, оказывается, плохо знает майора, а их совместная работа на хозяина не сблизила их, а, наоборот, развела к противоположным полюсам. Ну каков ловкач!

Хруль в последнее время несколько замкнулся и теперь совсем не напоминал того разбитного майора — любимца части, каким он некогда был. Хруль выполнял какие-то особые распоряжения Гаврилова, о которых Баринов даже не подозревал. И невольно создавалось впечатление, что бывшему майору шеф доверяет куда больше, чем начальнику службы безопасности.

— Все это записано здесь, на пленке... — Хруль кивком головы указал на кассету, которую Гаврилов держал в руках.

— На этот раз желательно будет действовать в тесном взаимодействии не только с вневедомственной охраной, но и с милицией, — торопливо заговорил Баринов, желая перехватить инициативу и оттеснить проныру-Хруля от уха шефа. — И вот что еще. У меня есть предложение... все-таки убрать Филата.

Гаврилов задумчиво мотнул головой.

— Да, полковник, ваш снайпер оказался не из чемпионов... Как же это он умудрился промазать!

Начальник службы безопасности развел руками.

— Джип ехал на большой скорости, да кроме того, там откуда ни возьмись вылетела собачонка из подворотни, водитель вильнул, и пуля прошла по касательной... Но я берусь исправить дело. Можно применить вариант Тетерина...

Хозяин яхты одобрительно кивнул:

— Действуйте. Но чтоб сейчас без срывов. А с ментами я как-нибудь договорюсь. В зал будут допущены только те, кого мы укажем в списке конкурсантов, — и он потряс листками бумаги, полученными от Баринова.

— Сделаем все, что сможем, — поддакнул Баринов. — Наши люди будут дежурить в радиусе нескольких кварталов от того места, где будет проходить аукцион. Мне кажется, неплохо бы продумать еще одну деталь...

— Какую?

— Наши люди должны быть одеты в милицейскую форму. Это даст им возможность действовать по обстановке — вплоть до применения оружия.

Андрей согласился и на это предложение.

— Не проблема. Сделаем. А теперь все.

Гаврилов поднялся, красноречиво дав понять, что аудиенция окончена.

Одна из стенных панелей неожиданно сдвинулась в сторону, и из смежной каюты вышли все те же любезные парни. Один из них, чуть улыбнувшись гостям, указал ладонью на выход.

Впрочем, последнее было лишним: Баринов с Хрулем уже уверенно направились к двери. Громко стуча каблуками по палубе, они поспешно направились к трапу.

— Ты заметил, какие у него в баре напитки? — вполголоса спросил Хруль. — Предложил бы хоть...

— Ладно, переживем, — безразлично отозвался Баринов, думая о чем-то своем.

Глава 23

На столе стопкой лежали четыре видеокассеты. С первого взгляда можно было предположить, что это пиратские копии каких-нибудь зубодробительных боевиков или порнухи: коробки были оклеены белой бумагой, на которой виднелись короткие надписи мелким почерком. Но это было обманчивое впечатление. На видеокассетах были запечатлены эпизоды из жизни ряда высокопоставленных чиновников Петербурга, причем в те моменты, когда они находились вдали от вездесущих фото- и телеобъективов и были (как им думалось!) предоставлены сами себе.

Михалыч уже просмотрел две из них полностью. Зрелище было поучительное. Все-таки генерал Львов оказался, как всегда, прав: его фирма веников не вяжет, и у них не бывает второсортного, залежалого или протухшего товара. Этот товар — первосортный, свежачок! Вот тут мэр Питера во время отдыха на горнолыжном курорте в Австрии. Схвачен незримой видеокамерой в компании именитых воров в законе. Вот здесь — вице-мэр на пляже в Тунисе. Там — глава комитета по имуществу. А на четвертой кассете — приключения заместителя прокурора города. Все, что просил Михалыч, он и получил — не прошло и сорока восьми часов с момента его встречи с Герасимом Герасимовичем на Тверском бульваре... Оперативно, ничего не скажешь. Все-таки, размышлял Михалыч, хоть и много чего изменилось в России-матушке — и комуняк прижали, и приватизацию провели, и частную собственность узаконили, — а коренные основы русской жизни остались непоколеблены. И, как при большевиках, как при царе-батюшке, контора знай себе пишет. Теперь вот на видео. Лихо работают ребята! Выходит, демократия демократией, а тайный сыск никуда не делся. Все по-прежнему под колпаком. Что ж, оно и к лучшему.

Михалыч выключил видеомагнитофон. Больше смотреть эту муру он не собирался. Надоело. Везде одно и то же: ржут, жрут, пьют, трахают блядей, плещутся в джакузи, катаются на катерах, сорят бабками... Да, бабок у этих отцов города много. Очень много. И самое поразительное, что они этого и не скрывали. Мэр в Австрии хорош... Но только один из этой когорты держался скромно. Тот величественный старик у костра... Как его? Гаврилов Антон Лаврович, председатель питерского комитета по имуществу, самый главный игрок в этой непростой игре. Рядом с ним пару раз мелькнул высокий полноватый парень лет тридцати. Шатен с масляными глазками и капризными губами. Под носом родинка. Рожа смазливая, на таких бабы штабелями падают. Трется около старика. Интересно, почему? А старик Гаврилов держится важно, с достоинством. Или, точнее сказать, с опаской. Точно догадывается, что из-за кустов или из-под полы чьего-то пиджака торчит тоненький хоботок миниатюрной видеокамеры. Хитер старик! Но и в его узкой домашней компании Михалыч заметил пару-тройку знакомых физиономий, которых не раз видел на региональных сходняках. Сидор из Пскова. И Ленчик Мурманский. Точно — они! Выходит, и у старика Гаврилова рыло в пуху. Ладно. Это хорошо. От Гаврилова все теперь зависит — и списки конкурсантов, и день тендера, и порядок его проведения. На него Филату и надо выходить. Одной этой кассеты вполне достаточно, чтобы на всю оставшуюся жизнь испортить настроение почтеннейшему Антону Лавровичу...

Надо будет снять несколько копий с этих кассет и отправить по назначению с курьером.

Но что-то подсказывало Михалычу, что беседа с председателем питерского комитета по имуществу будет протекать не слишком душевно и гладко. В старике чувствовался крепкий характер. Такого упрямца ни на понт, ни на испуг не возьмешь. И Михалыч даже не исключал, что попытку шантажа Антон Лаврович воспримет с юмором и сам предложит пойти с видеоматериалами хоть в прокуратуру, хоть в ФСБ.

Михалыч посмотрел на часы. Оставалось десять минут — ровно столько, чтобы не спеша выкурить папиросу. Чаще всего Михалыч баловался «Беломором», ему нравился этот ни с чем не сравнимый дым. А потом, здесь была еще одна тонкость: Михалыч берег здоровье, поэтому табака в папиросе было в два раза меньше, чем в любой американской сигарете, а следовательно (он очень надеялся на это), и никотиновой отравы приходилось поглощать минимальное количество.

Сигареты Михалыч выкуривал под настроение, в кругу приятелей. Ему казалось, что они располагают к основательной дружеской беседе. В то время как выкуривание папирос — это быстрое получение кайфа в полнейшем одиночестве. Михалыч заметил еще одну особенность: папиросы помогают собраться с мыслями и сосредоточиться. Сейчас, вопреки заведенному правилу, Михалыч потянулся за «Кемелом».

Чиркнув зажигалкой, закурил. Если упустить компанию «Балторгфлот», то под угрозой окажутся многие выгодные проекты, например переправка наркотиков транзитом в Западную Европу. В последнее время в Азии научились делать чистейший героин, который очень высоко ценится даже в Швейцарии, а уж они-то знают толк в настоящей наркоте.

В случае неудачи к черту полетит перспектива господства в Центральной и Западной Европе, а вместе с этим общак потеряет миллионы долларов, что, в свою очередь, сильно аукнется по всем зонам, — лагеря недополучат грев, на который рассчитывают. Само собой разумеется, гигнутся немалые деньги, что уже вложены в проект.

Трижды напомнила о себе кукушка в настенных часах, и в этот же миг, предварительно постучав, в комнату вошел охранник Митя. Невольно создавалось впечатление, что он стоял за дверью и дожидался механического сигнала. И неудивительно: Митя был исполнителен и точен даже в мелочах.

— Он пришел, — только и сказал Митя.

— Проси! — кивнул Михалыч.

На пороге стоял Филат.

— Здесь то, что ты просил, — Михалыч ткнул пальцем в стопку видеокассет. — Компра на мэра, зампрокурора, а это... — он взял со стола одну кассету и слегка взвесил ее на ладони, — используй в первую очередь. Председатель комитета по имуществу Гаврилов. Я нутром чувствую, что мы напали на настоящего кабана. Такой зверь, как этот, может насадить на свои клыки даже медведя.

— Не беспокойся, Михалыч, — улыбнулся Филат, сунув кассеты в полиэтиленовый пакет, — меня на клыки запросто не насадишь...

— Держи нас в курсе. Если что, звони прямо сюда... знаешь ли, надоело играть в испорченный телефон. — И, чиркнув на бумажке несколько цифр, Михалыч протянул ее собеседнику.

Этот подарок польстил Филату. В России, да и в Москве мало было людей, кто знал домашний телефон Михалыча и мог позвонить ему при первой необходимости.

Филат был человеком Варяга и все свои контакты с Михалычем имел только через или с ведома Варяга. Но то, что сейчас хранитель московского общака предложил ему держать с ним прямую связь, его смутило. Он не мог даже помыслить, что между Михалычем и Варягом пробежала черная кошка. Но, видно, что-то все же произошло.

Заметив растерянность в лице Филата, Михалыч опередил его вопрос:

— Знаю, знаю, о чем ты сейчас подумал. Но все, что ни делается, не делается просто так. Верно? У Владислава сейчас кое-какие трудности возникли и ему пока недосуг заниматься питерскими делами. Так что будем с тобой напрямую контачить. И вот еще что. — Михалыч сделал паузу и так зыркнул своими пронзительными глазами, что у Филата даже екнуло в груди. — Если у тебя вдруг зайдет разговор о Питере с Бароном... Ты ему ничего не говори. Будто ничего не знаешь. Понял? Скоро ты все сам поймешь. Лады?

— Заметано, Михалыч.

— Наших друзей не жалей, жми на всю катушку, — провожая Филата к выходу, произнес Михалыч. — Золотой ключик находится где-то у них.

— Сделаю все, что смогу.

— Нет, Рома, — впервые за время разговора Михалыч назвал Филата по имени. — Нас такой ответ не устраивает. Ты должен сделать больше того, на что способен.

— Михалыч, не заставляй меня гнуть подковы, я этого не умею, — насупился Рома Филатов, стойко выдерживая немигающий взор светло-голубых глаз. Такие же холодные, как печорские озера, близ которых он отбывал свой последний срок.

— Ладно, ладно, не сердись, — старик добродушно похлопал Филата по плечу. — Проводи до двора, — сказал Михалыч парню, который, несмотря на свой огромный рост, выглядел совсем незаметным. — Большому гостю и почет надлежащий.

Тревога не покидала Михалыча даже после ухода гостя. На столе лежали две пачки: одна с сигаретами, другая — «Беломор», наполовину пустая. Уголок был надорван неровно, и два белых полых фильтра выглядывали самым краешком. Некоторое время он колебался, а потом, решившись, взял папиросу и закурил.

Глава 24

— Ну вот, не успел приехать, как опять уходишь! — Рита капризно надула губы. — Задурил бедной девушке голову, а сам уже остыл? — Она вопросительно глянула ему в глаза и игриво улыбнулась.

Филат вернулся в Питер вчера вечером и тут же, не раздевшись с дороги, позвонил Рите. Она обрадовалась, услышав его голос, и мигом примчалась к нему. Рита сразу огорошила новостью: из горкомитета по имуществу пришлось уйти. После гибели Петра Васильевича ей мягко намекнули, что место секретаря в приемной зампреда надо освободить для другой, более нужной кандидатки. И Филат, то ли поддавшись ее неподдельной печали, то ли и впрямь ее пожалев, предложил переехать на время к нему, пообещав «поставить на довольствие». Уже после разговора с ней, положив трубку, он подумал: а не приискать ли девушке с помощью Красного теплое местечко в каком-нибудь офисе?..

Он внимательно посмотрел на Риту. Странно, но ее жеманство не раздражало Филата. В отношениях с женщинами он никогда не заходил слишком далеко. По своей природе он был гусар, совсем не приспособленный для семейной жизни. Рома врывался в судьбу женщин могучим ураганом, оставляя в их душе или сладкие воспоминания (ах, какой был мужчина!), или мучительную боль, о которой хотелось позабыть немедленно. Да и свою жизнь он мерил не количеством прожитых лет, а числом покоренных женских сердец и тел, о которых он вспоминал или с чувством щемящей тоски, или с ощущением несостоявшегося праздника. Но хоть и многих женщин он успел познать в свои тридцать три года, ни одна не сумела зацепить его так крепко, чтобы он мог сказать: «Именно с тобой мы будем строить домашний очаг». Ему требовались женщины для того, чтобы отдохнуть душой и телом и немного насладиться иллюзией домашнего покоя и уюта. Хотя, если разобраться, он совсем не был против того, чтобы одна из его полюбовниц разрешилась малюткой. В этом случае он бы взял наследника с мамашей на полный пансион. Но бабы очень осторожный народ и предохранялись от его семени с такой тщательностью, как будто вырасти должен был не живот, а рог изо лба. У него даже мелькали такие мысли: «А не заплатить ли какой-нибудь девке, чтобы взяла на себя функцию инкубатора?» Рома Филатов допускал, что когда-нибудь устанет от кочевой жизни и захочет осесть, как Михалыч или Варяг, в Москве. Жену он непременно возьмет «нераспечатанную», какие еще порой встречаются в русской глубинке. Среди них немало девиц с лицом Елены Прекрасной и разумом Василисы Премудрой, однако большой город быстро обтесывает таких до среднестатистических стандартов убогой лимитчицы.

Что и говорить, Филат знал толк в женщинах, испробовав первую в раннем отрочестве. Больше всего ему нравились бабы как раз испорченные, бесстыжие, напрочь лишенные всякого целомудрия, такие, которых бы не покоробили ни матерок, ни постельные заковыристые забавы.

Рита же была совсем другая. Он помнил ее слова, сказанные при встрече в баре: «Я не такая, как все». Права оказалась. Да, она мало походила на его прежних баб, девок, шлюх, блядей — Рита и впрямь была особенная. Ему с ней было не то что хорошо — его переполняла гордость, что *такая* женщина закрутила с ним роман...

Он ощущал, что его страсть к ней не безответна. Она тоже хотела его, не менее жарко, чем он ее. Что ж, бабы часто чуют мужскую силу и похоть и послушно и радостно откликаются на зов плоти. Только Рита вела себя иначе: она держалась с ним не робко, а как-то целомудренно, скромно, тем самым лишь распаляя его желание, словно провоцируя его своими невинными позами и жестами.

Вот и теперь, в это раннее утро после бурной, почти бессонной ночи, она, уже одевшись, взгромоздилась на стул, поджав под себя ноги, и всем своим видом словно говорила: не обижай бедную девушку, неведомо какими судьбами попавшую в этот богатый дом.

Его рука невольно потянулась к обнаженному колену. Он бережно приподнял краешек юбки, как будто хотел увидеть под ней какую-то тайну. Но пальцы натолкнулись на горячую нежную кожу, и, теряя терпение, он грубо задрал юбку до самого пупка. Ладонь скользнула под узенькие черные трусики. Из груди Риты вырвался сладкий стон. Филат решительно потянул вниз тоненькую черную полоску материи. Рита приподняла зад и окончательно освободилась от галантерейных пут, грациозно поддев трусики носком и зашвырнув их в угол комнаты.

Теперь настал черед Филата — коротко взвизгнула молния на брюках. Он поднял Риту на руки, крепко обхватив за бедра, и коротким сильным рывком вошел в нее. Ответом был тихий вскрик. Она ждала этого грубого вторжения.

— Еще!.. Еще!.. — шептала она.

Рита закрыла глаза, слегка откинула голову, отчего ее шея стала казаться еще длиннее. Ну чем не белая лебедушка в когтях злодея-коршуна! Филат, притянув

Риту как можно ближе, впился губами в шею. Пот с него катил градом — он убыстрял темп. Она зажмурилась, в такт отклоняясь всем телом назад. Как бывает в хорошо слаженном дуэте, они вскрикнули в одно мгновение. По ее телу пробежала легкая судорога, и она расслабилась, повиснув на крепких руках Филата.

— Как хорошо, — томно протянула Рита. — Ты еще можешь меня немного подержать, не устал?

Наивность Риты вызвала у него невольную улыбку: знала бы она, каких породистых телок сжимали его руки, тогда бы она не задавала подобных вопросов.

— Можешь не беспокоиться: я смогу тебя так держать хоть до второго пришествия.

— Не стоит загадывать. Отпусти! — засмеялась она.

Осторожно, будто держа хрупкую вазу венецианского стекла, Филат поставил женщину на пол.

— Ну и довел же ты меня до кипения, — заметила Рита,— даже не помню, куда закинула свои трусики.

Филат невольно улыбнулся: на память пришел эпизод пятилетней давности, когда он раздел одну красивую киску, разбросав в порыве страсти ее многочисленные предметы туалета, а потом они на пару лазали под кроватью, сталкиваясь лбами, и искали ее дорогое французское белье.

Не без удовольствия Филат проследил за тем, как Рита надевает наконец-то найденные полупрозрачные трусики. Потом она щелкнула замком сумочки, достала из бокового отсека косметичку и, полуоткрыв рот, стала аккуратно подправлять глаза.

— А где же твои телохранители? — шутливо поинтересовалась она. — Ты едешь один?

Да, на встречу с Селезнем он решил сегодня поехать один — не на броском джипе, а на стареньком зеленом «опеле», который он купил на рынке в позапрошлый приезд в Питер и держал его под открытым небом в палисаднике у дома. Сегодня ему не стоит привлекать внимание возможных соглядатаев. Но вопрос Риты застал его врасплох. Надо ли во все посвящать женщину, которая нужна ему только для постели? Филат поймал ее лукавый взгляд и коротко ответил:

— Да.

— Значит, рядом не будет твоих верных гренадеров, которые готовы прикрыть шефа грудью в минуту опасности? — Рита подправляла карандашом брови, и ее лицо в это мгновение выглядело плутоватым, как у рыжей лисички.

Филат помотал головой. Его не то что насторожила, но удивила настойчивая любознательность Риты. Что ей, блин, за дело до того, с кем он ездит по городу?

Рита завершила макияж и бережно уложила свои аксессуары в косметичку. И раньше Филату приходилось удивляться, как разительно меняются дамы, стоит им воспользоваться всеми премудростями женского обольщения. Даже дурнушка способна расцвести, как майский цветок, что же тогда сказать о такой красотке, как Рита?

Филат выудил из кармана бумажник и достал несколько стодолларовых бумажек.

— Обменяешь: ты же сейчас, как я понимаю, без работы...

На лице Риты промелькнула тень удовлетворения. Она умела не только преподать себя, но еще и с достоинством принимать подарки.

Филат обнял ее за плечи.

— Я закрою дверь на оба ключа. А ты подожди меня здесь. Вернусь через три-четыре часа — поедем пообедаем. Посмотри телек, книжки почитай — вон там в шкафу найдешь. «Графа Монте-Кристо» читала?

Она насупилась.

— Ты меня тут взаперти намерен держать? Что это еще за новости!

— Помнишь, как твоего шефа... и моего приятеля Петю Тетерина на небеса отправили? — серьезно спросил он.

— А при чем тут Тетерин? — не поняла она.

— Не хочу тебя пугать, дорогая моя, но желательно, чтобы ты пока посидела здесь. Не ровен час, те, кто имел зуб на твоего шефа, захотят и тебя разобрать на части...

— Ну уж! — Рита равнодушно пожала плечами и сунула доллары в сумочку.

— А теперь закрой за мной дверь, будь добра. И не забудь задвинуть засов, мало ли что, — строго наказал Филат, шагнув за порог.

На лестнице было тихо — ни разговоров на площадке, ни любопытных взглядов из приоткрытых дверей, ни стоящего мужика у окна, готового пальнуть из пушки через оттопыренный карман плаща. Ничего такого, что могло бы его насторожить. Филат уже давно обратил внимание на то, что этот дом отличался очень уж подозрительным спокойствием. За все время, пока он здесь жил, ему не встретился никто из жильцов, и оставалось только удивляться, какими неведомыми путями они проникают в свои квартиры...

Посмотрев через запыленное окно вниз, Филат убедился, что двор пустынен. У самого подъезда, прижавшись бочком к невысокому штакетнику вокруг палисадника, стоял «опель-вектра», выносливая лошадка, способная убежать от многих опасностей. И все-таки невольное чувство угрозы не оставляло его. Скорее всего, это была не природная интуиция, а выработанное годами ощущение, ставшее инстинктом, когда даже по колебанию воздуха он мог опознать подстерегающую его опасность. Точно так же акулы на большом расстоянии способны определить морского противника по движению его плавников и хвоста.

Сейчас он ощущал угрозу — только никак не мог определить ее источник. Выйдя во двор, Филат огляделся:

никого. Точнее, ничего подозрительного. И вместе с тем что-то было не так.

Теперь у Филата не было уверенности, что вчера он сумел добраться до своего гнездышка у «Гостиного двора» совершенно незамеченным, скорее всего, его «опель» где-то засекли. Он осторожно приблизился к машине — на первый взгляд ничего странного — тачка как тачка. И тем не менее он всегда помнил, что машина — самый уязвимый объект. Ее могли взорвать, расстрелять из автоматов, ее мог протаранить на пустынном шоссе грузовик, превратив пассажиров в кровавую лепешку. Филат уже хотел открыть ключом дверцу «опеля», чтобы осмотреть салон на предмет спрятанной мины, но, поразмыслив, решил поостеречься: не исключено, что и к замку подведен датчик, который сдетонирует мгновенно, стоит сунуть туда ключ.

Филат отошел на значительное расстояние, вытащил из внутреннего кармана куртки небольшую пластмассовую коробочку. Внутри пряталась хитрая японская штучка — универсальный радиоэлектронный детонатор, способный активизировать даже крохотную радиоуправляемую хлопушку. Мысленно помолившись, он пальцем нажал на красную кнопку.

Предчувствия оправдались сполна. Едва кнопка провалилась под пальцем, «опель» разорвало изнутри, и красное пламя легко выплеснулось через битые стекла. За рулем этого «опеля» должен был находиться он, Филат...

Удобство дворика заключалось еще и в том, что кроме основного въезда, куда сворачивали машины с Невского, имелось еще два выезда на смежные улицы, где можно было затеряться в толпе пешеходов.

Машина полыхала факелом, краска на кузове потрескивала. Пройдет еще несколько минут, и во дворе, вылизанном старательными дворниками, останется чернеть обожженный каркас немецкого автомобиля, которому суждено сгинуть на русской свалке.

Филат быстро подошел к подъезду, распахнул дверь и скрылся в темном полумраке коридора. Затем поднялся на второй этаж и по длинному переходу проник в смежное здание, после чего вышел на соседнюю улицу и быстро смешался с толпой.

Всего лишь в трех минутах ходьбы от его дома находился каменный гараж, в котором он держал старенький «москвич».

Этот москвичок был даже не запасным, а аварийным вариантом, который он приберегал на тот совершенно невероятный случай, когда для него в Питере не найдется вообще никакой приличной — или безопасной — тачки. И такой невероятный случай настал...

Вот будет забавно, если гараж взлетит на воздух, едва он сунет в замочную скважину ключ, невесело усмехнулся Филат. Хотя об этом гараже уж точно никто знать не может.

Он достал тяжелую связку ключей, брякнул ими и, выбрав самый длинный, с зубчатой головкой, сунул в замок. Тоскливо заскрипели немазаные петли, и ворота распахнулись, освобождая дорогу запылившемуся автомобилю. Филат сел за руль, завел двигатель, и «москвич», в предвкушении долгожданного пробега, заурчал спокойно и благодарно.

И тут у него в кармане куртки запиликал сотовый. Неужели Красный — вот не вовремя! Филат достал телефон и приложил к уху:

— Слушаю!

Трубка оставалась безмолвной несколько секунд, а потом незнакомый спокойный голос, чуть заметно шепелявя, насмешливо поинтересовался:

— Роман Иванович Филатов?

У Филата все внутри похолодело. Он заглушил движок и инстинктивно распахнул дверцу — не дай бог тут остаться!

— С кем имею дело?

— Скоро узнаешь!

Так с Филатом давно никто не разговаривал. Последний раз ему так откровенно хамил полковник в части. Но рядовой Филатов нашелся, что ответить седому нахалу, и после короткого разговора с командиром получил десять суток гауптвахты. Теперь гауптвахта ему не грозила...

— Я не привык, чтобы со мной так разговаривали, — стараясь не сорваться на мат и крик, процедил Филат. — Ты кто?

— Если у тебя имеется желание побеседовать с нами, милости просим...

— Ты вот что, говорун, — Филат весь кипел от ярости, — можешь мне поверить: при первой же нашей встрече я подвешу тебя за мошонку на крюк и будешь висеть до тех самых пор, пока у тебя яйца не вывалятся наружу.

— Смотри не перетрудись, Филат, — голос оставался спокойным. — А то не ровен час — отправишься вслед за своими друганами из комитета по приватизации и... — голос осекся, — считай, тебе сегодня повезло. Во второй раз повезло, Филат. Ох...тельное везение! Наверно, ты в рубашке родился.

Филат ощутил, как в горле заклокотал комок ярости. Ах, сука, прямым текстом жарит, не боится...

Сделав небольшую паузу, незнакомец предложил:

— Если надумал потолковать всерьез, жду тебя на автостоянке у Якорной. Ты же бывал в том районе, знаешь, как найти. — И тотчас в ухо ударили короткие гудки.

Эта паскуда знала и о его визите к Селезню, который жил в доме на Якорной... Что-то слишком много ему известно. Номер сотового, адреса его питерских знакомых, маршруты движения... Ах, гады, свирепо размышлял Филат, думаете меня на испуг взять — не выйдет. Путь до Якорной займет не более получаса — у него достаточно времени, чтобы посвятить в детали Леху Красного. Ладно, сучары, будет вам по пирожку...

Филат набрал мобильный номер Красного.

— Слушаю! — раздался бодрый голос питерского смотрящего. Можно было подумать, что тот находится не в салоне автомобиля, а парится в сауне с длинноногими гетерами.

— Это Филат. Где ты сейчас?

— А чем должен заниматься хозяин города в такое время? Еду осматривать свои владения. Некоторые дела, знаешь ли, требуют моего личного присутствия.

Тон смотрящего был игривым, как будто в это самое время он поглаживал крутую попку одной из своих избранниц, взгромоздившейся ему на колени.

— Красный, не хотел бы отрывать тебя от важных дел, но, видно, придется.

— Что случилось?

— На меня крупно наехали. Взорвали мой «опель», но это еще полбеды. Они вычислили мой мобильный номер и вроде мою квартиру у «Гостиного двора»!

— Как ты узнал? — От прежней беспечности Красного не осталось и следа. Создавалось впечатление, что питерский пахан ловким движением руки смахнул с колен поднадоевшую наложницу и всерьез занялся государственными делами.

— Мне только что позвонили на сотовый и назначили встречу через полчаса на Якорной. Я еду туда!

— Не дури! Тебя просто шлепнут где-нибудь по дороге. Лучше возвращайся к себе на квартиру. Я подскочу — там и переговорим.

Филат насторожился.

— Ты знаешь адрес?

— А то! Разве это такая большая тайна для хозяина города? Хочу тебе сказать, что я даже видел твою сожительницу. Классная телка!

Глава 25

Возвращение неспроста считается дурной приметой — удачи не будет! Воротившиеся спотыкаются, а добрые молодцы с хрустом ломают шеи. Но Филат все же надеялся, что ему повезет.

Во дворе дымилась груда горелого железа. По тротуару, опираясь на суковатую палку, ковыляла древняя старушенция. Сердито осмотрев покореженный железный скелет, она качнула древней головой и произнесла сварливо:

— Безобразие! Куды ж это милиция смотрит?!

Милиция подъехала в тот самый момент, когда Филат шагнул в подъезд. Бросив взгляд через плечо, он успел заметить, как молоденький лейтенант бросился к почерневшему остову и принялся усиленно изучать его днище. Филат быстро закрыл за собой дверь и стал подниматься по лестнице.

Массивная металлическая дверь, обитая коричневым кожзаменителем, была нетронутой. Его рука невольно потянулась к поясу, и пальцы ткнулись в кожаную кобуру с верным «вальтером».

Он машинально взглянул на крошечный глазок в двери. Вернее, это был не глазок, а миниатюрный объектив камеры наружного слежения. Людей, которые появлялись перед этой дверью, Филат мог наблюдать по черно-белому монитору, установленному в коридоре.

Но сейчас, судя по темному глазку, монитор был отключен. Он забыл его врубить перед уходом. Или не забыл, а просто не пожелал раскрывать одну из своих тайн Рите? Почему? Неужели он все-таки ей не до конца доверял?

На Рите не было лица. Глаза заплаканные.

— Что случилось? — рявкнул Филат, захлопнув дверь и сунув пистолет в кобуру.

У нее дрожали губы.

— Тебе кто-то звонил. Минут пятнадцать назад. Не представился. Попросил Романа Ивановича.

— Мужской голос, спокойный, уверенный. Немного шепелявит? — встрепенулся Филат.

— Да... Ты его знаешь?

— Он больше ничего не сказал?

— Нет, спросил, где тебя можно найти...

— А ты?

Рита бросилась ему на грудь, обвила руками шею и разрыдалась.

— Ну что я могла сказать? Я боюсь, Рома!

Он похлопал ее по спине, прижал к себе и поцеловал в лоб.

— Не бойся. Я с тобой.

И тут в дверь позвонили.

— Это они, — вскричала Рита.

— Спокойно! — прошипел Филат и почувствовал, как внутри все напряглось.

Он мгновенно извлек «вальтер» из кобуры и ощутил, как к нему возвращается обычная уверенность. Включив монитор камеры наружного слежения, он увидел, что у порога, задрав лицо в объектив, стоит Леша Красный, а рядом — двое его парней. Филат подумал, что за все время он ни разу не слышал их голосов. Атланты умело играли роль свиты при могущественном короле — именно такими и должны быть оруженосцы: молчаливые, как камни, огромные, как горы, и решительные, как цепные псы; и, пошевели Леша Красный пальцем, они разорвут в клочья любого.

Воткнув револьвер в кобуру, Филат открыл дверь.

— Жив? — выдохнул с озабоченным видом Красный и, перешагнув через порог, потряс Филата за плечо, как бы удостоверяясь, что он цел и невредим.

Рита даже не подозревала, что перед ней стоит хозяин Санкт-Петербурга, чье влияние было куда весомее, чем у мэра. Филата кольнула игла ревности, когда Рита дольше, чем следовало бы, задержала свой взгляд на красивом лице смотрящего. Безусловно, женский инстинкт подсказывал, что это сильный самец, способный не только крепко утешить, но и щедро одарить. По лицу Красного пробежала волна похоти — он, как уличный кобель, почуявший течную сучку, сразу навострил хер.

— Красивая у тебя подруга, — со знанием дела изрек Красный, стрельнув глазами чуть повыше Ритиных колен, по впадине под юбкой, в то место, где сходились ее полные ляжки. Потом неохотно, словно опечаленный тем, что приходится отрываться от столь занятного зрелища, глянул на помрачневшего Филата. — Если здесь замешана питерская шпана, то об этом я уже буду знать через четверть часа. Хозяин на Невском проспекте Витя Кронштадтский, он всех отмороженных держит на особом учете.

— Не напрягайся, Красный, никакая это не шпана. Это те самые, кто против нас играет. Сработали профессионально, наверняка бывшие спецназовцы. Я уверен, что менты ничего не найдут.

— Там внизу уже следаки вовсю шастают вокруг пожарища. Оцепили площадочку, — прокомментировал Красный.

— Ты бы поторопил их, — криво усмехнувшись, заметил Филат, — чтобы поскорее нашли чего. А то придется тебя просить возглавить следствие. Уж больно все это мне не нравится, Леха. В твоем городе меня что-то не слишком гостеприимно встречают...

— Но-но, фильтруй базар! — отрезал Красный, оглянувшись на стоящих у него за плечами амбалов. Те остались невозмутимыми.

— Где Данила с Глебом?

— На задании, — коротко ответил Филат.

Красный удивленно поднял правую бровь, но ничего не сказал.

— Перед подъездом твоя колымага тлеет?

— Моя...

— Однако здорово ее разворотило. Грамм четыреста... Суровая шутка. Тебя по-серьезному предупредили: дескать, пора тебе складывать чемоданы и возвращаться в Москву.

Красный прошел на середину комнаты и по-хозяйски, разметав ноги в стороны, устроился на низеньком диване.

— Ну, поедем, что ли? Говоришь, на Якорной тебе стрелку забили?

Филат помрачнел, вспомнив про Селезня. Нет, не случайно шепелявый вызвал его на Якорную. Какой-то тут явный подвох.

Красный тем временем напряженно зыркал по сторонам: питерская берлога московского вора его явно заинтересовала. Но еще больший интерес он проявил к Рите. И это Филату совсем не нравилось.

— Так чего же ты расселся — поехали, — грубовато обратился он к Лехе и добавил, обращаясь к Рите: — Оставайся здесь и никому не открывай, к телефону не подходи. Ясно?

Она кивнула, с опаской глянув на Красного. Но тот уже как будто забыл про нее. Он повернулся к своим атлантам и мигнул одному из них. Тот развернулся на каблуках и отправился в коридор. Лязгнул засов, послышался тихий скрип открываемой двери. А еще через полминуты из коридора показалась его белобрысая голова.

— Все в порядке, можно идти, — впервые услышал Филат голос атланта.

Филат аккуратно запер дверь на оба замка. Вспомнил, что забыл присесть на дорожку, чертыхнулся про себя, но не стал испытывать судьбу еще одним возвращением.

Двор был заполнен милицией. Территорию вокруг взорванной машины огородили желтыми лентами. А милиционер с майорскими погонами сгребал с асфальта несколько битых стекляшек и терпеливо изучал их через лупу. По всему было видно: эксперт-криминалист.

— Вы не знаете, чья эта машина? — Навстречу Филату шагнул молодой человек в строгом светло-сером костюме. Даже если бы он шел в плотной толпе, то и в этом случае в нем можно было бы с первого взгляда узнать человека из органов: прямая, словно вытянутая в струну спина; жестковатый взгляд; даже интонация, с которой была произнесена фраза, — деликатная, но не без металлических обертонов — все свидетельствовало о том, что это не новичок, а опытный опер.

— Я недавно дома, так что, к сожалению, ничего не могу сказать, — пожал плечами Филат.

Он собрался уже уйти и взглянул на майора, который продолжал пристально изучать стекляшки. Человек в штатском задал новый вопрос:

— А вы не слышали взрыва?

Опер знал свое дело, смотрел совершенно невинно, но умный пронзительный взгляд все фиксировал на лице собеседника. И он, видно, привык действовать как хорошо натасканный сторожевой пес: уж если вцепится в кого, то не отпустит до тех самых пор, пока сильные челюсти не сомкнутся на горле жертвы. Именно поэтому он не обращал внимания ни на удаляющегося Красного с его атлантами, ни на Риту, которая поплелась следом за смотрящим послушной собачонкой. Профессиональным взглядом опер выудил из группы людей, вышедших из подъезда, самого жирного карася и готов был схавать его с чешуей и плавниками.

— Нет, не слышал, — Филат едва улыбнулся. — У меня окна выходят на ту сторону.

— Очень жаль. А нельзя ли взглянуть на ваши документы? — Тон до отвращения любезный, но в нем ощущались упрямство и железная твердость!

С подобным обращением Филат был знаком и знал заранее все, что будет дальше. Прояви он чуток строптивости, как молодые люди, будто бы без дела стоящие неподалеку, ткнут его мордой в битое стекло и защелкнут на запястьях браслеты. Возможно, учтивый опер добивается именно этого результата, вот только не знает, с какой стороны лучше подлезть.

Для этого случая он имел вполне приличные документы сотрудника Минтопэнерго.

— Пожалуйста! — улыбнулся Филат, раскрыл солидную красную корочку с золотым тиснением и подставил ее к глазам назойливого опера. — Михаил Петрович Григорьев, консультант Министерства топлива и энергетики. Из Москвы. Здесь по личным делам.

— Хорошо. Извините, — вежливо произнес человек в штатском. Однако раскаяния в его голосе не чувствовалось совсем.

Даже если предположить, что ретивый опер не поверит корочке, пройдет не меньше двух часов, прежде чем он установит истину, а за это время можно слинять далеко...

— Понимаю: служба! — великодушно отозвался московский гость, бережно пряча солидную корочку во внутренний карман куртки.

Красный с Ритой уже зашли за угол. Ишь ты, зло подумал Филат, какая парочка — даже ни разу не обернулась.

Бдительный опер что-то торопливо записывал в своем блокнотике. И, бросив на него прощальный взгляд, Филат успел уловить в его лице некое раздумье. Предчувствие нашептывало ему, что это не последняя их встреча.

* * *

До Якорной «мерседес» Красного домчал их за десять минут. Рита сидела рядом с Филатом и за всю дорогу не проронила ни слова. Красный же, по своему обыкновению, разливался соловьем, то и дело стреляя сверкающим похотливым глазом на Ритины голые колени и выпирающую из-под блузки грудь. Филат тоже помалкивал, прокручивая в голове бурные события последних дней.

Когда подъехали к Якорной, первое, что заметил Филат, — светло-желтый фургон «скорой помощи» у дома Селезня.

— Эй, Леха, погляди-ка, — проговорил он внезапно охрипшим голосом. Его сердце учащенно забилось. Нехорошее предчувствие запульсировало в душе.

— Давай-ка, Толян, объедь «скорую», — скомандовал Красный. — Узнаем, что там стряслось.

«Мерседес» мягко причалил к тротуару позади желтого фургона с красным крестом. Филат высунулся из окна. Из подъезда санитары вынесли тяжелые носилки, прикрытые белой простыней. На носилках лежало тело. Судя по тому, что простыня прикрывала не только туловище, но и лицо пациента, стало ясно, что на носилках — труп.

— Что произошло, командир? — скроив озабоченную мину, спросил Красный у молодого врача, который что-то писал в своем журнале.

Врач оторвал глаза от журнала и собрался было отшмарить зеваку, но, когда увидел лицо Красного, сразу передумал и отрапортовал четко:

— С жильцом несчастье. Сердечный приступ.

Филат почувствовал, как по спине поползли капельки холодного пота.

— А жильца фамилия не Селезнев случаем?

Врач с изумлением поглядел на нового собеседника и кивнул:

— Точно. Селезнев Игорь Владимирович. Сорок два года. Вы его...

Филат откинулся на подушки. Та-ак! Петля вокруг него продолжает сжиматься! Селезня грохнули!

— Поехали, Леха, поехали отсюда, — прошептал он в отчаянии, — поехали посмотрим, что там на этой автостоянке...

Красный кивнул водителю Толяну, тот уловил приказ и дал газ. Тормознув у платной автостоянки, что находилась в двухстах метрах от дома Селезня, Толян выразительно посмотрел на хозяина.

На автостоянке за металлической решеткой скучали с десяток тачек. У въезда на стоянку сидел черный лохматый пес и глядел в сторону. Ни на территории стоянки, ни рядом никого не было.

— Я понял, — проговорил Филат, — что это за шутка. Они специально вызвали меня сюда, чтобы я увидел... «скорую». Что можешь сказать, Леха?

Красный молча сидел с мрачным видом.

— Одно скажу, Филат. Если грохнули Селезня, значит, совсем оборзели. Ни хера не боятся. Селезень же был казначеем уральцев. За Селезня мстить будут по-черному. Теперь с Урала такая херомундия накатит... Одно ясно, что войну вам, братва, объявили не законные. И не бандюки уличные. Концы надо искать в той воздушно-десантной части, где покойники Гера и Сема служили...

Филат кивнул. Красный говорил дело. Да только где их теперь найдешь, эти концы, если не только Гера и Семен гигнулись, но и стух их заказчик Кеша — единственный, кто мог бы его вывести на своего хозяина.

Глава 26

Видеомагнитофон отключился, экран телевизора потух. Мужчина лет сорока пяти и молодая брюнетка с фигурой топ-модели исчезли. Все бы ничего, да молодая особа была совершенно голой: широко раскинув ноги, она лихо оседлала самый краешек стола, а представительный мужчина навис прямо над ней с угрожающе торчащим орудием любви. Судя по тому, как стремительно разворачивались предшествующие события, парочке предстояло провести немало сладостных минут. Обстановка в комнате была казенная: потертые кресла, зеркальный шкаф, за тюлевой занавеской виднелась лоджия с белыми пластиковыми шезлонгами. С первого взгляда было понятно, что действо происходило в номере ведомственного санатория «Добрые ручьи» под Петергофом.

Генеральный директор ГАО «Балтийский торговый флот» Иван Борисович Абрамов с интересом досмотрел бы озорной фильм до конца и посмеялся бы над незадачливым чиновником, по глупости угодившим в коварные видеосети, если бы в седеющем крепком мужчине не узнал себя...

Влип, что называется, по самые уши. Как тот министр в бане! Чем это пахло, Иван Борисович понял сразу. Интересно, кому понадобилось ставить у него в номере видеожучка? Многие чиновники самых высоких

281

рангов имеют любовниц и — ничего, а тут завел было невинный роман — и тут же засветился!

Беда в том, что красотка Анджела, с которой он так весело провел время в доме отдыха, была владелицей крупного универсального магазина в Петербурге, и, что самое неприятное, на открытие универмага именно он ссудил ей деньги из бюджета. Конечно, оформлено все было как следует, но если следаки начнут копать глубоко, то выкопают много чего. Несколько раз он брал деньги из фонда реконструкции города, всякий раз «забывая» их вернуть. Нынешней весной он прокатился с Анджелой в Тунис — в тот раз помогли доброхоты, пожелавшие получить в его лице толкача для какого-то очень выгодного строительного подряда.

Если о его сексуальных приключениях прознает супруга, будет жуткий скандал. Обидно, конечно, да как-нибудь пережить можно. Но если что-то просочится в газеты, то конец его карьере! Тогда уж наверняка вспомнят о всех финансовых грешках — а в этом случае одним скандалом не отделаешься. Тут пахнет тюрьмой! От мысли о подобной перспективе Иван Борисович невольно содрогнулся.

Эту кассету в простой белой коробке ему передал сегодня утром вежливый молодой человек выразительной наружности: крепкий, рослый, бритый, с толстой шеей и стальными глазами — по виду бывший десантник. При разговоре с ним у Абрамова сразу возникло подозрение, что за его внезапным визитом скрывается опасная подстава. Самое странное, что курьер сумел миновать милицейский пост и беспрепятственно добрался до его кабинета. Хотя ребята, дежурившие на вахте, были далеко не рохли. Абрамов припомнил случай, когда Егорову, уборщицу, они даже заставили выписать пропуск, а все потому, что сержант, дежуривший в этот день, оказался на редкость принципиальным. Сейчас же десантник умудрился без проблем миновать охрану, дотопал до третьего этажа, где размещался кабинет Абрамова, и, передав пакет, исчез. С таким же успехом он мог принести ему не кассету, а посылку с динамитом...

Иван Борисович уже поднял трубку, чтобы позвонить вниз на пост и выяснить, каким таким чудесным образом неизвестный оказался у него в кабинете. Но в последнее мгновение передумал: ведь у неизвестного вполне могла оказаться «корочка», перед которой спасовала даже охрана ведомственного здания. А если так, то игра затеяна на самом высоком уровне. Визитеру совсем не обязательно быть сотрудником ФСБ — нужные документики ему могли любезно предоставить люди, его пославшие.

...Телефонный звонок прозвучал неожиданно и оттого показался Абрамову неестественно громким. Он дрожащей рукой поднял трубку и едва ли не выкрикнул:

— Да! Слушаю!

— Что же вы так нервничаете, господин Абрамов? Я и так вас прекрасно слышу. — Голос невидимого собеседника звучал насмешливо. — Вы получили фильм?.. Надеюсь, он вам не испортил настроения? Должен заметить, что это только небольшая часть из нашей обширной видеотеки. Если вы интересуетесь этими документальными съемками, могу прислать вам более захватывающие эпизоды. Например, есть материал о вашем отдыхе в Тунисе с Анджелой Тарасовой. Вы тогда были там в служебной командировке, а...

— Послушайте, что вам надо от меня?! — Абрамов едва сдерживал бешенство.

— Не надо так горячиться, Иван Борисович! Поберегите нервишки.

Неизвестный говорил нагло и не делал попыток это скрывать. Абрамов сразу понял, что юлить нет смысла: собеседник много чего знал про него — даже про Тунис... Иван Борисович ощущал себя так, как, наверное, чувствует себя комар перед пастью прожорливой жабы.

— Говорите, я слушаю. — Иван Борисович призвал на помощь все свое самообладание.

— Судя по вашему взволнованному тону, отснятый материал произвел на вас сильное впечатление. Да, сцена в санатории ну прямо пособие для...

— Какого черта!

— А вот так со мной говорить не стоит, — рассердился незнакомец. — Как я слышал, питерцы вообще народ вежливый, культурный... Вы, наверное, родом не из Ленинграда?

И тут Иван Борисович кое о чем догадался. Ага, значит, это приезжий. И что же ему надо? Ну ясно что. Опять заведет речь о приватизации флота. Он вспомнил, как пару недель назад сюда звонил такой же нахал. Правда, не ему, а его заместителю Семенову. Тоже вел разговор о приватизации флота. Говорил, что кое-кого в Москве это очень интересует. Он даже назвался — Чиф. Семенов сразу поведал ему о том странном разговоре, и Иван Борисович принял срочные меры. Позвонил. А через неделю прочитал в «Санкт-Петербургских ведомостях» о том, что на свалке у порта нашли труп московского вора в законе Чифа... Система сработала четко.

И вот теперь они взялись за него. Да еще и пришли не с голыми руками.

— Нет, я коренной ленинградец, — не без гордости ответил Абрамов. — Просто я не привык к такому тону, и к тому же я не знаю, с кем говорю. Вы не хотите представиться?

Собеседник засмеялся:

— Ну, допустим, Филат. Меня и моих друзей интересует «Балтийский торговый флот»...

— Приватизация? Это невозможно! — отрезал Абрамов. — Вы ввязались в безнадежное предприятие. Фактически судьба флота уже предрешена. Это будет местная приватизация. Вам не выиграть конкурс...

— Что значит не выиграть? — спокойно возразил Филат. — Если это конкурс, то, значит, кто больше бабок отвалит, тот и выиграет...

— Нет, дело не в деньгах.

— Так помогите нам. Вы же генеральный директор! Давайте это обсудим.

— Нам нечего обсуждать. В этой игре победители уже выявлены. И от меня ничего не зависит. На этой шахматной доске я всего лишь пешка, — горячо убеждал собеседника Иван Борисович.

— Видно, вы и вправду не представляете, с кем имеете дело. Вам недостаточно одной кассеты? Тогда мы можем предоставить запись вашей беседы с неким господином Подберезовым.

— Не надо, — сдавленно отозвался Абрамов и почувствовал, как его прошиб холодный пот.

Дело в том, что Подберезова ему сосватал Андрей Гаврилов, поручившись за него «как за самого себя». Подберезов был представителем крупных иностранных фирм-фрахтовщиков. Именно он, Подберезов, посулив Ивану Борисовичу невиданные барыши, уговорил его сдать в аренду три большегрузных танкера каким-то грекам, которые на поверку оказались с Кипра. Греки-киприоты заключили контракт на поставку нефти в Грецию, взяли у него суда без предоплаты, исчезли, фирма-поставщик потом вчинила «Балторгфлоту» иск, грозила арестами... Словом, именно Подберезов фактически и был главным виновником банкротства флота. Абрамову с трудом удалось отмазаться от Подберезова, который очень кстати исчез, и Иван Борисович уже думал, что о том злополучном контракте, с которого Подберезов обещал ему «лимон» баксов, никто и не вспомнит. Да вот всплыл-таки фрахтовщик вместе с видеокассетой... Но как они узнали? Ведь беседа с Подберезовым происходила с глазу на глаз на его, Абрамова, даче. Хотя раз уж они могли снять его с Анджелой в «Добрых ручьях», то чего удивляться...

— Я все понял, — безрадостным тоном сообщил Абрамов.

— Ну вот видите, как все прекрасно складывается. Я знал, что мы обязательно достигнем консенсуса.

— Но что вы конкретно от меня хотите?

— Иван Борисович, считайте, что мы не хотим от вас ничего. Кроме... одной маленькой услуги. Мы просто просим вас войти в наше положение. Фирма, которую я имею честь представлять, вложила уже колоссальные средства и не собирается их терять из-за того, что кто-то в вашем городе хочет купить «Балторгфлот» в обход закона. Нам это странно. Мы чтим закон, потому что сами законные... — собеседник усмехнулся своей удачной шутке. — От вас не требуется ничего криминального. Только немного оттянуть день проведения аукциона. Конкурс назначен на двенадцатое?

— Да, — устало подтвердил Иван Борисович, хотя он уже знал, что дату конкурса втихомолку перенесли на неделю раньше — на пятое.

— У нас сегодня третье, — продолжал Филат. — Десять дней роли ведь не играют — для вас, а для нас это очень важная фора во времени. Правда, было бы лучше, если бы тендер отложили на месяц! Так вы нам поможете? — добавил он таким тоном, что у Абрамова по плечам и шее пробежал колкий озноб. — Или вы еще не поняли, с кем имеете дело?

— О чем вы говорите! — вскричал Иван Борисович. — Это просто невозможно! Вы даже не подозреваете, какие силы в городе заинтересованы в скорейшей приватизации компании.

— Повторяю: не надо так горячиться, Иван Борисович! — по-отечески увещевал незнакомец. — Нервные клетки не восстанавливаются.

— Хорошо, я попытаюсь, — сказал Абрамов. — Но самое большее, что я могу сделать, это отложить конкурс максимум на две недели. И даже в этом случае мне нужно найти весьма убедительные аргументы.

— Вы говорите о деньгах? — В голосе собеседника послышалось недоумение.

— Какие к черту деньги! Я потеряю доверие... городских властей.

— Это не самое страшное в жизни. Если вы не выполните нашу просьбу, тогда потеряете наше доверие, а это, поверьте, куда опаснее. У меня сейчас лежит видеокассета, оригинал с вашей Анджелой. Ее можно немедленно отослать в мэрию...

— Хорошо. Я сделаю все, что от меня зависит.

— Вот и славненько. Когда вам перезвонить?

— Завтра... Нет, лучше послезавтра.

— Я перезвоню вам сегодня в шесть вечера. В самом конце рабочего дня, — жестко заявил Филат тоном, не терпящим возражений. — Чтобы к этому времени все было решено. — В трубке раздались короткие гудки.

Абрамов от ярости и отчаяния готов был швырнуть телефон в стену, но, взяв себя в руки, опустил трубку на рычаг.

Что за сучья жизнь! Как все непрочно, хрупко, зыбко. Как было спокойно раньше, при старом режиме. С девяти до шести. Оклад твердый, еженедельный паек в райкоме. Профсоюзные путевки летом. Госдача. Казенная «Волга» с шофером. А теперь ходишь в этот кабинет как на каторгу. Ни хера не понятно. Кругом одно жулье, Антон Лаврович звонит, указания дает, Андрей Антонович звонит, указания дает, из мэрии звонят, указания дают — и каждый тянет одеяло на себя, каждый норовит поживиться за счет этой е...ной приватизации. Хоть бы он послушался тогда тестя и не согласился идти на повышение, остался бы главным инженером в пароходстве, не брался бы за этот чертов флот...

Почти с час Иван Борисович пребывал в полнейшей прострации. Будь он помоложе, собрал бы в охапку кое-какие сбережения да слинял бы за финскую границу. Авось не остановили бы друзья-пограничники, разве мало он им отдал мзды за годы плодотворного сотрудничества? Напомнил бы им, что пришло времечко отрабатывать легкий хлебушек. Но как быть с отлаженными связями, что нарабатывались годами; как быть с дачей, в которую он уже вложил не одну сотню тысяч долларов? Нет, просто так ни в коем случае уезжать нельзя, нужно что-то предпринять... Надо позвонить Гаврилову — он должен помочь.

Господи, как же он сразу не подумал об этом варианте? Вот что значит растерялся! Лицо Ивана Борисовича приобрело прежнюю решительность: почему он должен расхлебывать все это в одиночку? Разве он сам все это придумал? Теперь пускай голова поболит у Гаврилова!

Абрамов решительно снял трубку и с какой-то злобной обреченностью стал нажимать кнопки.

— Слушаю!

Это прозвучало так же, как если бы он услышал: «Вам что?»

— Иван Борисович говорит! — решительным тоном заявил Абрамов, дождавшись ответа абонента.

Сдерживая в душе бурю, продолжал:

— Антон Лаврович, вы можете мне уделить минутку? Спасибо. Вообще-то это не телефонный разговор, но дело не терпит отлагательства. Мне только что звонили. С просьбой отложить проведение тендера на... два месяца. Или на месяц.

Наступила пауза.

— Надеюсь, ты не прогнулся?

От этих слов у Абрамова все внутри похолодело.

— Да нет... У них имеется... в общем, они меня застукали с женщиной. Это долгая история. У них есть серьезный компромат на меня. Я не знаю, что делать!

На этот раз молчание было угрожающе долгим, и Абрамов терпеливо ожидал поток обвинений.

— И это все? Мы учли такой вариант и были готовы к нему... — спокойно проговорил собеседник. Легко было представить, как при этих словах он безмятежно улыбнулся. — Так что пугаться тебе не стоит. Разве ты забыл, о чем я тебя предупреждал: будут сильно давить. И, как видишь, ожидания вполне оправдываются.

Абрамов понемногу начал успокаиваться. Спокойный голос Гаврилова-старшего действовал на него гипнотически, как речь проповедника. Накрутил себя черт знает как, а дело-то оказалось пустячное. Все нервы! Надо будет съездить потом куда-нибудь в тайгу на пару недель: грибы, рыбалка, лес действуют на русскую душу куда более умиротворяюще, чем какие-нибудь хваленые Канары.

— Я позвонил так... предупредить, на всякий случай... мало ли что. — Абрамов уже полностью овладел собой. Он даже сожалел, что запаниковал.

— Ты правильно сделал, что позвонил, Иван, потому что я должен знать все, что происходит. Чтобы принять единственно верное решение. Вот что, я посоветуюсь с Андрюшей и перезвоню тебе. Ты у себя? Ну, жди.

Абрамов положил трубку и, подперев рукой подбородок, как первоклассник, уставился в стену. Так он сидел минут десять. Или двадцать. Наконец тишину кабинета прорезал телефонный звонок. Он поспешно поднес трубку к уху. Это был руководитель городского комитета по имуществу.

— Вот что, — без предисловий начал Антон Лаврович. — Я думаю, нам не резон опасаться каких-то московских бандитов. Мы своих-то в бараний рог скрутили, а уж с пришлыми как-нибудь справимся. Андрей говорит: все ерунда. Забудь об этом звонке. Какой у них на тебя компромат? С любовницей в доме отдыха? Ну и кого это может в наше время удивить? Не бери в голову,

Иван. И вот что... Я передам тебе сегодня список участников тендера. Посмотри, может, захочешь сделать какие-то замечания. К тебе сегодня вечерком домой заедет человек. Он тебе скажет, что от Петра Семеновича, ты не удивляйся. И не забудь предупредить вахтершу в подъезде, чтобы его пропустила.

— Конечно. Я знаю этого человека?

— Кажется, нет... Это и неважно! Он принесет инструкции, как тебе следует поступать дальше. Не рассказывать же мне все это по телефону.

— Разумеется!

— Ну давай, не вешай носа! Завтра подъезжай ко мне, обо всем обстоятельно поговорим.

Настроение у Ивана Борисовича заметно поднялось. Будто бы и не было недавнего неприятного разговора с Филатом.

Глава 27

Андрей Гаврилов повернул холодный кран, усилив напор воды, и подставил под жесткие струи лицо. Он обожал холодный душ и предпочитал его модной сауне и русской бане. Баня, конечно, хороша, особенно с похмелюги, когда пар выгоняет из отяжелевшего тела пот с остатками алкоголя. Но ничего не может сравниться с контрастным душем, который нещадно колошматит по коже, и его бодрящее действие больше напоминает иглотерапию. Так и кажется, что у тебя за спиной стоит искусный желтолицый маг с хитрым восточным прищуром и вгоняет иглу за иглой в спину, в плечи, в шею. И чем сильнее напор воды, тем благодатнее чувствует себя тело...

Андрей лег на дно ванны и вытянул ноги. Мелкие иглы резво пробежались по голеням, подарив телу новый восторг. Так и лежать бы тут до вечера... Но нельзя: дела!

Поднявшись, закрыл кран, нащупал босыми ногами мохнатые тапочки и прошлепал, голый, до вешалки, где висел шелковый халат. Посмотревшись в огромное, едва ли не во всю стену, зеркало, он с грустью обнаружил, что начинает слегка полнеть. Особенно заметно сей неприятный факт проявился в талии: по бокам собрались неприятные жировые складки, которые можно было бы убрать только усиленной работой со штангой, да и на груди поднакопился жирок. Андрей потешил

291

себя мыслью, что все-таки в его плотном рабочем графике в ближайший месяц появится брешь и он сумеет восстановить прежнюю спортивную форму. Ведь было время, когда фигура у него была как у Геркулеса, и лишние сто граммов веса он воспринимал, как личную трагедию.

Набросив на плечи халат, он направился в комнату. Обтираться Андрей не любил — предпочитал, чтобы тело обсыхало само, под прохладным шелковым халатом. Подобную привычку Андрей приобрел лет пять назад, когда отдыхал в Арабских Эмиратах Его многое поразило в этой крохотной, но богатейшей стране — «роллс-ройсы», дворцы шейхов, золото и драгоценные камни в витринах магазинов. Впрочем, эту экзотику он воспринял едва ли не как должное. Что его удивило по-настоящему, так это привычка богатых арабов покидать турецкую баню не вытирая тела: они набрасывали халаты прямо на мокрую спину. Пробыв в Дубаи две недели, он стал поступать точно таким же образом, а, вернувшись в Санкт-Петербург, с удивлением обнаружил, что приобрел новую привычку, и его кожа уже более не могла смириться с махровым полотенцем, предпочитая ласковую мягкость шелка...

Он достал из холодильника бутылку «Баварии» — самое то после контрастного душа. Провалившись в мягкое кожаное кресло, он ловко поддел крышку открывашкой в виде рыбы и, припав губами к горлышку, принялся неторопливо пить, наслаждаясь каждым обжигающе-холодным глотком. Запоздало подумал о том, что за пять минут его вес увеличится еще на полкило, но поделать с собой уже ничего более не мог.

Перед ним, на низеньком столике, находился большой конверт из плотной желтой бумаги. В конверте лежал список участников предстоящего конкурса на приватизацию ГАО «Балтийский торговый флот». Это был очень хитрый список, составить который его надоумил отец, Антон Лаврович Гаврилов. Да, что бы я делал без папы, блаженно потянувшись, подумал Андрей. Папа — молодец! Такой гениальный план придумал — никому бы подобное в голову не пришло.

План Антона Лавровича был прост, как все гениальное. Приватизация государственного имущества проходила по правилам, которые придумали в Москве, и нарушать их не было позволено никому. Ладно, сказал мудрый Антон Лаврович, мы и не будем их нарушать. В конкурсе должны участвовать несколько претендентов на собственность — пусть их будет десять. А лучше пятнадцать. Они должны подать заявку на участие в тендере минимум за месяц. Заявки подавались в городской комитет по имуществу, который возглавлял Антон Лаврович. Визу на заявках ставил генеральный директор «Балторгфлота» Иван Борисович Абрамов. Утверждался список на коллегии мэрии. Антон Лаврович обещал Андрею обеспечить поддержку со стороны мэрии и прокуратуры. Гендиректора «Балторгфлота» и, самое главное, участников аукциона Андрей должен был взять на себя.

И он начал работать. Вначале с помощью службы безопасности во главе с Бариновым он отобрал пятнадцать наиболее надежных, наиболее верных кандидатов на роль «участников тендера». Понятное дело, что все это были липовые, подставные фигуры — «мертвые души», фигурировавшие только на бумаге. Никто из них, разумеется, и не мог даже претендовать на двухсотмиллионный флот, потому что бабок в их тощей кассе было кот наплакал. Но зато Гаврилов был близко знаком с руководителями всех этих фирмочек и знал наверняка, что они не станут возникать, если что... Потому что президент акционерного общества «Мурманскстрой» Геннадий Павлович Щукин был давним его партнером, а с генеральным директором псковской научно-внедренческой фирмы «Буран» Алексеем Ивановичем Воробьевым он познакомился на отдыхе в Эмиратах пять лет назад и за это время провернул с ним немало прибыльных операций; многолетнее знакомство связывало его и с директором архангельского «Деревосбыта» и смоленского «Крепкого дела», да и прочие «участники» тендера входили в ближний круг делового общения Андрея Гаврилова. Впрочем, ушлый папа, просмотрев подготовленный им список, с сомнением покачал головой. Он настоял на том, чтобы в списке фигурировали хотя бы три-четыре вполне реальных претендента — это ему посоветовал зампрокурора города Юрий Ильич Степанов. Когда будут проводить юридическую проверку итогов конкурса, могут докопаться до того, что финансовое положение «мертвых душ», мягко говоря, оставляет желать лучшего, и — аннулируют приватизацию!

И тогда Андрей поручил Баринову найти три крупных питерских концерна и через своих людей организовать утечку информации о возможности пройти в заветный список. Баринов задание выполнил с блеском. В две недели нашел и проверил-перепроверил три компании, которые клюнули на приманку и подали в комитет по имуществу заявку.

Теперь, когда полный список участников конкурса определился, Андрей мог бы и расслабиться. Но расслабухи не получилось. Вчера он сделал неожиданное открытие: за ним следят! Причем слежка велась очень мастерски: плотно, но незаметно. То есть, конечно, им казалось, что незаметно. Андрей-то их раскусил! Поразмыслив, он понял, что на подобную наглость вряд ли могли отважиться люди из питерского ФСБ (к чему им лишний раз конфликтовать с городским начальством?). Скорее всего, на хвост ему сели люди Красного, которым требуется установить его связи. Ладно, мы еще посмотрим, кто кого. Первый раунд он все-таки выиграл, хотя бы потому, что дату тендера удалось втихаря перенести на неделю раньше. Противник об этом пока не знает. И не узнает, если не найдется кто-нибудь слишком болтливый. Как Тетерин.

Правила этой опасной игры требовали решительных и безжалостных действий, они требовали без малейшего колебания убирать всех неблагонадежных. Кто знает, о чем Тетерин говорил с посланцем московских законных воров, что он пообещал Филату... Конечно, папа недоволен тем, что убили одного из его заместителей: теперь надо будет приложить немало усилий, чтобы не начался вселенский скандал. Слишком много в последнее время в Питере заказных убийств. Слишком много... Андрей недовольно поежился. Конечно, много. Раньше им было легче — раньше были «политические процессы», с помощью которых избавлялись от неугодных. А теперь осталось одно-единственное средство — снайперская пуля. Ладно, если вокруг взрыва тетеринского «жигуленка» поднимут большой хипиш, придется вытащить кое-какой компроматец на покойного — и тогда шумиха сама собой утихнет.

По телу пробежала приятная истома — древние римляне нисколько не лукавили, когда называли первейшими радостями жизни баню и вино. А когда эти прелести вкушаешь в комплексе, то удовольствие получается тройное.

Андрей вытащил из конверта список. Первым в нем значился концерн «Электроника». Ага, бывший «почтовый ящик» Министерства среднего машиностроения. Радары. Средства космической связи. Значит, есть деньжата у военных, хоть и плачутся на каждом углу. Президент концерна Никифоров Сергей Федорович. Претендует на пятнадцать процентов. Не хило. Ну, с Никифоровым может поработать Баринов. Наверняка у этого старого шпиона есть материалы на президента «Электроники». Давануть на мужика — он и отпадет, как высохший лист с ветки. Напротив фамилии Никифорова он поставил жирный «минус». Следующим в списке реальных претендентов шел Илья Семенович Розентул, гендиректор объединения «Олимпиец». Претендует на двадцать процентов. Гаврилов усмехнулся. Так, у строителей спортивных сооружений славного города Питера появились лишние бабки, сэкономленные после реконструкции футбольного стадиона. Баринову не удалось выяснить, за кого играет господин Розентул, но совершенно точно, что он будет бить по его, Гаврилова, воротам. А потому за день до конкурса бедолага попадет в больницу с обширной черепно-мозговой травмой. Андрей не без удовольствия вывел против фамилии Розентула «минус». Третьим в списке значился комбинат по производству детских меховых игрушек. Пятнадцать процентов. Директор — Фомин Егор Филиппович.... Гаврилов прочитал сделанную рядом мелким почерком Баринова запись: «Женат, имеет дочь-школьницу, проживает постоянно на даче». На этого хмыря тоже можно будет набросить намордник. Накануне конкурса на фабрике игрушек произойдет пожар, и Егор Филиппович волей-неволей вынужден будет присутствовать не на конкурсном собрании, а на тушении пожара...

Допив остатки пива, Андрей отставил бутылку в сторону. Требовалось сделать телефонный звонок.

Услышав на другом конце линии деловитый бас, он произнес:

— Надо передать пакет.

— Кому? — Голос на том конце провода был спокоен.

— Через час доставят. Адрес — на конверте.

— Хорошо, я понял. Условия прежние?

— Разумеется, — ответил Андрей и положил трубку.

* * *

Вечером Иван Борисович Абрамов отправил жену в гости, а сам стал ждать посыльного от Антона Лавровича. Он понял, что сегодня одержал пусть и маленькую, но все же победу. Как сказал председатель горкомимущества: «Не бери в голову... Кого сегодня этим удивишь?» Ха, это точно! Теперь не грех бы отметить эту маленькую победу рюмкой коньяка. И Абрамов, не раздумывая, достал из серванта пузатую бутылку «Наполеона». Налил аккуратно, стараясь не пролить дорогой коньяк на стол. Если вдуматься, каждая такая капля, упавшая мимо рюмки, стоит пару долларов. Такой отменный напиток на Западе попивают только самые состоятельные люди, и Абрамов невольно улыбнулся, подумав, что и себя машинально отнес к касте избранных. Он выпил коньяк по-русски — махом. Во рту остался терпкий острый привкус. Абрамов закусил шоколадкой...

Предупредив вахтершу об ожидаемом госте, Иван Борисович позволил себе расслабиться: включил тихую музыку, закурил дорогую сигарету и налил очередную порцию коньяка. В голове наступило просветление — возможно, сказывалось действие спиртного, но, скорее всего, подобное произошло от облегчения, испытанного после разговора с Антоном Лавровичем. Хорошо вот так сидеть на мягком диванчике, обтянутом модной светлой кожей, и попивать дорогой коньячок.

Часов около восьми в дверь позвонили. «Наконецто!» — Абрамов отставил рюмку в сторону и поспешил к двери. На всякий случай посмотрел в глазок: у порога стоял молодой парень двадцати с небольшим лет, одетый в светло-серый костюм. Приятное простоватое лицо внушало доверие. Мелко звякнула отброшенная в сторону цепочка, и дверь отворилась.

— Здравствуйте, — улыбнулся незнакомец, не решаясь переступить порог. — Я от Петра Семеновича.

— Я в курсе. Проходите! — улыбнулся в ответ Абрамов, пропуская гостя в квартиру. — А где пакет?

Парень протянул ему большой желтый конверт. Абрамов взял конверт и достал из него несколько плотных листков бумаги.

— Может, вы хотите чаю? Или кофе? Или рюмочку? У меня изумительный коньяк... — Иван Борисович повернулся к гостю спиной и двинулся к столику, чтобы наполнить свою рюмку.

— Не беспокойтесь, это лишнее, — безмятежно произнес тот, неторопливо извлекая из внутреннего кармана пиджака «беретту» с глушителем, похожим на кусок полированной трубки.

Выстрел прозвучит почти бесшумно. Такой эффект достигается в том случае, когда температура пороховых газов не превышает комнатной. Из длинного ствола выпорхнет черный ангел и заберет на небеса грешную душу.

Глава 28

Председатель банка «Петропромстрой» Владилен Сергеевич Крюков искренне завидовал рядовым россиянам, на которых не давят десятимиллионные кредиты, которых не прижимают компаньоны, требуя увеличить процент, и которые могут свободно прогуливаться по вечерним улицам, не опасаясь быть пристреленными из подворотни. Им незачем иметь целый штат телохранителей, они предоставлены сами себе, твердо зная, что завтрашний день не начнется с традиционных телефонных угроз, а обнаглевшая «крыша» не потребует вложить прибыль в авантюрные проекты, от которых одни убытки... Он понимал, что уже который год ходит по лезвию ножа, а его будущая жизнь так же зыбка, как мираж в пустыне. И если однажды его найдут в подъезде собственного дома с простреленным затылком, то это обстоятельство не удивит даже неискушенного обывателя. Для большинства людей преуспевающий банкир и преступный воротила — одно и то же лицо, и очередной некролог в центральной газете вряд ли вызовет сожаление даже у самого сердобольного пенсионера. От снайперского выстрела невозможно застраховаться даже в том случае, если окружить себя стеной телохранителей...

Весь последний месяц город, казалось, только тем и жил, что наблюдал за зловещими событиями вокруг приватизации «Балторгфлота». Интерес был чисто обывательский: каждому хотелось знать, в чьи же руки попадет столь лакомый кусочек, по непонятной причине все еще остававшийся в руках государства. Мало кто догадывался, что уже в ближайшие три года компания не только может окупить вложенные в нее средства, но и принести весомую прибыль. По России подобные сделки совершались не чаще одного-двух раз в год, и для Санкт-Петербурга подобное событие, конечно же, являлось совершенно экстраординарным.

Это была сложнейшая многоходовая операция, которую готовили на самом верху — в Смольном, если не в Кремле. О будущих владельцах «Балторгфлота» ходили самые невероятные слухи — поговаривали, что в ее покупке заинтересованы какие-то греческие или немецкие судовладельцы, потом пошли разговоры о японских инвесторах, потом стали называться фамилии крупных банкиров из числа «приближенных» к высокопоставленной особе, а потом... Все сплетни угасли, и на первый план вышел разработанный в Смольном проект «местной приватизации» флота. Инициатором идеи выступил председатель городского комитета по имуществу Антон Лаврович Гаврилов. Идею поддержал генеральный директор ЗАО «Балторгфлот» Иван Борисович Абрамов. И тогда Владилен Сергеевич все понял. Коль всплыло имя Гаврилова-старшего — значит, где-то рядом хищным ястребом кружит Андрей Антонович...

И точно. Буквально через три дня после обнародования проекта «местной приватизации» торгового флота в банк «Петропромстрой» прибыли курьеры из «Петротранса», которые передали Крюкову просьбу Андрея Антоновича о предоставлении долгосрочного крупного кредита в валюте.

Владилену Сергеевичу не понравились три вещи. Первое — что Гаврилов не приехал сам или хотя бы не позвонил. То, что он прислал к нему гонцов, явилось красноречивым жестом: мол, я слишком занят и мне недосуг к тебе на поклон являться. Второе — не была оговорена цель кредита, а деньги Гаврилов просил колоссальные — пятьдесят «лимонов». Третье — ни слова не было сказано о процентах, под которые «Петротранс» просил этот кредит. Крюков с недавнего времени стал ощущать, что вообще отношение к нему со стороны Гаврилова сильно изменилось. Он, вернее возглавляемый им банк, превратился для «Петротранса» в дойную корову, которую непременно отведут на бойню, едва у скотины опустеет вымя...

Гаврилов в последние месяцы вел себя как азартный картежник. Его обуял покупательский азарт: он скупал подряд все, что попадалось под руку, — грузовые терминалы, складские помещения, автобазы... То, что он захотел купить торговый флот, Крюкова не удивляло, самое удивительное было то, что Гаврилов вроде бы собрался приватизировать его в одиночку. Для каких иных целей могли ему понадобиться такие огромные деньжищи. Правда, на полсотни миллионов баксов флот не приобретешь, размышлял Крюков, значит, у него есть еще сундучки, откуда можно извлечь золотишко...

Самое же печальное заключалось в том, что Крюков никак не мог отказать Гаврилову. Потому что сам был обязан Гаврилову многим. Они были знакомы лет семь — еще со времен послекомсомольской коммерческой деятельности Андрея. Лет пять назад Владилен Сергеевич обратился к нему за помощью — не финансовой, а организационной. Как раз тогда на развалинах старенького Агромпромстройбанка создавался новый коммерческий банк «Петропромстрой». Крюков влез в совет учредителей, а когда разобрался во всем, понял, что этот будущий банчик можно будет легко подмять под себя — требовалось только соответствующее решение городских властей. Две подписи на бумаге, печать и размашистая резолюция «Утверждаю». Вот этой резолюции и недоставало Владилену Сергеевичу Крюкову для полного счастья. Он знал, что в городе появился молодой предприниматель Андрей Гаврилов, который открыл по всему Питеру книжные и газетные киоски. Знал он и то, что папаша у этого молодого да раннего проныры — Антон Лаврович Гаврилов, крупная шишка в городской администрации. А когда выяснилось, что резолюцию «Утверждаю» ставит этот самый Антон Лаврович, Крюков решил срочно закорешиться с сынком. И закорешился. Правда, Андрей попросил услугу за услугу, взяв с него обещание кредитовать его дела в приоритетном порядке.

Когда Крюков, благодаря поддержке Антона Лавровича, стал президентом банка «Петропромстрой», он занялся самым прибыльным в ту пору делом — кредитованием агропромышленного сектора области. Дела в банке шли на ура: за год с небольшим «Промстрой» стал крупнейшим финансовым учреждением Северо-Запада с очень хорошей репутацией. «Надежность и уверенность» — эти два гордых слова были выбиты на фасаде центрального здания банка на Невском проспекте.

Но Владилен Сергеевич не мог и предположить, что попадется на крючок к молодому Гаврилову. Их разговор был тайно записан, а позже эту пленку Крюкову преподнесли в качестве презента на трехлетие банка. С тех пор Крюков не смел отказать Гаврилову ни в чем, и даже не посмел воспротивиться, когда Андрей Антонович пожелал войти в число членов правления.

С приходом Гаврилова в правление банк поменял былые приоритеты. Теперь они переключились на капитальное строительство и торговлю — почти все деньги крутились в оффшорных банках и компаниях. И вместе с тем Гаврилов научил его официально уходить от налогов, подписывать фиктивные сделки с иностранными партнерами.

Банк процветал. Но настроение у Крюкова все ухудшалось. Он не мог понять бесшабашной — или безрассудной? — отваги Андрея Гаврилова, который заставлял его тратить миллионы долларов на представительские расходы и на телевизионную рекламу банка, ставя под удар выполнение кредитных контрактов с областными партнерами — агрохозяйствами, заводами и воинскими частями. А когда завертелось дело вокруг приватизации «Балторгфлота», Гаврилов словно слетел с катушек. Сначала появились курьеры, которых Владилен Сергеевич принял довольно холодно. Но потом на горизонте появился и сам Андрей Антонович.

Вчера ближе к вечеру он позвонил ему в офис и в очень любезной форме напомнил про договоренность о кредите в размере пятидесяти миллионов долларов и добавил, что может дать гарантии правительства Санкт-Петербурга.

Владилен Сергеевич обомлел.

— Андрей Антонович! — воскликнул он. — Что-то я не припомню, чтобы между нами была какая-то договоренность. Да, приезжали от вас люди. Был разговор о кредите, но никакой договоренности мы не достигли! Помилуйте!

Крюков легко, не раздумывая, мог бы отказать в смехотворном миллионном кредите, обратись к нему с такой просьбой глава радиоэлектронного концерна или даже лидер политической партии. Но Андрею Гаврилову — не смел. И все же ему хотелось внести ясность.

— Я понимаю, что гарантии правительства Петербурга — это серьезно, но все-таки позвольте поинтересоваться: для чего вам нужна эта сумма? Сумма немаленькая...

На том конце провода произошла небольшая заминка, а потом последовал откровенный ответ:

— Владилен Сергеевич, это для «Петротранса». Кредит будет оформлен официально. А что вас так беспокоит?

— Просто мне интересно знать, на что предназначена такая крупная сумма? Я ведь банкир. Мне надо оценить перспективы возврата кредита...

— Это не предвыборная кампания и не политическая партия. Я хочу поучаствовать в предстоящей приватизации одного крупного предприятия.

Крюков болезненно поморщился. Он как знал, что дело пахнет жареным. Хуже того, от этого дела попахивало вонью тюремной камеры, а то и могильной сыростью.

— Понимаю, — наконец протянул банкир, лихорадочно соображая, что же сказать дальше. — Только ведь банк не располагает свободными средствами, все деньги в деле. Вы это сами знаете. Такая сумма... — Крюков старался придать своим интонациям как можно больше искренности. — Вы только поймите меня правильно, мне очень не хочется вам отказывать...

— А вы не дипломат, Владилен Сергеевич! — голос Гаврилова прозвучал почти весело. — Могли бы сказать, что вам нужно подумать или, например, кое с кем посоветоваться. А вы рубите сразу с плеча! Ну ничего, спасибо за откровенность. Что касается отказа — то, милейший Владилен Сергеевич, отказов я не принимаю. От вас, во всяком случае. — Он помолчал. — Вот что, приезжайте ко мне на дачу сегодня вечерком. Потолкуем. Уверяю вас, дело выгодное. А средства — мы с вами их изыщем!

Вечером Владилен Сергеевич отправился к Гаврилову на дачу. Для поездки он выбрал самую роскошную свою машину — синий «БВМ». Крюков не любил дешевку. Дешевые автомобили, как правило, опасны для жизни. В его автопарке было три бронированных иномарки, каждая стоимостью по сто тысяч долларов! Особенно он любил «БМВ». Стекла в машине были пуленепробиваемые, и он чувствовал себя в утробе дорогой игрушки, как бриллиант в банковском сейфе.

Глава 29

Постройка, которую Андрей Гаврилов назвал дачей, скорее напоминала миниатюрный замок с красными кирпичными стенами, флигелями в виде круглых башенок и даже рвом с водой. Замок стоял неподалеку от Финского залива. В последнее время он частенько наведывался сюда и, глядя на кромку моря, вдалеке сливающуюся с небом, размышлял о грядущей приватизации ЗАО «Балтийский торговый флот». Пока жив отец, подобная затея казалась ему вполне осуществимой. К отцу благоволит мэр. И генеральный директор «Балторгфлота» все сделает так, как укажет Антон Лаврович. Самое главное — добыть деньги. При всем влиянии отца ни отменить тендер, ни провести его фиктивно не удастся... Можно будет только осуществить одну хитрость — сместить дату проведения конкурса. На недельку вперед. Так, чтобы потенциальные конкуренты не успели глазом моргнуть... Но этот финт возможен лишь в одном случае — если «Петротранс» сумеет набрать двести миллионов долларов. А такие бабки на железной дороге не валяются.

Идея привлечь кредит банка «Петропромстрой» пришла в голову Гаврилову недавно. Когда он вдруг вспомнил о крохотной аудиокассете, пылящейся у него в сейфе. На этой кассете был четко записан голос Владилена Сергеевича, который подробно, в деталях, объяснял кому-то (голоса Гаврилова как раз и не было слышно), как он собирается выстраивать свой финансовый бизнес. Там были очень интересные детали — интересные для оперов РУБОПа. В предстоящей беседе с Крюковым эта кассета была важным аргументом. Его козырным тузом. Крюков не сможет отвертеться. А нет денег — пускай перекачивает со счетов Агропрома. Колхознички-совхознички все равно просрут государственные кредиты, которые поступили на счета «Петропромстроя». Все равно этим денежкам пропадать. Так уж лучше пусть послужат его делу! А там, глядишь, если покупка флота выгорит, пойдет прибыль, может, и отобью Владилену его бабки через год-два, и он вернет кредиты. Интересно только кому — через год-два не одно правительство сменится.

Гаврилов чувствовал себя уверенно. Дела у него шли хорошо. «Петротранс» стал крупнейшей в Северо-Западном регионе компанией по перевозке грузов. Он транспортировал лес, бумагу, уголь, металлоизделия, зерно, муку, солярку... Все бы ничего, да вдруг что-то подломилось. Как будто он шел-шел по ровному и споткнулся о невидимый бугорок.

Две недели назад неожиданно для него перенесли давно запланированную встречу с министром путей сообщения, и это был очень дурной симптом. Прежде с ним подобного не случалось. Министр принимал его всегда — даже в самые напряженные дни находил щелочку в своем плотном графике, чтобы побеседовать о транспортных проблемах Северо-Западного региона. И вот сейчас — отказ!

Вполне солидно выглядела причина отказа — министр готовился к встрече с министрами стран СНГ, которая должна была состояться в ближайшую неделю, а потому освободил себя от текучки внутри отечества и сконцентрировался на проблемах «единого транспортного пространства». Но Андрей Гаврилов не первый год был в большом бизнесе, а потому знал, что просто так ничего не бывает.

Андрей не строил каких-то сверхамбициозных планов: он не собирался создавать новую политическую партию — что-то вроде «Русь-тройка» — и лезть на самый верх политического Олимпа, становится членом Госдумы или министром. Он и без того сумел сконцентрировать в руках такую власть в области, о которой не мечтает иной губернатор. Единственное, что отягощало его жизнь, так это то, что всякий раз, затевая новое дело, Гаврилов был вынужден обращаться к богатым спонсорам. И ощущение в этих случаях было мерзопакостное: чувствуешь себя точно нищий с протянутой рукой. Конечно, Андрея Гаврилова нельзя было назвать бедным человеком. Помимо «Петротранса» он числился учредителем в десяти преуспевающих фирмах, где имел неплохой процент с прибыли. Правда, истинным — то есть не на бумаге — акционером этих фирм был вовсе не он, а его отец, который, понятное дело, не мог в открытую заниматься бизнесом. Но в эти компании именно Антон Лаврович вложил личные средства, которые рублик к рублику терпеливо копил, будучи вторым секретарем обкома, так что, когда пришла пора опорожнять кубышку, выяснилось, что бабок при коммунистах папа наварил немало. Они-то и пришлись кстати в пору ударной приватизации.

Не то что Андрей завидовал отцу — совсем нет, но он мечтал все же добиться такого положения в этой новой жизни, чтобы наконец уже ни от кого не зависеть — ни от денежных мешков, ни от стариков с могучими связями, ни от «авторитетов», с которыми у него отношения всегда складывались полюбовные. Он вовремя отстегивал положенное всем питерским паханам, и те его не трогали. Главное, они не знали многого из того, чем занимается Андрей Антонович вне «Петротранса», как не знали о его планах приватизировать «Балторгфлот».

А он только посмеивался про себя, предполагая, как они все там на своих «малинах» сбились с ног, разыскивая убийц своих подельников и прихвостней...

И вот сейчас Андрей получил шанс сделаться не только самым богатым человеком Северо-Запада, но и одним из самых влиятельных. Компания «Балторгфлот» сама плыла ему в руки. Не рассчитывая исключительно на везение, он подключил к процессу приватизации самых могущественных людей Питера, до которых сумел — с помощью батюшки — добраться.

Но его беспокоило охлаждение со стороны министра. Возможно, это произошло не случайно. Может быть, до Москвы что-то дошло — в виде ли слуха, или конфиденциальной информации... Если так, то, видимо, неплохо, что он, по наущению Якова Баринова, отдал устное распоряжение потихоньку ликвидировать сомнительных людей — не только тех, кто представлял для него угрозу в качестве сильных конкурентов на тендере по флоту, но и тех, кто мог бы располагать компроматом на него. Один из таких людей должен был прибыть к нему с минуты на минуту...

Банкир приехал в точно назначенное время. Всем было известно, что Андрей Гаврилов не прощает партнерам ни малейшего промаха. Опоздание на запланированную встречу невозможно списать на дорожные пробки, скорее всего, он расценит это как знак неуважения.

Андрей пригласил гостя в зал приемов на второй этаж, усадил у раскрытого окна с видом на Финский залив и предложил кофе.

— Не буду вас утомлять долгими предисловиями. Мне нужны пятьдесят миллионов. И срочно. — Гаврилов очень внимательно посмотрел на банкира.

На Финском заливе поднялся небольшой ветер, который весело ворвался в окно, отчего кофе в хрупких чашках заколыхался.

На лице банкира промелькнула тень озабоченности. Он давно смирился с тем, что ежемесячно выплачивал Гаврилову солидный оклад, не отказывался участвовать в многочисленных спонсорских мероприятиях в пользу «Петротранса», но подобное требование шло явно вразрез с их прежними договоренностями.

— Уважаемый Андрей Антонович, хочу напомнить, что организация, которую я возглавляю, не филантропический фонд, а банк. Я еще понимаю, если речь пошла бы о каких-то разумных спонсорских вложениях, об участии в каких-то благотворительных акциях, но не отдавать же на чей-то произвол десятки миллионов долларов! Насколько я понимаю, вы ведь хотите взять эти деньги не на год и не на два, да еще и под смешной процент. Я правильно вас понял?

Улыбка на лице Андрея Антоновича была обворожительной. Он отодвинул чашку на середину стола и проговорил тихим вкрадчивым голосом:

— Вы меня поняли не совсем верно. Мне эта сумма нужна без всяких процентов.

— Это нереально! — жестко отрезал Крюков. — У нас в остатках — ноль! Мне придется откуда-то брать эти деньги, перебрасывать с других проектов.

— Я объясняю вам, Владилен Сергеевич, это же проще пареной репы. Речь идет о покупке контрольного пакета акций «Балторгфлота». Пятьдесят миллионов долларов можно будет временно — я подчеркиваю: временно — снять со счета областного Агропрома и перекинуть на счет «Петротранса». Мы влезем в конкурс и победим — имейте в виду: победа у нас фактически в руках, контрольный пакет акций, можно сказать, уже наш, осталось дело за малым — перевести деньги. Пакет стоит двести миллионов долларов. Вы мне даете пятьдесят. Еще пятьдесят я сам внесу. Сто миллионов дадут верные люди из Минпутей сообщения — там у меня все схвачено. Покупаем контрольный пакет — через месяц, максимум через два начинаем эксплуатацию и одновременно ставим на капитальный ремонт суда, выработавшие ресурс. А еще через пару лет начнем снимать чистую прибыль!

Крюков кашлянул и пригубил кофе.

— Вот этот вопрос я бы тоже хотел обсудить. Прибыль. Я дам кредит... Допустим, я дам вам кредит... Но какой мой интерес в этом кредите? Интерес банка, я хочу сказать...

Гаврилов помрачнел.

— Интерес банка в том, чтобы поддержать растущую экономику города! — отрезал он. — Речь идет о беспроцентном кредите, Владилен Сергеевич, то есть о такого рода кредите, которыми правительство кормит наше убогое сельское хозяйство. Какой интерес вы получили от кредита Агропрому? Кукиш с маслом!

— Но я же получаю проценты с оборота средств! — возразил Крюков. — А так, когда я переведу эти пятьдесят миллионов в «Петротранс», что у меня останется? Дырка от бублика! И кроме того, это незаконно!

Хозяин замка на берегу Финского залива расхохотался.

— Господи, и кто мне говорит о законности! Вы ли это, Владилен Сергеевич! О законности вы будете разглагольствовать в кабинете следователя, а не здесь! — закончил он жестко. — Словом, шутки в сторону. Деньги мне нужны завтра.

— Завтра? — ахнул Крюков.

— Завтра! — подтвердил бывший комсомольский вожак. — Как только утром вы придете на службу, первое, что вам надлежит сделать, так это заняться оформлением перевода денег на счет «Петротранса». Я повторяю: договор будет совершенно законным. Более того, я его уже составил, — с этими словами Андрей подошел к сейфу в углу комнаты, открыл его и достал тонкую папочку желтого цвета.

— Вот, — он протянул папочку Крюкову. — Осталось только поставить вашу подпись.

Крюков жадно схватил папочку, раскрыл ее и стал читать текст, красиво напечатанный на фирменном бланке ЗАО «Петротранс». Пятистраничный документ был уже подписан Гавриловым. Против его, Крюкова, фамилии зияло пустое место.

— Но что значит — «несвязанный»? — слабым голосом спросил Крюков.

Гаврилов чарующе улыбнулся.

— Вы же финансист, Владилен Сергеевич. «Несвязанный» кредит — значит, кредит на разные цели. Не под конкретный проект.

— Но вы же сами сказали, что собираетесь пустить эти деньги на приобретение контрольного пакета акций...

— Кто вам такое сказал? — грубо перебил его Гаврилов. — Я вам этого не говорил, уважаемый. У вас слуховые галлюцинации!

Тут Крюков совсем сконфузился. Разговор стал напоминать шараду.

— Позвольте, но ведь вы только что...

Андрей снова улыбался:

— Владилен Сергеевич, я просто вам очень доверяю. Вот и все. И поделился с вами конфиденциальной... суперконфиденциальной информацией. На бумаге, в нашем контракте, не сказано ни о каком «Балторгфлоте». Вы выделите «Петротрансу» кредит на развитие... А что касается прибыли... — Тут Гаврилов понизил голос и подался вперед: — Или мы еще лучше сделаем! Я на ваш кредит куплю на конкурсе двадцать пять процентов акций! Как бы в собственность «Петростройбанка». Так оно даже будет надежнее! Комар носу не подточит. Вас это устраивает?

Крюков понял все. И подивился бесстрашному финансовому гению Андрея Гаврилова. Как это он раньше не догадался, куда ветер дует?..

— Ладно, я согласен, — осторожно проговорил Владилен Сергеевич. — Завтра я отдам соответствующие распоряжения...

— Нет, милейший Владилен Сергеевич, — строго перебил его Гаврилов. — Завтра будет поздно. Тут каждый банковский день на счету. Вы можете сейчас, прямо сейчас позвонить начальнику расчетно-кассового отдела и отдать ему приказ о переводе денег на счет «Петротранса»?

— Ну... — Крюков неопределенно повел головой. — Мог бы. Домой?

— Домой! — кивнул Гаврилов и протянул ему непонятно откуда взявшийся у него в руках сотовый телефон.

Крюков вздохнул и нажал семь кнопок. На третьем звонке ему ответили.

— Николай Семеныч? Владилен Сергеевич беспокоит. Извини, что звоню домой. Дело срочное. — Он вопросительно посмотрел на Гаврилова, и тот ободряюще закивал: мол, давай, давай! — Ты знаешь, у нас с «Петротрансом» давно уже подготовлен договор о выделении срочного несвязанного кредита на пятьдесят миллионов в валюте. Сегодня мне звонил Гаврилов — им срочно нужны средства... Да... Контракт я уже подписал. Завтра они подвезут контракт в банк. Ты можешь ускорить дело и с утра, как придешь, прямо в девять, перебросить их на счет «Петротранса». За платежкой от них... — Он глянул на Гаврилова, и тот, энергично шевеля губами, прошептал «курьер». — Курьер приедет. Завтра. Ну давай, счастливо, Николай Семеныч!

Крюков вырубил сотовый и положил на стол.

— Ну вот и чудесно, — выдохнул Гаврилов. — Спасибо. Я рассчитывал на вас.

Крюков стал подниматься из-за стола.

— Контракт, Владилен Сергеевич! Ваш автограф! — Гаврилов подтолкнул к нему скрепленные листки договора. Крюков снова вздохнул и, найдя последнюю страничку, размашисто расписался.

Гаврилов протянул руку. Рукопожатие получилось теплым. Хозяин довел гостя до дверей, где того перехватил охранник.

Выпроводив директора банка «Петропромстрой», Гаврилов связался по мобильному с начальником службы безопасности.

— Полковник, у вас есть что-нибудь на Крюкова?

— Вы о Владилене Сергеевиче? — как бы нехотя отреагировал Баринов.

— О нем...

— Дела у него плохие. Он же связался с «СБС-Агро». И в ГКО вложился. Плохи дела.

— Я вот что хотел вам сказать, Яков Степанович. Крюков только что подписал кредитный договор. Выделяет нам пятьдесят лимонов баксов. И он уже дал команду своему начальнику расчетного перевести деньги завтра утром. Через два дня деньги поступят на счет «Петротранса». Как раз накануне тендера. Вы меня поняли?

— Разумеется, — ответил отставной полковник. — Как не понять...

Гаврилову почудилось, что он услышал ехидное хмыканье.

— Тогда конец связи.

Глава 30

Не веря в собственное бессмертие, Крюков старался максимально оградить себя от трагических случайностей, а поэтому никогда не ездил одной и той же дорогой, постоянно меняя пути следования. Впереди, как правило, ехала какая-нибудь простенькая легковушка наружного наблюдения. Если возникали какие-то сложности, охрана передавала приказ о смене маршрута.

За кортежем Крюкова наблюдение велось уже две недели. Баринов сумел изучить все возможные варианты движения. Их было немного. Если на маршруте не было ничего подозрительного — группы людей на обочине, припаркованных машин с включенным движком, — Крюков следовал на большой скорости кратчайшим путем — вот этим переулком, где сейчас стоял Баринов. Следовательно, операция должна пройти без сучка и задоринки.

В ожидании Баринов искурил вторую сигарету. Его белая «вольво» была припаркована у перекрестка, откуда хорошо будет виден крюковский «БМВ». В том, что Крюков поедет из дома в банк именно этой дорогой, он не сомневался. Ждать оставалось еще минуты три.

Руководитель службы безопасности «Петротранса» не понимал, зачем Гаврилову понадобилось устранять банкира. Крюков был мужик трусоватый и сговорчивый. Вот и сейчас он не шибко кочевряжился и подписал все, что от него требовалось. Еще с утра кредитный договор был доставлен в банк. Впрочем, у Гаврилова явно была какая-то задумка на его счет. Видимо, он не собирался отдавать кредит и теперь, на гребне потрясших Питер заказных убийств, решил избавиться от Крюкова в надежде, что его убийство спишут на счет неведомых киллеров...

Яков Степанович посмотрел на часы: еще полторы минуты. Как обычно, первой проследует машина банковской охраны. Ребята промчатся на такой скорости, что у них не останется времени обнаружить сюрприз. За ними поспешит бронированный «БМВ» директора банка.

Баринов лениво наблюдал за автомобилями, двигавшимися сплошным потоком по Литейному проспекту.

Он ошибся всего лишь на двадцать секунд: со стороны Литейного вылетела темно-красная «девятка», за ней метрах в двадцати шел бронированный «БМВ», а следом, отстав всего лишь на метр, двигался джип охраны.

Баринов выплюнул сигарету в окно и сжал в руке пульт дистанционного управления. «БМВ» напоминал огромную лодку, скользящую по водной глади.

— Аминь! — негромко произнес Баринов и большим пальцем надавил на красную кнопку.

«Адская машина», прикрепленная с тыльной стороны крышки канализационного колодца посреди дороги, сработала мгновенно. Ударной волной «БМВ» раздрало на два огромных куска, которые грохнулись на асфальт и тяжело застыли, объятые языками пламени. Баринов не стал дожидаться приезда «скорой» и ментов. Он уселся в «вольво» и кивком головы дал шоферу команду трогать. Задание было выполнено, и он спешил доложить об этом шефу.

Но Баринов напрасно поторопился покинуть место событий. Он не увидел, что из трех людей, находившихся в «БМВ», двое — водитель и охранник — погибли на месте, а Крюков остался жив. Взрывной волной ему оторвало правую руку, а осколками стекла сильно порезало лицо. Пол под ним раскалился, но выдержал. Ремни безопасности крепко держали его тело. Именно это обстоятельство и спасло ему жизнь.

Через полчаса все радиостанции передали сообщение о теракте, в результате которого едва не погиб виднейший финансист Санкт-Петербурга, президент банка «Петропромстрой».

Тяжелораненого Крюкова поместили в госпиталь при Военно-медицинской академии. Опасаясь повторного покушения, у дверей его палаты выставили вооруженный наряд милиции. К раненому никого не допускали, и журналисты оккупировали главный вход госпиталя в надежде получить хоть самую скудную информацию.

Вечером его посетил молодой человек, едва перешагнувший тридцатилетний рубеж. Серый костюм сидел на его плечах безукоризненно, было видно, что одеваться он любил и умел. Вел он себя очень деликатно — извинился за беспокойство, поинтересовался о самочувствии и только после этого попросил разрешения присесть.

Крюков только пожал плечами. Было видно, что, несмотря на молодость, посетитель — человек влиятельный: иначе каким же образом ему удалось преодолеть тройной кордон милиции? И еще было ясно, что пришел он не только выразить сочувствие раненому.

Он бросил взгляд на перебинтованную правую культю, а потом представился:

— Меня зовут Жарков Григорий Алексеевич. Я начальник отдела РУБОПа. Отдел заказных убийств. Это новое подразделение. Я вас долго не задержу. Врач разрешил мне задать вам несколько вопросов. Мы ищем людей, организовавших взрыв вашей машины. У вас нет предположений, кого бы могла заинтересовать ваша персона?

— Мне трудно что-то предположить, — глухо ответил Крюков, коснувшись левой рукой пластыря на лбу. — Я ведь работаю с деньгами... С большими деньгами... Не исключено, что наш банк кому-то помешал. А кто в первую очередь попадает под топор? Руководитель банка.

— Вам в последнее время кто-нибудь угрожал?

— В том-то и дело, что нет. Ни в последнее время, ни год назад. Мне никто никогда не угрожал. Я никому ничего не должен. Не понимаю, кто бы мог это организовать...

— Вам еще повезло, Владилен Сергеевич, что вы остались живы. Знаете, что меня смущает: в последнее время — с разрывом в два дня — в городе погибли два человека, имеющие непосредственное отношение к крупному предприятию... Вы слышали об убийстве Тетерина, зампредседателя городского комитета по имуществу, и Абрамова — генерального директора «Балтийского торгового флота»?

Крюков кивнул. Говорить ему было трудно.

— Я подозреваю, — продолжал Жарков, — что покушение на вас... тоже каким-то образом связано с гибелью этих двоих...

— К чему вы клоните? — Взгляд Крюкова сделался испуганным.

— К тому, уважаемый Владилен Сергеевич, что у вас троих есть некий общий враг, с которым вы крепко не поладили. Вы не догадываетесь, кто бы это мог быть?

— Понятия не имею, о чем вы говорите... как вас...

— Григорий Алексеевич, — любезно подсказал молодой человек.

— ... Григорий Алексеевич...

— Поймите, я пришел к вам в надежде, что вы прольете свет на эти странные события. Вы... ваш банк не собирается участвовать в приватизации ГАО «Балторгфлот»? — вдруг напрямик спросил рубоповец.

Крюков заволновался. Он не понимал, что на уме у этого молодого следователя. И на всякий случай решил помалкивать.

— Во-первых, если бы я участвовал в приватизации флота, я бы вам об этом до аукциона не сказал. Это коммерческая тайна. А во-вторых, я... наш банк не участвует в приватизации.

Жарков удивился:

— Да? А у меня есть информация, что сегодня утром из вашего банка ушла платежка на пятьдесят миллионов долларов на счет компании «Петротранс». Как вы это объясните?

Но Крюков закрыл глаза и, сжав губы, помотал головой: мол, все, больше говорить не буду.

Жарков развел руками, после чего тяжело поднялся.

— Вижу, разговор у нас пока не получается. Если не возражаете, я зайду завтра. Только ответьте мне на прощание на один вопрос: с кем вы встречались вчера вечером?

В глазах Владилена Сергеевича промелькнула догадка.

— Накануне у меня действительно была одна встреча... Но к этому взрыву она не имеет никакого отношения!

— Вы так считаете? С кем вы встречались, если не секрет?

На лице банкира изобразилось смятение, как будто он был уличен строгим налоговым инспектором в уклонении от уплаты налогов.

— Неужели это имеет какое-то отношение к покушению?

— Возможно... Вот посмотрите... Жарков раскрыл ладонь и показал оплавленный кусочек пластмассы.

— Это фрагмент взрывателя радиоуправляемой мины, которую заложили в канализационный колодец на мостовой. Взрыв произошел как раз в тот момент, когда ваш «БМВ» оказался над крышкой колодца. Пока не ясно, то ли за вами следили, то ли взрыватель мины был «законтачен» на радиомаячок, укрепленный в вашем автомобиле...

— Разрешите взглянуть?

— Пожалуйста, — Жарков вложил расплавленный кусок пластика в левую руку Крюкова.

Тот с интересом рассматривал оплавок, как будто держал в руках золотой самородок. Удовлетворив любопытство, он вернул его Жаркову.

— Аналогичные фрагменты мы обнаружили на месте взрыва машины Петра Васильевича Тетерина.

— И о чем это говорит?

Следователь сочувственно улыбнулся:

— А вы ни о чем не догадываетесь?

— Да я ровным счетом ничего не... понимаю, — с дрожью в голосе проговорил Крюков.

— Попробую объяснить. — Жарков снова сел на стул рядом с кроватью. — Подарок, который вам подложили, представлял собой радиоуправляемую мину большой мощности. В триста, а то и четыреста граммов тротила. Точно такая же мина убила Тетерина. Но у него был старенький «жигуленок», вас от смерти спасла только бронированная сталь вашего «БМВ». Кроме того, в городе произошел еще один взрыв — там, к счастью, никто не пострадал... Но у меня есть основания полагать, что жертвой взрыва должен был стать московский криминальный авторитет, который в настоящее время находится в Петербурге... Думаю, что третий взрыв организовали те же люди. Те же, кто убил Тетерина и кто собирался убить вас, Владилен Сергеевич. Учитывая, что московский гость, Тетерин и Абрамов, которого застрелили дома из пистолета, так или иначе были связаны с предстоящей приватизацией «Балтийского торгового флота», я и спросил у вас: а вы не собираетесь участвовать в конкурсе? Если да — тогда выходит, что у вас общий враг. Тот, кто собирается приватизировать флот в одиночку и хочет убрать с дороги всех конкурентов...

— Это невозможно! — Крюков выглядел раздавленным, как будто ему инкриминировали растрату кредита Агропрома. — Я не могу в это поверить...

— Значит, все-таки вы догадываетесь...

— Пожалуй, да...

— Кто же этот человек?

— Дайте мне собраться с мыслями, я не могу так сразу... Я должен все обдумать...

— Понимаю вас, Владилен Сергеевич! Вы действительно должны все обдумать. Я приду к вам завтра в это же время. Отдыхайте!

У входа в палату дежурили два сержанта с автоматами. Жарков знал, что в конце коридора, с точно такими же укороченными АКМ, стоят еще двое. А в просторном вестибюле госпиталя в мягких креслах расположились еще трое омоновцев. Нужно быть безумцем, чтобы попытаться прорваться через кордон охраны и добраться до палаты с раненым. На подобное безрассудство мог бы отважиться только самый отъявленный беспредельщик.

Даже если предположить немыслимое, что группа вооруженных до зубов громил ворвется в здание, их штурм обречен на провал. Уже через пять минут после первых выстрелов здесь будет рота ОМОНа, и непрошеным гостям несдобровать... Зная все это, омоновцы бестолково проводили время: таращились на медсестер и отпускали соленые шуточки насчет их ночной работы.

Заметив вышедшего из палаты Жаркова, один из сержантов тотчас смахнул с лица довольную улыбку (пару минут назад он успел переговорить с молоденькой медсестричкой и напросился к ней на чай).

— Все спокойно? — поинтересовался Жарков. Хотя понимал, что вопрос явно лишний: весь этаж был оцеплен.

— Так точно, товарищ майор! — отозвался молодец, слегка вытянувшись.

— В палату никого не впускать... кроме медперсонала.

И эта фраза была лишней, что прекрасно понимал Жарков. Сержанты дело знали и наверняка пристрелили бы даже крысу, надумавшую проскочить в приоткрытую дверь.

— Ясно, товарищ майор...

Жарков не оборачиваясь пошел по длинному коридору, зная, что вслед ему нацелены две пары внимательных глаз.

* * *

Крюков не мог объяснить себе сам, что заставило его умолчать о визите к Гаврилову. Одним только чувством страха это нельзя было объяснить. Скорее всего, сработал инстинкт самосохранения: кто знает, в чью мышеловку он попал — а вдруг кто-то имеет зуб на Андрея и расправляется с его компаньонами?..

Крюков лежал, разглядывая на потолке едва заметные трещинки. В самом углу качалась небольшая полупрозрачная сеточка паутины. Паук выбрал не самое удачное место для охоты: за все это время Владилен Сергеевич не заметил ни одной мухи. Не было даже вездесущих комаров.

В этой палате он сам невольно ощутил себя пленником, угодившим в липкую паутину. Впрочем, его окружали толстые стены, а в коридоре бдительно несли вахту крепкие ребята в камуфляжной униформе.

От этой мысли на него вдруг снизошло успокоение. Он уже начал забываться в легкой зыбкой дреме, как вдруг послышался стук открываемой двери. Крюков приоткрыл глаза.

В палату тихо вошел высокий мужчина в белом халате. В руках он нес блестящий поднос, накрытый белой салфеткой. За его спиной замаячил здоровенный сержант в камуфляжной форме. Белый халат обернулся и негромко, но сердито выговорил охраннику:

— Я попрошу вас выйти! Мне нужно сделать больному инъекцию. Следите, пожалуйста, за коридором.

Охранник послушно выскользнул из палаты и прикрыл дверь.

Врач подошел к кровати и поставил поднос на тумбочку. Краем глаза Крюков заметил шприц и бутылочку с какой-то жидкостью.

— Повернитесь на левый бок! — тихо скомандовал врач.

Крюков удивился: когда его привезли сюда, хирург, делавший операцию, настрого приказал ему лежать только на спине и по возможности не двигаться.

— Я не могу... Разве вы не знаете... — слабым голосом проговорил Крюков. Но врач, ни слова не говоря, откинул одеяло и, взяв в руку шприц, грубовато толкнул Крюкова в бок. Потом без подготовки вонзил иглу в ягодицу — и Крюков ощутил пронзительную боль.

— Больно! — прохрипел он.

— Ничего! Все будет в порядке! — Крюкову почудилось, что врач при этих словах зловеще хмыкнул.

Мужчина в белом халате с подносом вышел из палаты раненого и поспешно зашагал по коридору. Дойдя до двери с табличкой «Ординаторская», он чуть замедлил шаг и прислушался. За дверью гудели женские голоса. Он миновал дверь, зашел за угол и оказался перед дверью с табличкой «Запасной выход». Достав из кармана ключ, он поколдовал над замком, отпер дверь и исчез в полумраке.

Сбегая вниз по лестнице, мужчина стянул с себя белый халат и, скомкав его, бросил в угол, на ходу он вытащил сотовый телефон и, набрав номер, глухо произнес:

— Яков Степанович! Готово! Пять кубиков — клиент заснет вечным сном!

Выбежав на улицу, он огляделся по сторонам и неспешно двинулся по асфальтированной дорожке к воротам.

Часть IV

Глава 31

Второй крупный облом за эти дни — это уже слишком! Сначала зампред горкомитета по имуществу. Теперь гендиректор ГАО «Балторгфлот». Кто-то шел за Филатом по пятам и методично убирал чиновников, с которыми ему удалось войти в контакт. Да и два покушения на его жизнь тоже красноречиво говорили, что кому-то очень не нравится его командировка в Питер...

Филат не мог припомнить, когда бы вор в законе встречал такое яростное сопротивление. Государственные чиновники, едва осознав, что к ним нагрянул с визитом представитель «криминальной России», сразу начинали вилять хвостом и врать с три короба, кормя обещаниями. А тут... Варяг как в воду глядел, когда сказал, что за торговый флот биться будут стенка на стенку. Вот только непонятно, с кем идет бой...

Он решил просмотреть все видеокассеты, которые отдал ему Михалыч, в надежде увидеть там нечто такое, что могло бы хоть как-то намекнуть на то, кто же его противник.

Съемки скрытой камерой производились за городом, причем, как понял Филат по положению камеры, — она находилась внизу, как будто под столом, и частенько упиралась в батареи бутылок и тарелок, — видно, снимал официант. На этот фрагмент Филат раньше не обратил внимания. Старик Гаврилов в отдалении от фуршетного стола тихо вел беседу с высоким полноватым шатеном лет тридцати. Речь шла о «Балторгфлоте». О конкурсе. Гаврилов наставлял шатена, как надо распределить роли. Да, так он и сказал: «распределить роли». Звук был слабый, микрофон улавливал массу посторонних шумов, даже звяканье вилок о тарелки, но все равно разговор был записан прилично. Филат промотал пленку назад и всмотрелся в лицо собеседника Гаврилова. Шатен, губы полные, капризно изогнуты, под носом родинка. Стоп! Перед мысленным взором Филата встало это лицо. Где-то уже он видел и эту родинку под носом, и эти пронзительные нахальные глаза. Эти капризные губы. И вдруг его осенило: ну конечно, в казино у грека Перикла. Шатен сидел за соседним столом и играл. При упоминании о флоте он пристально взглянул на Филата... Так. Это уже нечто. В левом нижнем углу высвечивалась дата съемки: 21.15, 25 июля прошлого года. Год назад. Ах, суки, уже год назад они примеривались к приватизации флота. Уже тогда все было известно... Ну, Антон Лаврыч Гаврилов... Ну, бандит, старый лис!

И тут в самом углу кадра он заметил еще одно знакомое лицо.

Филата передернуло, будто он губами ухватился за оголенную электропроводку. Не может быть! Картинка уже сменилась, он яростно надавил на клавишу «стоп» и отмотал пленку чуть назад.

И вновь увидел знакомое женское лицо с высоким разлетом бровей; полуголое тело было бесстыдно выставлено напоказ.

На кухне послышался звон посуды — это Рита входила в роль хозяйки дома.

— Рита! — громко позвал Филат.

Из кухни вышла Рита в просторной голубой пижаме.

— Ты звал меня? — проворковала она так, как будто их связывали не три дня знакомства, а годы совместно прожитой жизни.

— Подойди сюда, — как можно спокойнее произнес Филат.

— Рома, ты просто ненасытный мужчина. Не могу же я раздеваться каждые полчаса, — кокетливо ответила Рита.

Она подошла совсем близко, и Филат уловил аромат ее духов. Рита села ему на колени, обхватив мокрыми руками за шею.

— Погоди, — произнес Филат и освободился от сладких объятий.

— Что-нибудь не так?

— А вот это мы сейчас выясним. Посмотри на экран. Эта девица на дальнем плане тебе никого не напоминает? — вежливо поинтересовался Филат, кивнув в сторону застывшего изображения.

С любопытством охотника, загнавшего матерого зверя, он стал наблюдать за реакцией Риты. Первые секунды ее лицо ничего не выражало, но потом застыло, точно воск.

Рита поднялась, нервно провела ладошкой по пижаме, как будто стирала невидимую грязь, и после некоторого раздумья произнесла:

— Откуда это у тебя?

В ее голосе послышались хрипловатые интонации.

— Неважно! — Филат старался сохранить спокойствие, хотя чувствовал, что внутри него эмоции клокочут, как магма в жерле вулкана. — Что это такое, ты можешь мне сказать?

— Это вечеринка, устроенная мэрией в прошлом году... Там было сотни две гостей.

— А ты там что делала?

— Знаешь, есть такая служба — эскорт? Девушки сопровождения. Для создания приятного фона на подобных мероприятиях. Вот я в то время тем и подрабатывала. А теперь, прошу тебя, выключи!

— Не торопись, — спокойно заметил Филат, — наберись немного терпения. — Он перемотал пленку и остановил ее на том самом месте, где Антон Лаврович стоял рядом с упитанным шатеном и шептался с ним о приватизации «Балторгфлота». — Я тебя прошу: внимательно посмотри на этого мужика с родинкой. И прежде чем ответить, хорошенько подумай. Ты его знаешь? Кто он?

Теперь лицо Риты побелело, как будто его вымазали мелом. Она молчала, теребя кольцо на правом безымянном пальце.

— Ты его знаешь? — грозно повторил Филат.

— Это сын Гаврилова... — едва слышно пробормотала Рита, отводя глаза. — Андрей... Антонович. Владелец концерна «Петротранс».

Филат так и подскочил.

— ...твою мать! Так это «Петротранс» хочет подмять под себя «Балторгфлот»?! А я, бл..., как слепой кутенок, тыкаюсь в разные стороны, никак не пойму, кто мне палки в колеса ставит... Что ты про него еще знаешь?

— Я не могу... — начала она и осеклась.

Рома Филатов голоса не повышал, но его спокойствие было куда страшнее, чем если бы он грохнул по столу кулаком. Он поднялся и, намотав ее русые локоны на свой кулак, всё так же спокойно продолжал:

— Ты, видно, девочка, не очень хорошо себе представляешь, с кем связалась и во что вляпалась. В твоих интересах мне все рассказать. Ты понимаешь, что тебя просто изрубят на куски и закопают где-нибудь на пустыре. Ты этого хочешь?

Подбородок Риты задрожал:

— Нет!

— Вот видишь, как мы замечательно понимаем друг друга, моя прелесть. — И Роман повернул кулак, причинив девушке еще большее страдание. — А теперь подробнее, пообстоятельнее, во всех красках! Рассказывай!

Филат подтолкнул Риту к креслу.

— Рома... дай закурить... не могу я так, — попросила Рита жалобно.

Филат небрежно сгреб со стола распечатанную пачку сигарет и бросил ей на колени. Рита долго не могла справиться с мелкой дрожью в руках, которая буквально парализовывала движения, а потом, наконец кое-как уняв понемногу волнение, вытащила наманикюренными пальчиками сигарету, прикурила и жадно затянулась.

— Андрей меня туда пригласил. Обещал заплатить... пятьсот баксов. За один вечер. Никаких безобразий там не было. Я просто сопровождала этих толстопузых чинуш, танцевала с ними, позволяла щипать себя за задницу, за сиськи — но не больше!

— Это все? — грозно спросил Филат.

Рита молча кивнула. Потом добавила:

— С той вечеринки, — она кивнула в сторону видака, — я с Гавриловым... с Андреем... больше не виделась. Правда.

Но все же какая-то тревога копошилась у Филата в душе. Он сопоставлял факты и не мог понять, какая между ними связь. Ему вспомнилось вдруг, как Рита отреагировала на известие о гибели ее шефа Тетерина. Вернее, никак не отреагировала. Точно знала заранее, что его взорвут сразу после разговора с московским гостем. А может, думал Филат, это дурацкая моя подозрительность, может, и не врет девка. Может, ни при чем она?

И он решил, что надо бы устроить ей проверочку.

Дождавшись, когда Рита заперлась в ванной, он набрал мобильный номер Глеба и дал ему задание на ближайшие два дня.

Поздно ночью Рому разбудил звонок Красного. Леха был взволнован, чего раньше за ним не замечалось.

— Слышь, Филат, у меня для тебя херовая новость! — ляпнул Леха. — Завтра в офисе «Балторгфлота» состоится привзац... тьфу, черт, не выговоришь... приватизационный аукцион.

— Не понял! — протянул Филат, мгновенно проснувшись и краем глаза глянув на Риту. Она безмятежно посапывала. — Это что значит? Как это может быть? Тендер должен состояться через неделю — не раньше. К тому же гендиректора мочканули...

— А им по х...! — злобно отрезал Красный. — Похороны Абрамова послезавтра, а тендер — завтра, понял? Мне верный человечек из УВД шепнул только что. Так что накрылась ваша коммерция медным тазом.

Это был провал. Полный провал. Правда, в том не было никакой вины Филата, но от этого не легче. Варяг и Михалыч спросят с него сурово, почему он проворонил и заранее не предупредил.

— Леха, — медленно проговорил Филат, нащупав пачку сигарет на столике у кровати. — Что же теперь делать?

— Х...м землю рыть! — отозвался Красный. — Рвану завтра с утра на набережную, погляжу, что там делается. Мой человечек из УВД говорит, охрана будет выставлена, как к приезду президента. Три кольца ОМОНа. Спецпропускная система. А тебе, брат, я могу дать один совет...

— Какой? — рассеянно отозвался Филат, нервно затягиваясь табачным дымом.

— Слиняй куда-нибудь. Боюсь, они могут облаву устроить. План «Сирена», или как там... Могут тебя повязать. Превентивным образом. Те, кто намерен завтра «Балторгфлот» захватить...

— Я знаю, кто это... — вяло заметил Филат.

— Да ну? И кто же? — оживился питерский пахан.

— Ты не поверишь. Андрей Гаврилов. Сынок вашего начальника по имуществу.

Трубка взорвалась отборным трехэтажным матом.

— Откуда тебе это стало известно?

Филат снова посмотрел на спящую Риту.

— У меня есть свои каналы информации в городе.

Глава 32

Уже с утра все подходы к зданию на набережной, где располагалась дирекция «Балторгфлота», были заблокированы. От обилия людей в милицейской и камуфляжной форме рябило в глазах. В руках у многих были рации, которые не умолкали ни на минуту: сквозь треск радиоэфира раздавались отрывистые команды, обрывки разговоров.

В здание можно было пройти только по специальным пропускам, которые тщательно изучались двумя лейтенантами у входа, после чего суровый охранник в камуфляже отмечал у себя что-то в блокноте и сообщал по рации:

— Тринадцатый пошел!

— Есть! — отвечала рация.

У здания дежурило несколько патрульных машин. Молоденькие сержанты, никогда не видевшие столько начальства, сразу как бы повзрослели. Их юношеские лбы избороздили морщины и, судя по деловитой суете, можно было сделать вывод, что эти ребятки здесь едва ли не самые главные действующие лица. Скоро к дому на набережной в черном «ауди», в сопровождении двух патрульных машин, подъехал начальник УВД генерал-лейтенант. Кондрат Лысенко. Он небрежно козырнул группе офицеров и энергично поинтересовался:

— Все в порядке? Никаких происшествий?

Командир роты ОМОНа — сорокалетний полковник со щеками цвета зрелых помидоров, подскочил к генерал-лейтенанту и живо отрапортовал:

— Так точно, товарищ генерал, все спокойно.

— Вот что, полковник, сегодня вам придется тут быть неотлучно! Не удивлюсь, если кое-кто попытается устроить какой-нибудь пиротехнический сюрприз.

— Все подходы контролируются, товарищ генерал. Выявляются случайные лица, а в здание пропускаются только участники!

— Хорошо. Не расслабляться, полковник! Я понимаю, что это для вас лишняя головная боль, но вы должны понять, что это тоже служба. Если тут что-нибудь пройдет не так, то всем надают по шеям — и вам, и мне. Вы меня поняли?

Щеки полковника поувяли.

— Так точно, товарищ генерал! Сам лично буду смотреть в оба.

— Ну уж постарайтесь, голубчик, постарайтесь, — улыбнулся генерал. — Вся надежда на вас.

И, потеряв интерес к полковнику, он направился в здание.

Забот у начальника УВД прибавилось. Одних только взрывов автомобилей в Санкт-Петербурге за последнюю неделю произошло с добрый десяток, и это не считая того, что были убиты люди, имевшие непосредственное отношение к сегодняшнему мероприятию...

Коммерция его не интересовала: в конце концов, это дело налоговой полиции, но вчерашний звонок из администрации мэра встревожил его по-настоящему. От него потребовали максимально обеспечить безопасность конкурса. Референт мэра намекнул, что если произойдет какое-нибудь ЧП, то в лучшем случае он завершит свою карьеру участковым в какой-нибудь глуши.

На объект Кондрат Иванович решил прийти лично. Подобное происходило нечасто. Пусть все, от сержантов до полковников, прочувствуют важность момента.

Участники конкурса, все как на подбор явившиеся в белых рубашках, выглядели весьма внушительно, и в их лицах прочитывалась решимость скупить все питерские памятники истории. К своему немалому удивлению, генерал Лысенко сделал открытие, что большинство конкурсантов — либо величественные старики, либо наглый молодняк. Именно с последней группой населения ему приходилось чаще всего иметь дело: их находят в подъездах с простреленными затылками, ими заполнены едва ли не все камеры следственных изоляторов, но именно тридцатилетним принадлежит чуть ли не семьдесят процентов капитала страны.

— Действовать крайне аккуратно. Зря дубинками не махать! — строго предупреждал генерал.

Из свиты генерала вынырнул высокий полковник в камуфляжной форме и предстал перед Лысенко, как верный волк перед Иваном-царевичем.

— Все сделаем, как надо, товарищ генерал-лейтенант. Я уже дал соответствующие инструкции. Силовые санкции будут применены только в крайнем случае.

— Все верно, полковник, смотри не оплошай и держи меня в курсе всех дел. Мне интересно знать все!

— Так точно, товарищ генерал-лейтенант, буду держать вас в курсе.

— Да уж держи, дружище. Вся надежда на тебя, — приподнял руку генерал, не то для того, чтобы дружески похлопать старательного служаку, не то затем, чтобы двинуть ему в морду.

Баринов проследил взглядом за начальником УВД. С генерал-лейтенантом Лысенко Яков Степанович был знаком заочно. Как-то в «контору» поступил звоночек, что Лысенко покровительствует контрабандистам, работающим с цветными металлами, и якобы даже имеет «окно» на границе, через которое переправляют в Финляндию тысячи тонн никеля и меди. Если информация была верна, то он являлся одним из самых обеспеченных людей России. Как бы там ни было, но в свое время Лысенко пустили в разработку и опекали довольно плотно, но ничего такого обнаружить не удалось. Генерал так никогда и не узнал, что каких-то три года назад находился в двух шагах от «Крестов».

— Сколько их сейчас там? — повернулся Баринов к Хрулю, перелистывающему список.

— Сейчас в зале находятся все по списку. Должны подойти еще несколько человек, тогда можно будет давать команду к началу.

— Я у тебя что хотел спросить, Семен, а не обидно ли тебе пахать на нашего Андрюху за копейки? Знаешь, сколько он поимеет от этой прихватизации? Только в первый год сотни миллионов долларов. Неплохо? Вот бы взять да и разделить на двоих. Ха-ха-ха! Ладно, ты маску мне не строй, пошутил я.

Служба в контрразведке не прошла для Хруля бесследно. Из деревенского парня, чуть не в семнадцать лет впервые увидавшего многоэтажные дома, он превратился в ловкого и осторожного хищника, который не доверял никому и всегда готов был вцепиться даже в руку, протягивающую ему кусок мяса. Что-то в тоне Баринова ему не понравилось — не проверяет ли его старый разведчик на преданность хозяину? Он давно усек правило: никогда не болтать лишнего.

— Я понимаю, что вы шутите, Яков Степанович... А что касается денег, так я не жалуюсь, на жизнь хватает!

— Разумно. Ладно, кто там у нас еще?

Вдоль набережной красивой черной ладьей проплыл «мерседес». Стекла в машине были затемнены. По оперативным данным своей разведки, Баринов знал, что это любимая игрушка Красного. Не имея возможности присутствовать в зале, законный вор решил последить за событиями из своей машины. «Мерседес» остановился неподалеку.

— Я хочу знать, о чем разговаривают в машине, — тихо заметил Баринов.

— Сделаем, — живо отреагировал Хруль и, отойдя в сторону, быстро затерялся среди казенных мундиров.

Два месяца назад он по приказу Гаврилова ездил в Германию на выставку радиоэлектронных средств связи. Кроме обыкновенного обывательского любопытства, он имел чисто профессиональный интерес — появилось новое поколение подслушивающих устройств, которые умещались в ушке обычной иголки. Удивительными были возможности этого шпионского оборудования: с его помощью можно было подслушать разговор с расстояния в несколько сотен метров. Несколько экземпляров этой чудо-техники Хруль привез с собой.

Баринов старался ничем не выделяться среди присутствующих. Он, как и все, был одет в милицейский камуфляж, но по взглядам сержантов понял, что они безошибочно угадали в нем туза. Несколько сотрудников службы безопасности «Балторгфлота» дежурили в самом здании.

Подошел Хруль.

— В лимузине сидит Красный. Судя по трепотне, которую я услышал, они в полной растерянности: не подозревали, что аукцион перенесут.

— Ладно, посмотрим, что там выгорит у Андрюши, — бросил Баринов.

Приватизационный конкурс открылся ровно в пятнадцать часов. Огромный зал был заполнен всего лишь на четверть. Кроме участников аукциона здесь присутствовали несколько корреспондентов местных газет и съемочная группа из Москвы— снимать им разрешили только начало мероприятия.

Мероприятие заняло час с небольшим. Создавалось впечатление, что конкурс проводится по заранее сверстанному и всем известному сценарию. Мало кто из присутствующих в зале догадывался, что так оно и было. Контрольный пакет акций — сорок два процента — купил концерн «Петротранс», двадцать пять процентов досталось банку «Петропромстрой», остальные мелкие пакеты разошлись по неизвестным фирмам...

В интервью питерской телекомпании новый фактический хозяин «Балтийского торгового флота» Андрей Гаврилов кратко изложил программу действий по спасению обанкротившегося флота и выразил соболезнования по поводу трагической гибели бывшего генерального директора Ивана Борисовича Абрамова.

— Завтра состоятся похороны Ивана Борисовича, — печально глядя в объектив телекамеры, заявил Гаврилов. — На панихиде я обязательно выступлю. Но уже сейчас я знаю, что скажу над гробом Ивана Борисовича. Я поклянусь найти убийц. И не только исполнителей, но и заказчиков этого гнусного преступления. Мы не позволим превратить наш город в криминальную столицу России!

Глава 33

Внезапно и спешно проведенная приватизация «Балтийского торгового флота» стала для московских воров в законе не просто досадной потерей крайне выгодного бизнеса, но и тяжким моральным ударом. Еще никогда они не проигрывали так позорно. К тому же у москвичей были серьезные коммерческие обязательства перед крупными иногородними авторитетами. И за эти обязательства тоже надлежало нести ответ.

Варяг наутро приехал к Михалычу, и они вдвоем стали кумекать, как действовать дальше.

— Мне предстоит нехилый разбор с Шотой, Закиром, Кайзером и Тимой, — заметил Михалыч со вздохом. — Я же их бабки вложил на три недели под хороший процент. Кто смог предположить, что произойдет такой облом. Сто миллионов с лишком мне вернут только к концу месяца. А люди наверняка будут требовать назад свои деньги. И что я им отвечу?

Варяг развел руками.

— Будешь вертеться как уж на сковородке. Бабки надо возвращать. Это факт. Но думаю, и Барон нам должен. Надо его штрафануть.

— Сержант? — с полуслова понял Михалыч.

— Нет, Сержанта я попросил выполнить для меня кое-какое задание. Его я трогать сейчас не хочу, — ответил Варяг. — Да и негоже классного снайпера выпускать на такого хромоногого кабана, как Барон. Бароном займется Слон.

На том и порешили.

Днем к Михалычу заявился Шота. Вор был одет в белоснежный костюм, который изящно дополняла бордовая бабочка — эдакий грузинский денди.

В этот раз Шота явился не один: за его спиной стоял двухметровый неулыбчивый детина с рваными ушами и перебитым носом. Из этого тандема следовало сделать вывод — Шота не доверял! Иной раз он бросал быстрые взгляды на своего молчаливого спутника, как бы спрашивая: «А готов ли ты, бичо, медведем прогуляться по этим хоромам?» Перебитый нос красноречиво свидетельствовал, что «бичо» способен на подвиги.

— Я тебя уважаю, Михалыч, дарагой мой, — лилейным голосом начал Шота, — патаму хачу, чтобы ты мэня тоже уважал.

— Шота, хоть однажды я тебе дал повод усомниться в нашей дружбе? — очень серьезно спросил Михалыч. Краем глаза он посмотрел на верзилу, который не смел присесть в присутствии авторитетов. То, что Михалыч разрешил появиться в своем доме Шоте с телохранителем, свидетельствовало о его уважении к гостю, и старый грузин должен был оценить подобный жест по достоинству. Против обыкновения гостей даже не проверили на наличие оружия: когда один из охранников Михалыча потребовал у верзилы расстегнуть пиджак, Михалыч сделал недовольное лицо и заметил, что гостей не обыскивают.

— Ну что ты, дарагой, до последнего врэмени подобного нэ наблюдалось.

— А может быть, кто-то пробил макли и ты перестал доверять своему старинному другу?

— Только нэ надо шлифовать мне уши, уважаемый Михалыч, мы же с тобой нэ мальчики. Ты сказал мнэ, что дело верное, и я повэрил, вложился в твою компанию авансом, а тэперь оказалось, что все это туфта! Как мне объяснить все это людям, которые мэня паслушали? Они же придут ко мне и скажут: «Шота, генацвале, давай наши деньги». А что я им отвечу? Что они у Михалыча? Так им совершенно нет дела до какого-то Михалыча, потому что они вели разговор со мной. Разве я нэ прав? Что ты ответишь мне, уважаемый Михалыч?

— Мне бы не хотелось ссориться, батоно Шота. Слишком много нас связывает. Ты можешь обождать немного?

Шота выглядел слегка смущенным — весь его вид красноречиво свидетельствовал о том, что он очень сожалеет — всегда неприятно досаждать старинному другу.

— Я могу обождать нэделю...

— Ты ведь понимаешь, что сумма очень большая, а сейчас у нас нет свободных денег. Дай мне десять дней! — попросил Михалыч.

Шота отрицательно покачал головой:

— Нэт, нэделя. Даже это очень балшой срок. И потом, Михалыч, я устал заходить с севера, мне бы хотелось получить ясные ответы на свои вопросы. Что это за люди в Питере? На чем вы лопухнулись?

— Хорошо, все деньги ты получишь через три дня.

— Это мало, Михалыч. За эти несколько дней, что бабки у вас лежали, набежали кое-какие проценты. Мы бы хотели получить и их.

Глаза старого Шота были необычайно добрыми. Возможно, в этом состоял секрет его обаяния. Где-то Михалыч понимал грузинского вора: случись такая ситуация с ним — он действовал бы точно так же жестко и непреклонно.

Небольшой низкий стол был заставлен яствами: посреди — бутылка дорогого коньяка, осетрина, черная икра, овощи, зелень. Но Шота отказался от коньяка и взирал на стол с таким кислым видом, будто вместо фаршированного перца и черной икры на нем лежал ворох раздавленных окурков.

Михалыч слишком хорошо знал своего старинного друга. Шота не притронется к пище до тех самых пор, пока не услышит главного.

— Хорошо, ты получишь свой процент. Это будет по понятиям, — веско высказался держатель московского общака. — Думаю, братва поймет меня и не будет в обиде. А ты уж, батоно Шота, сделай милость, сам поговори с людьми — с Закиром, с Кайзером и Тимой. Расскажи им, как дела обстоят, скажи, я обещаю все вернуть и с процентами. Никуда деньги не денутся... Ты сумеешь им убедительно сказать, что Михалыч их не обманет. Никого никогда я не обманывал, ты же знаешь. Но ситуация оказалась совершенно стремная...

— Я знал, что мы поладим, — широко улыбнулся Шота. — Знаешь, Михалыч, что-то у меня в горле запершило. А не выпить ли нам по малэнкой? — И когда была пропущена первая стопка, грузин признался: — Что-то я голоден. А нет ли у тебя на кухне, случаем, тарелки харчо, да такого, чтобы огнем во рту полыхало?

— Есть, — улыбнулся Михалыч. Он узнал прежнего Шота.

А за спиной грузинского вора по-прежнему возвышался детина с рваными ушами и перебитым носом.

* * *

Самым неприятным для Барона было не неожиданное известие о состоявшемся в Питере тендере и уходе флота на сторону, а утренний звонок Варяга, который вежливо поинтересовался:

— Как тебе спалось сегодня, Назар?

Хуже всего было то, что Барон не знал, что ответить Варягу: он почувствовал, как сухотка охватила глотку, будто он слопал ведро сухого песка.

Пауза показалась Барону неимоверно долгой.

А Варяг торопил:

— Тебя паралич, что ли, разбил, Назар? Ну ладно, как соберешься с мыслями, так жду ответа!

Очень осторожно Барон ополоснул бокалом сухого вина пересохшее горло, выкурил сигарету, а когда посмотрел на свой «Ролекс», то обнаружил, что после звонка Варяга прошло аж три часа. Он поспешно стал нажимать кнопки на телефонном аппарате и замер, когда в трубке раздались длинные гудки.

— Да! — донесся до него голос Варяга.

— Владислав, ты уж извини, что я так... Сам понимаешь... таких ударов я еще не получал.

— Без лирики, Назар. Что хочешь? — Голос был строг до жути.

— Может, удастся опротестовать результаты?

— Каким образом?

— Вместо положенного срока тендер провели с нарушением графика. Списки участников не обнародовали. Все было проведено с вопиющими нарушениями...

— И кому ты будешь выставлять свои претензии? Чубайсу? — едко поинтересовался Варяг.

Барон как будто воочию увидел его кривую улыбку. Варяг не обладал громким голосом, не способен был нудно читать мораль, но зато умел так тихо и вкрадчиво сказануть, что жить после этого не хотелось.

— Может быть, ты знаешь, кто это нам натянул нос? Если так, то я с удовольствием послушаю твои соображения. Молчишь?

— Владислав, поверь, я сделал все, что было в моих силах. Просто обстоятельства оказались сильней меня.

— Хорошо. Предположим, ты найдешь этих людей. И что же ты им, интересно, такого собираешься сказать? Может, передашь от нас привет или пожелаешь успеха в бизнесе? Ты разочаровал меня, Барон...

— Влади...

— ... ты потерял чутье. Разве не ты пришел к Михалычу с идеей прикупить «Балторгфлот»?

— Осознаю, моя вина. Но все дело в том, что...

— Разве не ты убеждал нас всех, будто компания сама нам свалится в руки?..

— Все это мои слова...

— Что дело это верное и принесет нам гарантированную прибыль? А теперь что ты будешь делать — писать обстоятельное завещание? Хочу тебе сказать откровенно, Барон, ты и Михалыча, и меня лично подставил! У нас крупные убытки. И мне еще предстоит объясниться с людьми, которых я уговаривал вступить в долю. Или, может быть, ты сам желаешь объясниться с ними? С Шотой, с Закиром...

— Что ты мне посоветуешь, Владислав? — У Барона дрогнул голос.

— По совести?

— Мне бы хотелось на это надеяться.

— Если по совести... пусти себе пулю в лоб!

Телефонная трубка в руке издавала тонкие короткие гудки. Осторожно, как если бы он держал в руках фужер из тонкого хрусталя, Барон положил трубку на рычаг.

Глава 34

Свой трудовой путь Юра Соломин начал бетонщиком на стройке, затем пересел на башенный кран, но успел подергать рычаги всего-то неделю — загремел в Афганистан, где почти полтора года прослужил снайпером. То, что с ним произошло дальше, больше смахивало на сюжет крутого американского боевика. За три дня до дембеля он попал в плен к «духам». Юра даже не успел осознать, что произошло: сзади по голове его ударили чем-то тяжелым, и горный пейзаж, который он наблюдал через мощный оптический прицел, вдруг растворился.

Первое, что он увидел, открыв глаза, — злобно улыбающееся лицо моджахеда в замызганной чалме предводителя «бойцов исламской революции».

— Ай-яй-яй, — закачал головой афганец, в голосе его слышалась печаль, — такой опытный снайпер, а совершил такую непростительную ошибку.

Афганец говорил на чистейшем русском языке!

— Какую? — простонал Юра.

— Мои люди из засады заметили солнечный блик. А так бликовать может только оптический прицел.

Юра понял, в чем было дело. На половине пути к позиции он обнаружил, что забыл прихватить специальную противобликовую насадку к оптическому прицелу. Как и всякий снайпер, он был суеверен, а потому возвращаться с половины дороги не посмел. Но, видно, провал был уготован судьбой...

— Откуда у тебя эта винтовка? — Голос сделался жестким.

Винтовка «Гепард» была его трофеем, предметом гордости, ее он заполучил в поединке «снайпер—снайпер», всадив в лоб свинцовый плевок такому же молодому парню, каким был сам. Это оружие он ценил не меньше, чем полученный накануне орден. Игрушка была славной и способна была поражать даже вертолеты на лету, пробивать песчаные насыпи.

— Я получил ее в бою. — Юра старался говорить достойно.

— Это слова настоящего солдата, — отвечал афганец. — Ты достоин уважения, а потому будешь жить. Но у тебя возникла серьезная проблема. Эту винтовку я узнал — она принадлежала сыну одного из моих командиров. Его убили «шурави». Значит, ты?

Юра предположил, что его запрут в клетку и будут возить по селениям на потеху крестьянам, но совсем неожиданно ему предоставили почти полную свободу. Никто не показывал на него пальцем, не швырял в спину камни, ему лишь запретили покидать горный аул. Скоро он выучил афганский язык, принял мусульманство, женился и был принят в охрану Мохаммед-Шаха — полевого командира, который захватил его в плен. Он не раз задавал себе вопрос, что же это было: тонкий психологический расчет хитрого моджахеда или беспечность? И позже понял: скорее всего и то, и другое. Юра мог бы легко выстрелить Мохаммед-Шаху в спину, а потом скрыться и под покровом ночи уйти к своим.

А если бы не удалось?

Так он и остался при Мохаммед-Шахе до самого конца войны. А когда объявили о выводе советских войск, сам пришел к полевому командиру и попросился домой.

Вернувшись на родину, он осел в Москве и первое время перебивался случайными заработками. Что по-настоящему удивляло Юру Соломина, так это полное безразличие к его особе официальных служб. Конечно, он не был носителем каких-то особых тайн, да и никогда не стремился попасть на службу, связанную с государственными секретами, но его судьба и жизненный опыт могли дать любопытный материал для интересующихся. Он знал про то, что невозможно было прочитать в газетах, и даже по прошествии многих лет воспоминания о некоторых страницах его боевой биографии бросали в неприятный озноб.

И все-таки любопытная встреча состоялась. Впрочем, если вдуматься, в ней не было ничего удивительного — он никогда не менял ни своего имени, ни биографии. А если с ним и произошли какие-то перемены, так больше внутренние, а не внешние. Причем больше всего он поразился тому, как удалось разыскать его в многомиллионном городе — ведь он до сих пор жил в Москве без прописки.

Это был молодой мужчина лет тридцати с небольшим, крепкий, сухощавый. Он подошел к Юре на улице, когда тот стоял перед витриной дорогого магазина мужской одежды и разглядывал темное длинное пальто за тысячу баксов.

— Классное пальтишко, а, Юра? — без предисловий заметил незнакомец. — Тебе бы такое!

Юра Соломин невольно вздрогнул, решив, что ослышался: откуда незнакомцу известно его имя? Уж не из...

— Да ты, Юра, расслабься, — улыбнулся незнакомец почти приветливо. — Ты меня принимаешь совсем не за того. Я не из «конторы» и не собираюсь тебя вербовать. У нас своя организация, и я в ней являюсь кем-то вроде начальника контрразведки. Связи, источники информации у нас весьма обширные. Деньги, брат, творят чудеса! Но если говорить начистоту, то сначала тебя вычислили люди из ФСБ. Когда ты еще в Афгане был у Мохаммед-Шаха, тебя готовили для какой-то тонкой игры. Но такой человек, как ты, понадобился нам. И мы тебя у них перекупили!

— Это как? — опешил Юра.

— Неважно. Любое государство должно защищать себя, и поэтому мы тоже обязаны позаботиться о собственной безопасности. Можешь не переживать: твое дело из ФСБ исчезло — эта услуга обошлась нам весьма недешево! Но ничего, мы надеемся, что ты нас не разочаруешь и со временем эти деньги окупятся.

— Кто вы?

— Ты слыхал что-нибудь о ворах в законе?

Юра сразу вспомнил любимый телесериал «Место встречи изменить нельзя». Там был вальяжный пожилой вор-карманник. Ручечник. Он и назвал себя — с гордостью! — вором в законе.

Юра посмотрел на незнакомца с любопытством: разговор принимал неожиданный оборот. Интересно, что же будет дальше?

— Так вот, я вор в законе, —отвечал незнакомец очень серьезно. — Погоняло Филат. Хочу предложить тебе работу. Я давно за тобой приглядываю. Ну что, Юра, живешь как перекати-поле... На автосервисе механиком — разве это дело для такого спеца, как ты...

Юра не переставал удивляться. Во дают! Им даже известно, что он работает в автосервисе!

— И что же я буду делать? — спросил он буднично.

— То, чему тебя обучали в армии. То, чем ты занимался в Афгане.

— И сколько... — начал Юра, но собеседник его опередил.

— На первых порах две тысячи долларов в месяц. Устраивает? А потом, в зависимости от обстоятельств, будешь получать премиальные. Их тебе хватит не только на безбедную жизнь, но еще и останется детишкам на молочишко. Если, конечно, захочешь семью завести, — загадочно добавил Филат. И улыбнулся одними уголками губ. Он действовал, как профессиональный разведчик, словно был выпускником академии ФСБ. Судя по разговору, он с самого начала играл с Юрой в кошки-мышки и выступил в роли хитрого кота.

— Допустим, я согласен, — выдержав долгую паузу, отвечал Юра. — Только можно задать один вопрос?

— Задавай!

— Такое впечатление, что вам обо мне известно больше, чем я сам знаю про себя! Как это?

— У нас надежные каналы информации, — в этот раз без улыбки ответил Филат.

После того разговора прошло месяцев пять.

Филат за это время встречался с Юрой четыре раза — на автосервисе, куда заезжал якобы сделать незначительный ремонт-профилактику своему джипу «шевроле-блейзер», — и передавал ему конверт с обещанными двумя тысячами долларов. А потом он приехал без конверта, но с инструкциями. Юре предстояло выполнить первое задание.

— Ну, давай, Слон, ни пуха! — напутствовал его Филат, изложив суть дела.

— Почему Слон? — не сразу врубился Юра.

— Теперь будет твое погоняло — Слон, — усмехнулся Филат. — Варяг придумал.

Кто такой Варяг, Юра спрашивать не стал...

На следующий день он отыскал на Фестивальной улице нужный дом — крепкую пятиэтажку с балконами на сваях. Он легко взбежал на последний этаж. Ключ был родной — дверь квартиры отворилась безо всякого усилия. У самого окна, на небольшом столике, лежала американская снайперская винтовка «Грендел». Она походила на изящную красотку, которой хотелось обладать.

346

Юра осторожно поднял винтовку. Она была щедро смазана оружейным маслом: сразу видно, что хозяин «Грендела» — человек аккуратный и большой специалист, раз отдал предпочтение именно этой игрушке. Винтовка была небольшая и легкая, однако убойной силы в ней было достаточно, чтобы сшибить яблоко с расстояния в восемьсот метров.

Он навернул глушитель и подошел к распахнутому окну. На противоположной стороне улицы увидел трехэтажное здание. Без труда отыскал на втором этаже четвертое окно справа. Окно было занавешено, но между шторами имелся небольшой просвет, и через него можно было разглядеть край синего ящика. Юра без суеты разложил складной приклад, установил сошки на подоконнике и приладил винтовку к плечу. Руки привычно ощутили знакомую тяжесть. В прицельной сетке он отчетливо различал каждую царапинку на стенке синего ящика, вот в него-то и предстояло попасть. В магазине было девять патронов — смехота! Специалист такого уровня, как он, вполне может обойтись одним выстрелом.

Юра мягко вжал приклад в плечо, впечатал глаз в окуляр прицела и приложил кончик указательного пальца к похожему на серп спусковому крючку. Сердце заколотилось в груди. «Ну, Слон, ни пуха!» — шепнул он себе под нос, нажав на металлический серпик.

То, что он увидел в следующую секунду, поразило его воображение: в комнате все вспыхнуло, и мощное сияние слепящей вспышкой ударило в линзу прицела. Раздался сильный взрыв, который, похоже, растряс землю до самых недр. Взрывом вырвало угол здания и разметало обломки кирпичей на десятки метров.

С минуту Юра как зачарованный смотрел на чудовищный результат своего одного-единственного выстрела, а потом привычным движением сложил сошки и положил винтовку на стол.

Квартиру он покинул незамеченным: ни на лестнице, ни у подъезда никто ему не встретился.

Вернувшись к себе, он несколько часов провел в тревожном ожидании, постоянно поглядывая на телефон. И лишь поздно ночью телефон наконец взорвался длинной заливистой третью.

— Ты все сделал верно, Слон, — раздался спокойный голос Филата.

— Почему так долго не звонил?

— Дела были, — раздался простой ответ. — Спускайся вниз, я у подъезда.

Слон в который раз почувствовал успокаивающую силу этого голоса. Рукопожатие Филата оказалось осторожным и в то же время очень сильным. Такому человеку наверняка не составило бы большого труда разломать шейные позвонки пальцами одной руки.

— Я доволен, считай, что боевое крещение прошло удачно, — начал Филат без вступления. — Сработано на высшем уровне.

С тех пор жизнь Юры—Слона стала совсем другой. Наконец-то в ней появилось то, чего ему так долго не хватало: риск, азарт и — огромные бабки.

Позже Слон уяснил, что ремесло киллера не было для него дополнительным приработком, скорее всего, это было частью его натуры, скрытой в глубине души. Профессионально убивать он научился только через год, когда стал относиться к своему новому бизнесу не как к разовому мероприятию, а как к тонкой квалифицированной работе. Поначалу Слон предпочитал массивные дорогие стволы с офигительной убойной силой. Но потом оценил преимущества легких малокалиберных стволов и лазерных прицелов.

Слон считал себя человеком Филата. Хотя бы потому, что последние два года он работал только на него. Сотрудничество с авторитетным вором его вполне устраивало— это было престижно. Филат — это высокий уровень, а следовательно, и сам Слон поднялся на приличную высоту. Иные убивают за бутылку водки, другие — за жалкий «лимон» в деревянных, которого не хватает даже на ужин в ресторане, и только избранные, такие, как Слон, составляют элитный слой профессиональных киллеров и получают за убийство ровно столько, сколько на самом деле и стоит жизнь его очередной жертвы.

* * *

Барон в последний раз окинул взглядом комнату. Сюда он больше никогда не вернется. Жаль! В кармане пиджака лежал авиабилет до Стокгольма. Полгода назад он купил на окраине шведской столицы небольшую виллу с видом на залив. И теперь собрался тайком рвануть туда — залечь на дно.

О своем внезапном отъезде он никому не сообщил. Даже своих телохранителей он сегодня отослал, найдя правдоподобную отговорку. Единственный человек, кто был в курсе его планов, — двадцатисемилетняя сожительница Клава, которая умела ладить с ним, даже когда он находился в самом дурном расположении духа. Клава была с ним уже три года.

Барон решил сполна наградить ее за долготерпение: они расписались три дня назад, а вчера он отправил ее в Швецию обживать новое гнездышко.

Захлопнув дверь, Барон почувствовал вдруг облегчение: прошлая жизнь осталась за порогом дома. Конечно, если дела пойдут так, как он планирует, то уже через год сможет вызвать туда свою бригаду, которая поможет ему не только прочно закрепиться в Скандинавии, но и потрепать богатых потомков викингов. Благо, что ехал он не на пустое место — несколько лет назад в Стокгольме осело четверо законных с Алтая, набивших руку на торговле рыбными полуфабрикатами, и каждый из них желал бы видеть его своим компаньоном.

В бумажник Барон аккуратно вложил три кредитные карточки — «Виза», «Америкен экспресс» и «Дайнерс клаб», каждая из которых тянула на полтора миллиона долларов.

В руке Барон держал кейс, где были уложены пара свежих рубашек, носки, бритва и прочая мелочевка, не стоящая внимания подозрительного таможенника. Он вполне может сойти за российского командировочного, успешно осваивающего цивилизованный Запад...

Воспрепятствовать его отъезду мог только Варяг, но, судя по последним событиями, держателю российской общаковской кассы сейчас было не до него.

На Варяга развернул охоту сибирский отморозок Колян, и смотрящий России занял круговую оборону в своем хваленом особняке. Говорят, даже вызвал на подмогу Сержанта... Ну пусть его поохотится, злорадно подумал Барон, авось не сразу заметит, что я ноги сделал...

Вечерний воздух дышал прохладой. Барон любил сумерки — то неуловимое время суток, когда день еще не сдал свои позиции и точно замер в ожидании скорого покоя.

Недалеко от подъездной аллеи стоял грузовик «УАЗ». Его большой кузов под тентом загораживал выезд на улицу.

Чертыхнувшись, Барон выбросил недокуренную сигарету и с улыбкой подумал о том, что это, дай бог, самое тяжелое испытание, которое его ожидает на пути в Стокгольм. Но тут тент распахнулся, и последнее, что он увидел в своей жизни, — направленный в лицо пистолет. Длинный ствол слегка вздрогнул, и раскаленный кусок свинца, обретя долгожданную свободу, вошел Барону в левый глаз и, пробуравив мягкий мозг, вышел через шею, оставив после себя кровавую дыру с рваными краями.

Барон, все еще цепляясь за жизнь, косо сполз на асфальт и уставился уцелевшим глазом на «УАЗ».

Тент запахнулся. Мотор деловито заурчал, и грузовик выехал на улицу. Послышались сердитые визги клаксонов, и еще через несколько секунд «УАЗ» влился в поток транспорта.

Ровно через сорок минут Слон, оставив «УАЗ» на стоянке перед автосервисом, вошел в темный гараж и сел за стол в углу. Зажег настольную лампу. Вытянул вперед руки. Ладони не дрожали. Хорошо. Они уже давно не дрожат. Он просидел неподвижно минут десять. Потом придвинул к себе разбитый телефонный аппарат, перетянутый изолентой. Набрав номер, он произнес только одну фразу:
— Принимай заказ!

Глава 35

— Вышла на Невский, — прозвучал из сотового телефона тревожный голос Глеба. — Остановилась у витрины... Что-то разглядывает. Повернулась направо. Стоит у канала, задумчиво смотрит на воду... Снова пошла.

— Не теряй ее! Следуй за ней, да смотри, чтобы не заметила! — очень серьезно напутствовал Филат. — Если упустите, голову оторву.

— Все понял, — вновь отозвалась рация голосом Глеба. — Оглянулась. У меня создается впечатление, что она хочет проверить, не топает ли за ней кто-нибудь следом?

— Тебе не показалось, так оно и есть. Постарайся быть повнимательнее.

— Все понял. Постараюсь.

Рита не догадывалась ни о близком присутствии Филата, ни о преследующем ее соглядатае. Для Риты он еще со вчерашнего вечера находился в Москве. Спектакль был разыгран классически. Филат выразил печаль по поводу расставания с ней и, чтобы рассеять последние сомнения в ее умной голове, стал складывать вещи в любимый кейс. Рита сделала слабую попытку напроситься к нему в попутчицы, но, когда Филат объяснил, что впереди его ожидает очень серьезный разговор с шефом, она обиженно надула губы и фыркнула:

— Такое впечатление, что я тебе обуза.

Но Филат заметил, что на самом деле Рита не обиделась, а, напротив, даже вроде как обрадовалась неожиданному известию о его отъезде. И, уловив ее радость, Филат сразу насторожился, поняв, что его вечные подозрения насчет Риты были небеспочвенными...

Вчера вечером после спешно проведенного приватизационного аукциона, на котором контрольный пакет акций достался Андрею Гаврилову, Филат вернулся к себе злющий и усталый.

Рита вышла к нему навстречу в прихожую. Она была в цветастом махровом халате, туго стянутом на талии. Филат невольно залюбовался ею: Рита принадлежала к той категории женщин, которые выглядели соблазнительно в любой одежде.

— Послушай меня, девочка, — начал Филат, — твой дружок Гаврилов встал мне поперек дороги. И пришла пора побеседовать с ним по-крупному. Ты можешь мне рассказать про него? Сколько у него в охране людей, кто его охраняет и вообще подробности его бытовой жизни... Неужели ты не знаешь о нем ничего? Он же нанимал тебя на работу в эскорт...

Рита покачала головой:

— Я только знаю, что он мерзкий, отвратительный человек. Извращенец. Кобель... И еще слышала, что его охраной руководит какой-то бывший полковник, военный разведчик. Так что, наверное, у него охранное дело поставлено на широкую ногу... И вообще, Рома, мы же с тобой говорили об этом. Я не имею ни малейшего понятия о его жизни. Я уже год его не видела!

Она подошла и, явно желая заставить его сменить тему, плотно прижалась к нему.

— Я хочу тебя, — хрипло прошептала она ему в ухо, обдав горячей волной дыхания.

Сильные руки Филата уверенно обвили ее талию и осторожно притянули к себе.

— Сначала надо развязать пояс! — Рита попыталась отстранить жадные руки возбужденного мужчины, но он нетерпеливо сунул их прямо под халат и с силой распахнул его — пояс распустился, и халат тяжело упал на пол.

— Вот и развязал! — просипел Филат, едва улыбнувшись. Рита умела доводить его до исступления.

Под его нетерпеливыми пальцами извивалось аппетитное тело, истосковавшееся по мужской ласке. Усилием воли Филат заставлял себя не торопиться, хотя все его естество вопияло: повали ее на холодный пол, изомни, измучай, овладей! А когда в сторону был отброшен последний предмет, отделяющий его от финальной черты, — полупрозрачные черные трусики, — Филат бросил Риту поверх халата и сдержанно повелел:

— Закрой глаза!

— Хорошо! — проговорила Рита и крепко обвила руками его мускулистую шею.

Первый толчок произошел в тот самый момент, когда Рита, повинуясь его воле, смежила веки. Вторжение оказалось настолько грубым и мощным, что ее голова откинулась и из груди вырвался протяжный стон...

Прощание состоялось.

А в восемь часов вечера, как и было спланировано заранее, к нему явился Глеб и, сжимая в руке ключи, предупредил:

— Дорога длинная, Рома, надо бы выезжать...

Все выглядело очень натурально. По обыкновению, он посидел на дорожку с полминуты, хлопнул ладонями по коленям и бодро произнес:

— Теперь пора!

Через полчаса Филат сидел в номере «Прибалтийской» и разговаривал с Глебом по сотовому. Глеб, оставшись в неприметной «шестерке» неподалеку от дома, вел наблюдение за подъездом.

Ожидание продлилось четырнадцать часов, и ровно в десять утра дверь распахнулась. В брюнетке, одетой в светло-голубой брючный костюм, Глеб едва узнал Риту. Она сменила не только прическу и цвет волос, но даже и походку. Таких потрясных женщин можно встретить только на обложках дорогих журналов или за рулем дорогих иномарок.

Парня взяли завидки: «И это надо же! Филат крутит такую бабенку! Вот везет же!»

Глеб не без удовольствия проследил за упругими подскоками ее зада и поднес сотовый к уху.

— Она вышла, еду следом.

— Как выглядит? — отозвался Филат.

— Теперь она брюнетка, я даже не сразу узнал ее. На ней голубой костюм, туфли на высоком каблуке. Выглядит отпадно.

— Та-ак, — удовлетворенно протянул Филат, — все-таки я оказался прав. Езжай за ней.

— Понял, — отвечал Глеб, как будто в начавшейся игре ему отводилась роль не обыкновенного топтуна, а основного игрока.

— Смотри, не увлекайся, — сердито обронил Филат.

Прошло уже более двух часов, а **Рита** продолжала бесцельно блуждать по Невскому проспекту. Создавалось впечатление, будто она решила осмотреть все памятники города.

Рита явно лепила какую-то свою игру и делала это очень изобретательно: так, например, она несколько раз останавливалась на улице, доставала из сумочки зеркальце и подправляла помадой губы. Она несколько раз звонила из автомата, и Филату оставалось лишь догадываться, кому названивает его баба — ведь не далее как вчера она жарко шептала ему, что, кроме Филата, у нее нет никого.

Все это было в высшей степени подозрительно и непонятно. А непонятных вещей Рома Филатов не любил.

— Подошла к телефонной будке... Оглянулась. Кажется, опять хочет позвонить, — комментировал Глеб.

— Вот что, мне важно знать, о чем она будет говорить и, главное, с кем. Используй направленные микрофоны и старайся не пропускать ни одного слова. Машину тоже постарайся подогнать поближе, чтоб была идеальная слышимость. Засеки каждое слово. Ты меня понял?

— Разумеется, шеф!

За Ритой следить начали со вчерашнего вечера. Похоже, она и впрямь поверила, что Филат свалил на пару деньков из Питера. Едва он покинул квартиру, как чуткие «жучки» отметили, что девушка сняла телефонную трубку и дважды нажала кнопки, но в самый последний момент ее что-то остановило. Спала она тревожно, и микрофоны отмечали ее печальные вздохи. Сегодня слежка продолжилась — уже на открытом воздухе...

— Набирает номер, шеф! Договаривается о встрече с мужиком. Похоже, разговор ее возбуждает... нервничает очень.

— Имя назвала?

— Нет... Но создается впечатление, что это ее хороший знакомый.

Филат все еще не верил, что Рита его обманула. Не хотел верить. По большому счету Филату всегда не везло с бабами. Он всегда западал на смазливых, с аппетитными формами, мало думая о том, что у них в душе. И частенько оказывалось, что душа у его подружек с червоточинкой. Одна была слишком жадная и алчная, все тянула из него дорогие подарки без меры. Другая, сучара, похотливая как кошка, — трахалась в его отсутствие с пацанами из его же бригады. Третья тоже выделывала такие сумасшедшие фортели, что ему оставалось только руками разводить. Рита же ему показалась совсем другой, не похожей на всех его прежних любовниц. Она была холодной и своенравной — это днем, на людях, а с ним ночью в койке — необычайно ласковой, доступной и возбуждающей. Филат, сравнивая этих двух Рит — дневную и ночную, — считал, что попал в десятку: о такой бабе можно было только мечтать. Но вот, выходит, и эта стерва обвела его вокруг пальца!..

— Что у тебя там? — не выдержал молчания Филат.

— Она назвала его Андреем. Все. Повесила трубку.

— Вот что, не теряй ее ни на секунду. Не исключено, что поедет к этому самому Андрею.

Его тревожные предчувствия, кажется, оправдались. Филат знал только одного Андрея — Андрея Гаврилова, президента «Петротранса» и нового владельца «Балторгфлота».

— Не беспокойся, Филат, не упустим! — заверил его Данила.

* * *

Такая редкая удача выпадала Рите не всегда. Едва набрала телефонный номер, как трубка бодро ответила: «Слушаю!»

Голос принадлежал Андрею Гаврилову. Она сразу узнала его хрипловатый басок.

— Это я, Рита. Нужно срочно встретиться и поговорить.

— О! Рад слышать твой сладкий голосок, крошка. Знаешь ли, я два раза тебя вспоминал. Первый раз неделю назад, когда ходил в тот стриптиз-клуб, где я тебя подобрал. А второй раз я вспомнил о тебе позавчера, у меня был такой мощный стояк, что я был готов послать за тобой курьера... Именно за тобой!

— Ты все такой же пошляк...

— Ритуша, дорогая, я не пошляк. Я всего лишь продукт своего времени. И поэтому не стоит судить меня слишком сурово. Так что ты хотела мне сказать?

— Есть вещи, о которых лучше не говорить по телефону. Это касается приватизации «Балторгфлота».

357

На том конце линии воцарилось настороженное молчание.

— Что ты имеешь в виду?

— Все, что я знаю, могу рассказать тебе только при личной встрече!

— Где ты сейчас находишься?

— Знаешь парфюмерный бутик недалеко от Исаакия?

— Ясно. Иди в сторону набережной. Я тебя встречу там минут через десять. И не совершай лишних телодвижений, очень тебя прошу!

— А я думала, что именно они тебе и нравятся.

— Узнаю тебя, крошка, ты как всегда остра на язык. Именно за это ты мне и нравишься. Ладно, у нас с тобой будет время поговорить на интересующую тебя тему.

Рита зло швырнула трубку и по-мужицки грязно выругалась.

Пунктуальность всегда была отличительной чертой Андрея Гаврилова.

Ровно через десять минут к набережной перед Исаакиевским собором подрулила белая «вольво», и светловолосый шофер, небрежно сбросив с плеча ремень безопасности, вышел на дорогу.

— Здравствуйте, вы Рита? Я от Андрея Антоновича. Он не смог приехать. И поручил мне доставить вас к нему...

Рита фыркнула:

— Без своих дурацких закидонов он не может!

Водитель был молод и самоуверен.

— Это вам лучше сказать лично Андрею Антоновичу, — мило улыбнулся парень.

— Везите, куда там еще?

И Рита смело затопала к машине.

— Филат, она села в белую «вольво», следую за ними...

— Опять белая «вольво»? Ну кажется, мы их застукали! Не отставай, но и не мозоль им глаза! — напутствовал Филат.

— Похоже, они заметили, что я сел к ним на хвост... Пытаются оторваться.

— Не дай им уйти! — Филат поймал себя на том, что вдруг сорвался на крик, и с грустью подумал, что прежде с ним такого не случалось.

— Понятно, Филат, еду следом! Черт, прижимают два грузовика. Оттесняют от «вольво»!

— Плевать! Жми дальше! — рассвирепел Филат. — Не отставать ни на шаг!

— Не дают проехать... Черт! Я их упустил, Филат! — виновато проговорил Глеб и злобно выругался.

— Ладно... возвращайся обратно.

В трубке что-то зашуршало, и голос Глеба пропал. До слуха Филата донесся его придушенный вскрик.

— Глеб! — заорал Филат, ничего не понимая. — Что там стряслось?

Но Глеб не ответил. В трубке послышались короткие гудки отбоя.

Глава 36

Кроме водителя в «вольво» сидел пассажир — парень с конопатой физиономией. Вел он себя в высшей степени деликатно и только иногда, совсем незаметно, бросал взгляды на круглые Ритины коленки. Наверняка в эти минуты он думал о чем угодно, но только не о задании шефа.

«Вольво» мчалась быстро, проскакивая перекрестки на красный свет. Примерно через полчаса выехали на загородное шоссе, которое напоминало взлетную полосу аэродрома.

— Куда мы едем? — буркнула Рита. — Я устала от этой гонки.

— Скоро вы все узнаете, — сдержанно ответил конопатый.

Минут через пятнадцать выехали к заливу. «Вольво» медленно сползла с пологого склона и, тихо урча, покатила к песчаному берегу.

— Вот и приехали, — весело сообщил Конопатый. — Посмотрите вот туда! — Он рукой показал в заросли густых ив, где стяла небольшая яхта. — Андрей Антонович ждет.

Блондин-водитель заглушил двигатель и обернулся:
— Прошу вас.

— Спасибо! — Рита скривила красивые ярко-красные губы и легкой бабочкой выпорхнула из салона.

Если Рита о чем-то и мечтала в жизни, так именно о такой яхте — белой и легкой, как облако. На носу яхты стоял Андрей Гаврилов — в светлых шортах и пестрой рубашке с короткими рукавами.

Когда Рита подошла, он широко раскинул руки для объятия.

— Господи, Ритуля, ты даже не представляешь, как я рад тебя видеть! Дай поцелую.

Рита решила не сопротивляться. Гаврилов впился своим жадным ртом в ее пухлые губы.

— Ох, какая ты сладенькая! Видишь, девочка, как я тебе доверяю! В последнее время у меня появилось слишком много недоброжелателей — я вынужден искать уединения. Немногие знают про это убежище. — Он обнял Риту за талию. — Ты одна из них. Цени!

Конопатый парень встал позади хозяина: видно, он исполнял при Гаврилове роль старательного курьера.

— На сегодня эта яхта мой дом. Осторожнее ступай по трапу, он не для таких тонких каблучков, как у тебя... — Гаврилов поддержал Риту под локоть. — Господи, ты прекрасна, как Афродита. Не удивлюсь, если однажды ты мне скажешь, что рождена из морской пены...

— Ты все такой же балагур, — туфли маленькими молоточками застучали о палубу. — Когда же ты повзрослеешь?

— А зачем мне становиться старым? Признайся, разве тебе плохо было с тем темпераментным юношей, с которым ты познакомилась три года назад? Или ты позабыла все?

— Перестань кривляться, Андрей! У меня к тебе серьезное дело.

— Какое же, моя радость? Ты позволишь тебя так называть?

— Да перестань же!

Место для стоянки яхты было выбрано очень удачно. Ее невозможно было увидеть с шоссе даже с близкого расстояния: судно скрывалось за зарослями прибрежных ив. Со стороны залива яхту прикрывал высокий утес, гранитной грудью вставший навстречу северному ветру.

— Так объясни мне, что ты от меня хочешь?

Рита усмехнулась:

— На сей раз это не я от тебя, а ты от меня... Наши роли поменялись!

Андрей удивленно вздернул брови. Его полные чувственные губы капризно искривились.

— Это как же понимать?

— А так! У меня есть для тебя важная информация. Очень важная! Но сначала я хочу попросить тебя отдать мне те фотографии.

— Те? — посерьезнел Андрей. — Какие те?

— Не прикидывайся, будто забыл. Те, что ты сделал в тот вечер... на той вечеринке в «Добрых ключах». Там, где я с... твоим отцом...

Гаврилов расхохотался:

— Ах, вот оно что... Да, теперь вспомнил. Мой старик был тогда в ударе, да и ты его раззадорила...Помню-помню...

— У Филата есть пленка той вечеринки, — продолжала Рита, болезненно поморщившись. — Но, к счастью, съемки велись только на воздухе.

— А откуда это у твоего любезного Филата пленка? — забеспокоился Гаврилов, сразу утратив насмешливо-самодовольный вид. — Что за пленка?

— Не знаю, он не сказал. Похоже, вас там кто-то из-под полы снимал...

— Вас! — фыркнул Гаврилов. — Не вас, а нас, крошка! Нас! Не забывай этого! И что же Филат? Почему бы тебе не спросить у него, откуда он достал этот фильмец? А? В койке между двумя оргазмами почему бы тебе не поинтересоваться? Или когда он тебя трахает, ты забываешь обо всем на свете? А? По глазам вижу, что забыва-

362

ешь, ах ты шлюха похотливая! Неужели он трахает лучше, чем я?

Рита молчала. Она даже отвела глаза от Андрея. Она боялась его: несмотря на внешнюю учтивость и добродушную веселость, Гаврилов был безжалостен, и Рита понимала это лучше, чем кто-либо. Стоило ему только моргнуть, двое мужиков, стоявших рядом с ним, мгновенно схватят ее, свяжут по рукам и ногам, растянут на палубе и изнасилуют по очереди, а Андрей будет наблюдать за всем происходящим с масляной улыбочкой и фотографировать «полароидом», как тогда, год назад, в номере у его папаши, этого старого похотливого козла Антона Лавровича, когда ей пришлось... Но вспоминать о той проклятой вечеринке и о гнусном, мерзком ее финале Рите было невмоготу даже сейчас, год спустя. Теперь ей хотелось лишь одного — лишь бы Андрей вернул ей две фотографии, сделанные «полароидом». Только ради этих фотографий она и согласилась прийти в бар «Белый павлин» и познакомиться с Филатом... Она надеялась, что Андрей хоть на этот раз не обманет и вернет ей те ужасные фотографии, которые она тут же разорвет в мелкие клочки...

— Что же ты молчишь, крошка? — сердито поинтересовался Андрей. — Я ведь натура тонкая, ранимая — могу несказанно обидеться.

— Понимай как хочешь...

— Похоже, московский красавец Рома Филатов по кличке Филат замутил твой светлый разум и разбил вдребезги твое сердечко. Неужто ты влюбилась в него, как наивная студенточка! — Гаврилов взял Риту за подбородок и жестко произнес: — Шлюхе с многолетним стажем такая романтическая влюбленность не к лицу!

Рита узнала прежнего жесткого и циничного хозяина, но упрямо дернула головой:

— Отпусти!

363

— А вот и не отпущу! — злобно усмехнулся Гаврилов. — Не забывай: ты моя собственность. Я тебя могу использовать по собственному разумению — например, отдать этим двум молодцам, что пялятся на твои сиськи и ножки! Если тебя не устраивает такая перспектива, могу сунуть в трюм на недельку. Ты меня хорошо поняла, девочка? — С этими словами он крепко сжал ей подбородок, так, что она вскрикнула от боли.

— Опусти, больно!

— Еще раз спрашиваю... ты меня хорошо поняла?

— Да... Отпусти!

— То-то! — Андрей потрепал Риту по щеке. — Я очень не люблю твоих капризов. А теперь ответь мне, почему ты вдруг раздумала играть по моим правилам? Я тебе что приказывал?

— Познакомиться с Филатом поближе, стать его любовницей. Что я и сделала, — нехотя ответила Рита.

Андрей улыбнулся

— Я вижу, из всего того, что я тебе поручил, ты запомнила только самое приятное. Ты должна была не только трахаться с Филатом, но и стать его ушами и глазами. Для чего я дал тебе номер мобильного? Ты должна была все слушать, все видеть, все запоминать и передавать мне всю информацию. Разве не так?

— Но я же тебе все передавала!

— Ага, понимаю, ты думала получить двойное удовольствие — хорошего трахаля и в придачу хорошее вознаграждение от меня. Так не бывает, детка. Я еще подумаю, стоит ли мне отдавать тебе те озорные фотографии...

— Мне противно. Мне страшно... Я не могу так больше! Я больше не буду жить с этим бандитом! Я уйду!

— Знаешь ли, у меня не такая романтическая душа, как у тебя. Я этого не понимаю. — Андрей угрожающе улыбнулся. — Я нанял тебя на конкретную работу, а ты собралась пойти на попятный... И что же, по-твоему, я должен с тобой делать?

Они сидели уже за белым столом, на котором, кроме большой вазы с яблоками, стояла тарелка с гроздьями черного винограда и апельсинами.

— Что хочешь, то и делай!

— Вот как? — удивился Гаврилов, изогнув бровь. Капризные губы снова привычно скривились. — Интересную задачку ты мне задала... Может, приказать моим парням вырвать тебе язык? На всякий случай...

Рита исподлобья посмотрела на обманчиво веселое лицо хозяина яхты, которого она слишком хорошо знала, чтобы не поверить в эту угрозу.

— Ритуша, не грусти. Сначала мы с тобой все-таки пообедаем. Неужели ты думаешь, что я способен на всякие зверства... прежде чем не накормлю тебя? Мы знаем друг друга давно, и потом, мы же цивилизованные люди! А я ведь чувствовал, что нечто подобное может произойти: слишком ты впечатлительная натура. — Андрей взял с тарелки большую гроздь винограда и аппетитно откусил крупную ягоду. По подбородку побежал сладкий ягодный сок. — Почему же ты не задаешь мне вопросов?

— Каких?

— Как я с тобой поступлю. К сожалению, нас с тобой слишком многое связывает, детка. Я бы даже рискнул сказать, что мы с тобой одной породы. Тебе так не кажется?

— Нет!

Он укоризненно посмотрел на серьезное лицо Риты и сокрушенно покачал головой:

— Ты настроена очень агрессивно, детка, это плохо. И тем не менее мы с тобой похожи. Знаешь, почему я так считаю? — И, не дожидаясь ответа, Андрей продолжал: — Я люблю сюрпризы, и ты их обожаешь. А потому я решил подготовить для тебя один забавный аттракцион. Думаю, он тебе понравится. — Рита молчала. — Ну вот и договорились, — усмехнулся он, поднял палец вверх, и, словно чертик из коробочки, перед столом предстал Конопатый.

— Что, Андрей Антонович? — вежливо поинтересовался парень.

— Скажи штурману — пусть отвезет нас на дачу.

— Слушаюсь...

Конопатый исчез, а еще через минуту размеренно забарабанил дизель, и яхта отвалила от берега.

Рита обернулась. Оказывается, на яхте они были не одни. Двое матросов, не обращая внимания на присутствующих, тщательно драили палубу у кормы. Еще один парень суетился на камбузе и что-то мелко нарезал длинным ножом. Наверняка на борту имелись еще люди — из глубины трюма неслась приятная тихая музыка, и Рите даже послышалось, что она различила слабый женский смех.

— Ехать недолго, детка. В получасе хода отсюда по заливу имеется небольшой мысок, на нем и стоит мой летний домик. Там я люблю отдыхать от забот.

Андрей поднялся из-за стола, отошел к борту и подставил ветру лицо...

— А я ведь так и не рассказала, зачем звонила тебе, — робко начала Рита, отважившись сделать еще одну отчаянную попытку.

Гаврилов повернулся к ней:

— Да, я и забыл. Конечно, рассказывай!

Она постаралась придать голосу уместные в данном случае зловещие нотки.

— Филат хочет тебя убить! Он расспрашивал меня про твою охрану. Сколько человек, какое вооружение...

— А ты что?

— Я ему ничего не сказала. Он будет искать тебя...

— А что меня искать — вот я. Вот моя яхта, вон моя дача, мой адрес и телефоны можно без труда узнать в городской справочной. Пускай приходит... герой. Я его не боюсь, Ритуша. Не такие меня пугали... Да я не испугался. Скоро ты кое-что увидишь!

И он опять отвернулся. А Рита закусила губу. И этот номер не прошел. А она-то надеялась расположить к себе этого негодяя, надеялась, что в знак благодарности за предоставленную ему информацию он наконец отпустит ее на все четыре стороны...

— Вот мы и приехали! Смотри, — Андрей махнул в сторону зеленого мыса. — Это и есть моя дача. Ты тут впервые.

Через несколько минут днище яхты прошуршало по дну и носовая часть ткнулась в высокий берег. Двое матросов расторопно завертели лебедку, и трап, описав полукруг, опустился на сухой песок.

— Прошу, моя радость, — деликатно подтолкнул Гаврилов гостью к трапу. — Очень надеюсь, что наша прогулка доставит тебе истинное удовольствие.

Рита сошла на берег. Она уже не однажды пожалела о том, что позвонила Андрею, но решила до конца сыграть свою роль, так и не уяснив, что же ею руководило больше — страх или простое бабье любопытство.

— А у тебя здесь мило... — через силу улыбнулась она.

— И это все, что ты можешь сказать?

Андрей взял ее под руку:

— Хочу тебе сказать, моя милая, что наша встреча могла сорваться. Твой Филат хвостом за тобой ходит...

— Разве?

— Господи, какие удивленные глазки! А ты не знала, что он за тобой приглядывает?

— Нет...

— Так вот, моим ребятам пришлось изрядно потрудиться, чтобы отвязаться от слежки. — Андрей вдруг взял девушку за плечи и резко развернул к себе: — Ты никому не проболталась, сучка, что встречаешься со мной?

— Андрей, господи, что с тобой? Конечно же нет!

Глаза у Гаврилова были бледно-голубого цвета, почти прозрачными и холодными, как стекло.

Он убрал руки с плеч девушки и произнес:

— Похоже, я напугал тебя, крошка. Глазки-то как у тебя расширились! Ну не расстраивайся, придем сейчас в дом, отдохнем как следует. — Андрей повел Риту по тропинке в сторону огромного особняка, красно-коричневая островерхая крыша которого просматривалась между сосен.

Глава 37

«Дача» Гаврилова оказалась форменной крепостью: помимо кирпичной, в три метра высотой стены, дом окружал широкий ров, заполненный зеленоватой водой. Надо рвом, чуть изогнувшись, навис разводной мостик. За прочными стенами этой «дачи» можно было пережить не только шторм, но и осаду.

Казалось, еще секунда — скрипнут массивные чугунные ворота, заглушая шум леса, и покажется мрачная, заросшая щетиной рожа охранника, который после недолгого осмотра посоветует гостям топать от частных владений подобру-поздорову.

Примерно так оно и случилось. Громко брякнул тяжелый засов, и ворота легко заскользили в петлях. Но вместо злобного сторожа из проема выглянула гладко выбритая подобострастная физиономия дядьки лет пятидесяти.

— Андрей Антонович! А мы вас только к вечеру ждали!..

— Дела, голубчик, спешные! — Гаврилов затопал по мостику, увлекая за собой Риту и обоих охранников, и похлопал дядьку по плечу. Примерно так же делает добрый хозяин, когда ласкает выбежавшую ему навстречу верную собаку. — Все в порядке, Егор?

— Все в лучшем виде, Андрей Антонович, — засеменил следом дядька. — Да что бы могло случиться?

369

— Как там гости, Егор?

— Тихо сидят, Андрей Антонович, — осклабился дядька.

— Не приуныли? — поинтересовался Андрей у Егора, который верткой собачонкой топтался рядом.

— А чего им унывать! — дядька выглядел почти обиженным. — Кормим, поим, не обижаем.

— Ну и ладно...

Андрей поднялся по лесенке на высокое крыльцо. И, обернувшись у самых дверей, недоуменно поинтересовался:

— Что же ты, Рита. Проходи смелее.

С опаской глядя по сторонам, молодая женщина дернула плечом и вяло отозвалась:

— Что у тебя здесь?

— Тюрьма, — брякнул Андрей. — Не хуже, чем у твоего приятеля Лехи Красного.

Рита почувствовала, как по спине пробежал холодок. Андрей явно не шутил.

— И за какие грехи ты в нее сажаешь?

— Только не за карточные долги. — Гаврилов немного замедлил шаг, а когда Рита поравнялась с ним, серьезно продолжил: — За долги я просто убиваю.

Гаврилов уверенно шагал по длинному коридору. Он пригласил ее в комнату, где в самом центре стоял обтянутый серой кожей диван, на котором по-хозяйски разлегся огромный мраморный дог.

Пес недовольно заурчал, но, заметив хозяина, мгновенно спрыгнул с дивана, всем своим видом выражая неподдельную радость.

— Вижу, что обрадовался, Акбар. Вижу, что рад! — потрепал Андрей пса по загривку. Пес радостно оскалил клыки, пустив слюну до самого пола, а потом, в знак радости, ткнулся мокрым носом хозяину между ног. — Вот спасибо, друг, ну уважил! — Андрей посмотрел на свои светло-серые шорты, на которых осталось темное влажное пятно. — Все, пошел! Хватит! — Андрей обернулся к телохранителям и мотнул головой: — Оставьте нас, у меня к Рите есть пара вопросов, которые я бы хотел задать ей наедине.

Парни с понимающим видом отступили назад и молча прикрыли за собой дверь.

— Древние греки считали, что секс имеет мистическую силу. — Андрей приблизился к Рите. — Не случайно же они совокуплялись на вспаханных полях, на конюшнях, в коровниках... Чтобы повысить урожайность полей и плодовитость скота... Этот породистый пес готовится стать отцом. В первый раз буду его вязать. Уже и суку подходящую нашел. Давай, совершим античный ритуал — чтобы у него щенки получились отменные, а?

— Не подходи ко мне! — Рита резко отстранилась от наступающего на нее Гаврилова. — Я тебя ненавижу!

— Вот как? — усмехнулся Гаврилов. — Помнится, совсем недавно ты мне говорила другие слова. Я вижу, что ты сейчас неискренна. Ты не хуже меня знаешь, что король и дама очень хороший расклад. Он называется марьяжем и всегда дает стопроцентную взятку. Детка, мы с тобой еще так повоюем, что чертям в аду станет жарко! — Он снял с себя рубашку, бросил ее на диван, потом расстегнул шорты. — Давай, раздевайся, детка. Ну? Чего стоишь? Или позабыла, как совершается этот священный обряд? — Шорты упали на пол. Теперь он выглядел дерзким молодым сатиром, готовым обольстить прекрасную нимфу. — Ну чего же ты, милашка, стесняешься? Ну?! — Гаврилов начинал терять терпение.

Рита отступила на шаг:

— Оставь меня! Или тебе мало баб?

— О! Сопротивление? — Андрей изобразил на лице удивление. — Твои непредвиденные действия вносят в сюжет элемент интриги. Люблю нестандартные ситуации, — зловеще улыбнулся Гарилов.

Рита отступала до тех пор, пока не почувствовала спиной преграду — стойку бара, уставленную иностранными бутылками. Девушка протянула руку назад и нащупала бутылку с длинным горлышком. Она угрожающе выставила ее вперед.

— Не подходи!

— Вот как? И этой ерундой ты хочешь остановить кабана во время гона? — Гаврилов опять продемонстрировал белоснежные зубы. — В таких случаях говорят, что вино ударило в голову. А что тебе ударило в голову? Моча?

Рита взмахнула рукой, и бутылка камнем полетела в Андрея. Продемонстрировав отменную реакцию, Гаврилов отпрянул в сторону, и бутылка с грохотом разнесла двухметровое зеркало у противоположной стены. Вино забрызгало потолок и лужей расползлось на паркете.

— Ай-яй-яй! И ты подняла руку на человека, который владеет половиной Санкт-Петербурга! Ну и глупа же ты, крошка! А теперь вот что я тебе скажу... — Лицо Андрея исказила злая гримаса. — Ты напрасно думаешь, что я буду бегать за тобой с обнаженным членом по всему дому. Брачные игры закончились! Теперь, если хочешь жить, ты сама должна доставить мне радость... Как это бывало прежде. — Он поднял с пола длинный осколок бутылочного горлышка. — Если ты не веришь в серьезность моих намерений, то для начала я готов расписать твое личико вот этой штукой. А теперь подними свое платьице. — Гаврилов приблизил осколок к горлу девушки и угрожающе произнес: — Ну?

— Ты псих! — Рита подняла платье, обнажив ляжки.

— О! Какой у тебя красивый загар! Но я ожидаю продолжения стриптиза. Или тебе не хватает музыки? Как в «Белом павлине» три года назад. Спеть тебе тему из «Эмманюэль»?

— Не надо...

— Тогда в чем дело? Или ты желаешь, чтобы я сам стянул с тебя эти черные трусики? Но я уже давно вышел из юношеского возраста, когда меня это возбуждало. Сейчас я предпочитаю, чтобы мои женщины раздевались самостоятельно. А насчет психа... Да, я псих, но не маньяк, и это главное. Я обыкновенный мужик с нормальной сексуальной ориентацией... Снимай трусы, сука! Ниже спусти, если не хочешь, чтобы я попортил твою нежную кожу... — И он уколол Риту осколком бутылки в подбородок. — А теперь развернись. Да не жмись ты! Не строй из себя целку!.. Вот так-то! Расставь ноги... Какая нежная у тебя кожа! — Андрей провел острым краем стекла по ее спине. — Не дергайся. А то весь кайф сломаешь. Голову ниже!

Левой рукой он обхватил ее за бедро и, удобно пристроившись, мощно вошел в нее.

Рита ойкнула и закусила губу.

— Какой же ты гад!

— Ишь ты как запела! Ничего, потерпи малость, сейчас все будет о'кей. Ох, хорошо! Да ты руками о стол обопрись, а то ведь шкаф башкой разобьешь. Вот так-то. А-а!! — Андрей взвыл и сильно сжал ей живот. Подергавшись еще немного, отошел. — А теперь одевайся, не показывать же тебя гостям в таком непотребном виде. Что обо мне люди подумают!

— Ненавижу! — процедила Рита, одергивая платье.

Глава 38

Гаврилов распахнул дверь и выпустил пса, который в последние пять минут, учуяв запах спермы, сильно разволновался и тихонько урчал.

— Все готово, Яков Степанович? — деловито осведомился Гаврилов у начальника службы безопасности.

— Так точно, Андрей Антонович, — по-военному отозвался мужчина.

— Ну и отлично. Выводите!

— Слушаюсь, — кивнул тот и удалился.

Андрей взял Риту за руку и повел к лестнице во двор. Во дворе стоял врытый в землю деревянный стол и две скамьи. Чуть подальше под навесом темнел мангал на тонких ножках.

Баринов отсутствовал недолго — через несколько минут он привел двух пленников, раздетых по пояс. Головы мужчин скрывали черные мешки, а руки за спиной стягивала тугая веревка. Отставной полковник вывел пленников на середину двора и стал терпеливо дожидаться следующих указаний.

— Ты знаешь их? — неожиданно повернулся Андрей к Рите.

— Откуда я знаю, если у них лица закрыты? — хмуро ответила молодая женщина.

— Верное замечание. Снимите мешок! — распорядился Гаврилов.

Баринов снял с пленников мешки.

— А теперь узнаешь? — полюбопытствовал Гаврилов.

Рита пристально вгляделась в обоих мужчин, и... у нее перехватило дыхание.

— Господи, ты с ума сошел, Андрей! — вырвался у нее вскрик.

— Что-то ты с лица сбледнула! Что с тобой? Узнала?

— Я не знаю...

— Да все ты знаешь, сука! Это ведь шофер твоего ненаглядного Филата. Мои ребята взяли его час назад, прямо из тачки вытащили, тепленького. Ну а этот... — Гаврилов картинно взмахнул рукой. — Его-то хоть узнаешь?

Лицо второго Рите показалось очень знакомым.

— Кто это?

— Это мой главный трофей, детка. Перед тобой Алексей Краснов. В Питере его знают по кличке Красный. Его погубила беспечность, а может быть, самоуверенность. Он считал себя хозяином Питера, вот и попался как кур в ощип. А хозяин-то — я! И сейчас я всем вам это продемонстрирую. — Ох махнул рукой. Двое здоровенных охранников повалили связанного Красного на землю. Тот попытался было сопротивляться, но тут же получил сильный удар кулаком по затылку. Голова питерского смотрящего бессильно свесилась, и другой охранник, крепко державший его за локти, стащил с него брюки.

— Ты что задумал? — хриплым голосом спросила Рита, отворачиваясь.

— Смотри, смотри, детка! Такого ты не видела! — захохотал Гаврилов. — Это я для тебя показ устроил. Потом я тебя отпущу, чтоб ты пошла к своему Филату и все ему рассказала. Его вскоре ждет то же самое!

В этот момент с Красного уже стянули исподнее, и Рита с отвращением увидела белый оголенный зад.

— Где Абрек? — весело крикнул Гаврилов. — Приведите песика! Абрек! Мальчик, иди скорее к папе!

На двор из-за дома выбежал пес. Виляя хвостом, он приблизился к хозяину и выжидающе заглянул ему в лицо.

— Сейчас, малыш, погоди немного. — Гаврилов потрепал пса за ухом. — Сейчас... Ну что, Яков Степанович, пакетик готов?

Рита заметила, что Баринов передал подошедшему Конопатому небольшой полиэтиленовый пакет, наполненный какой-то гадостью. Конопатый с гримасой отвращения подошел к лежащему на земле Красному и поспешно вылил тому на голый зад содержимое пакета.

Пес забеспокоился, затявкал и бросился к пленнику. Красный стал отчаянно сопротивляться, брыкаясь всем телом. Но молодцы Гаврилова крепко держали его за руки и за ноги. И тут Рита все поняла. Она схватила Гаврилова за руку и прошептала, еле сдерживая подступившую к горлу тошноту:

— Я не могу на это смотреть, Андрей. Делай со мной что хочешь, но я не могу!

Гаврилов рассмеялся зло:

— Знаешь, у блатных на зоне есть такая мерзкая привычка насиловать новичков в задницу. Это у них называется опускать. Так они показывают свою власть над изнасилованной жертвой. Мне пришло в голову опустить этого Красного, да опустить так, как никто еще не опускал — мой Абрек его вые...т! Знаешь, чем ему жопу помазали! У одной из наших сук из питомника течка сейчас — вот от нее и взяли немного. Чтобы Абрека привадить. Сейчас он этого Красного на свой штырь нанижет — ты посмотри, забава же!

Гаврилов схватил Риту за шею и с силой повернул лицо вперед. Но она зажмурилась и только слышала низкое урчание пса и сдавленные стоны Красного: широкая лента, залепившая ему губы, не позволяла раскрыть рот. Зрители, в отличие от Гаврилова, угрюмо молчали. Видно, им это зрелище не доставляло той радости, как их хозяину.

— Ладно, уведите пса! — распорядился наконец Гаврилов. — А то он Леше спину сгрызет. Теперь давайте этого... Глеба.

Но Глеб, хоть и был связан, вдруг резко развернулся, нагнул голову и сильно ударил лбом стоящего позади него охранника. Охранник от неожиданности пошатнулся и отступил на шаг. Глеб тут же рванул через заросли черной смородины к высокому забору.

Увидев, что Глеб сделал ноги, Красный тоже собрал остатки сил, стряхнул с себя Конопатого и устремился вслед за Глебом, сверкая голой задницей и пытаясь освободиться от волочащихся по земле джинсов. И в эту минуту грохнул выстрел. Потом еще один. Глеб споткнулся на бегу и рухнул лицом в густую траву. Красный застыл как вкопанный и осел на землю, не успев добежать даже до первого смородинового куста. Баринов опустил пистолет и произнес извиняющимся тоном:

— Могли уйти, гады!

Гаврилов глянул на Риту и пробормотал:

— Ну теперь ты все видела, дорогуша. Теперь тебе будет что рассказать Филату! — Он отвернулся и быстро пошел к дому, на ходу отдав Баринову последнее распоряжение: — Водителя уберите куда-нибудь. И Красного тоже уберите. Бабу отвезите в порт и там оставьте. Сама доберется.

Он поднялся в зал приемов, сел за стол, обхватил голову руками и задумался. Что-то все вдруг пошло наперекосяк. Если Ритка не сбрехнула, то... Филат хочет его убить? Так сразу! Даже не попытавшись вступить в контакт и уладить дело по-мирному. У законных воров так не бывает. Это же не отморозки какие-то. Законные ведут дела дипломатично, без истерики. Сначала предлагают, потом предупреждают, ну а потом уж... Сначала Филат должен подвалить собственной персоной. Как он подвалил к Тетерину, а потом к Абрамову. Ладно, надо жить.

Он подумал о Красном. Да, неаккуратно сегодня получилось. За Красного питерские братки будут люто мстить. Да только кому мстить-то? Степанычу надо будет так все обделать, чтобы смерть смотрящего навесили на каких-нибудь приезжих хулиганов.

Гаврилов полез в карман шорт и достал сотовый телефон.

Глава 39

Майора Жаркова бросили на это странное и запутанное дело после обнаружения обезображенного трупа на портовой свалке. О том, что дело обещает быть непростым, стало ясно после того, как установили личность убитого. Им оказался московский вор в законе по кличке Чиф.

Оставалось только гадать, какая нелегкая заставила этого москвича сняться с насиженного гнезда и приехать в Питер. По оперативным данным, Чиф проходил как специалист по улаживанию конфликтов. Он имел репутацию одного из самых хитрых законников, с которыми предпочитали иметь дело даже отъявленные беспредельщики. Для своей правоты он находил слова, которые могли убедить самого стойкого непримиренца, и случалось, что под влиянием его доводов даже бандиты-отморозки перевоплощались в самых ревностных сторонников воровских понятий. Страшная находка на свалке около порта свидетельствовала, что в этот раз договориться московскому вору не удалось, а значит, конфликт не улажен и, следовательно, в любой момент в городе могут появиться новые трупы.

Следователь по особо важным делам, а с недавних пор начальник отдела по расследованию заказных убийств Гриша Жарков знал, что едва информация о смерти Чифа стала достоянием гласности, как московские откомандировали в Питер крепкую команду, чтобы на месте разобраться в случившемся. Но, потоптавшись в городе пару дней, они съехали обратно в Москву.

И вот сейчас в поле видимости Жаркова снова появился Филат. От Чифа он отличался тем, что не имел всероссийской славы миротворца и больше полагался не на силу убедительного слова, а на силу кулака и ствола. В его распоряжении имелись послушные молодые «быки», которые готовы были в любое время дня и ночи собраться в стадо и мощными копытами растоптать несогласного.

Жарков предположил, что и в этот раз Филата занесла в Питер какая-то важная миссия. Но из сводок наблюдения за Филатом складывалась странная картина: московский гость больше напоминал жертву, чем охотника. Во-первых, кто-то прострелил заднее стекло его джипа, во-вторых, взорвали его другую машину; в-третьих, за ним упорно и плотно следили.

Становилось очевидным, что против законных стеной встала мощная организованная сила, имеющая не только солидный капитал, но и значительное влияние в городе. Поначалу Жарков предположил, что московских законных разрабатывает одна из местных криминальных структур, но, когда он навел справки, все подозрения отпали: Филат действовал в тесной связке с Красным, который взял гостя под свою охрану.

Передвижение законных по территории России всегда доставляет операм массу хлопот: приходится мобилизовывать весьма значительные силы, а с их появлением, как правило, неизменно происходит активизация всего местного преступного сообщества.

Не обошлось без приключений сейчас — едва Филат пересек черту города, как в Питере произошло несколько заказных убийств. И Жарков был уверен, что эти взрывы — не последняя его забота, связанная с появлением в городе Филата.

В милицию Гриша Жарков пришел по призванию. Он мечтал о подобной службе едва ли не с малолетства, точно так же, как иные пацаны хотят стать космонавтами или хоккеистами. В мальчишеских снах он видел себя с пистолетом в руках, обезвреживающим банду рецидивистов. Но, воплотив свою мечту в реальность — окончив юридический факультет Ленинградского университета и добившись назначения в горуправление по борьбе с организованной преступностью, — он сделал для себя неожиданное открытие, что жизнь значительно сложнее, чем ему представлялось раньше. Очень скоро ему пришлось расстаться с юношеским романтизмом и по уши нырнуть в самую, что называется, грязь.

Жарков уже три года выезжал на убийства и вдоволь насмотрелся на простреленные черепа, на обезображенные трупы, проводил допросы. Ни в одном учебнике не было написано, что череп, простреленный с близкого расстояния, разлетается на мелкие кусочки, словно брошенный с крыши пятиэтажного дома переспелый арбуз. В профессии не разочаровался, наоборот, с каждым годом все более ощущал, что РУБОП — именно та организация, где он способен максимально раскрыть свои таланты. Жарков научился работать по восемнадцать часов в сутки и удивлял своим трудолюбием даже видавших виды сыскарей. А потому, когда в двадцать восемь лет он возглавил спецотдел по заказным убийствам, никто сему не удивился, зная, что профессионализма и трудолюбия у Григория Алексеевича хватило бы на троих опытных сыскарей. О таком успехе обыкновенный сельский мальчишка из карельской глубинки не смел и мечтать, а ведь он находился только в самом начале профессиональной карьеры...

* * *

Скверно. Варяг так и не позвонил, как обещал. Видно, в Москве дела и впрямь хреновые. Но пустого ожидания у телефона Филат терпеть не мог. И потому уже начал колотиться. Да и Рита заставляла его нервничать. Неужели подсадная? Неужели взяла его на понт? И как это Глеб мог ее упустить?

Во всей этой истории его крайне беспокоила и еще одна загадка — исчез Глеб.

Настораживало также и длительное молчание Красного — уж он-то вился вокруг гостя из Москвы назойливой мухой, так что от него приходилось спасаться, отключив телефон...

Неожиданно Филат поймал себя на мысли, что прислушивается к шуму на лестнице. Он словно ждал непрошеных гостей.

Неожиданно прозвенел звонок.

Вытащив из кармана «вальтер» и стараясь не шуметь, Филат направился в коридор и глянул в монитор камеры внешнего наблюдения. За дверью стоял мужик лет тридцати. Помедлив, Филат сунул пистолет в карман и отпер дверь.

— Вам кого?

— Здравствуйте, Роман Иванович, — доброжелательно улыбнулся гость. — Я к вам.

— А вы, собственно, кто такой? — помрачнев, задал вопрос Филат. Хотя все было и так ясно.

— Я из Управления по борьбе с организованной преступностью.

Точно таким же бесстрастным голосом в общественном транспорте просят передать билетик.

Гость достал из кармана красную корочку и распахнул ее перед глазами Филата. Держал он ее достаточно долго, так что Филат прочитал не только его имя-отчество-фамилию, но и звание. Майор Жарков Григорий Алексеевич.

— Ах вот как! И чем же я заинтересовал вашу организацию? — Филат спокойно смотрел в глаза оперу.

— А ведь мы с вами уже встречались, — погасил улыбку Жарков. — Не помните?

— Вы ковырялись у взорванной машины.

— Совершенно верно. А вы в это время вышли из подъезда. Вы помните наш прошлый разговор?

— Приблизительно.

— Машина-то оказалась вашей, Роман Иванович. Что же это вы от нее тогда отказались? — почти по-отечески укорил опер.

— Я тогда очень торопился. Боялся, что это надолго.

— Если вы не возражаете, я бы прошел в комнату. Не будем же мы с вами в дверях разговаривать. Да и соседи еще невесть что могут подумать... Вы ведь человек законопослушный. Не так ли?

Умные серые глаза опера выжидающе застыли на переносице Филата.

— А вы разве в этом сомневаетесь? — Филат отстранился от двери, пропуская Жаркова. Он изо всех сил старался сохранять спокойствие. — Вы пришли сюда, чтобы спросить меня только это?

— Не только это, Роман Иванович. Я бы с вами хотел поговорить о многом. Работа у меня такая, сами понимаете, — с наигранной грустью сообщил следак. Серые, почти мальчишеские глаза предупреждали: держись, Филат, ты попался! — Я хочу вас спросить, какой смысл был открещиваться от того — ведь бомбу подложили для вас...

— Всегда не любил нежданных гостей.

— Понимаю, но очень надеюсь, что сказанное не на мой счет, — улыбнулся Жарков. — Я, видите ли, хотел вам сначала позвонить и предупредить о своем визите, а потом решил все-таки сделать сюрприз.

— У вас это очень хорошо получилось.

— Кстати, а как поживает та девушка, с которой я вас видел? Кажется, ее зовут Рита?

Прозвучавший вопрос был таким же неожиданным, как метеорит, угодивший в лоб.

— Что у вас с лицом, Роман Иванович, я вас чем-то расстроил?

— Это просто любопытство или все-таки допрос? — нахмурился Филат. Теперь он уже и не пытался скрывать своей враждебности к гостю.

— Ну что вы? — следак очень искренне оскорбился. — Я просто так интересуюсь...

Жарков прошелся по комнате, долго разглядывал фарфоровые вазы в серванте, а потом, повернувшись к Филату, добродушно сообщил:

— Дело в том, что несколько часов назад мои сотрудники видели девушку, очень похожую на Риту. Скорее всего, это была она. Девушка села в белую «вольво».

— И что потом?

— Ничего! Мы следили за «вольво», но машина ускользнула от нас прямо на красном светофоре. Позже произошла довольно любопытная сцена, как потом выяснилось, мы были не единственными, кто интересовался этой иномаркой. «Вольво» преследовал джип «шевроле-блейзер», в котором ехал ваш человек, кажется, его зовут Глеб. Мои люди зафиксировали, как недалеко от морского порта джип зажали в коробочку, очень лихо, надо сказать, два тентовых ГАЗа, водителя Глеба выволокли из джипа и увезли... Вы не могли бы это как-то прокомментировать?

Ах суки!.. Так вот куда пропал Глеб! Филат с трудом унял ярость.

— Нет, — сквозь зубы процедил он. — А вы что, следили за ним?

— Мы следили за белой «вольво», — разоткровенничался следак. Он уже потерял интерес к антиквариату и занялся изучением Филата.

— У меня для вас имеется еще одна новость...

— Нельзя ли все новости узнать сразу? — огрызнулся Филат.

— Есть основания полагать, что одновременно с Глебом исчез и Красный. Надеюсь, такого знаете?

— Предположим.

— Он же ходит без охраны, бравирует... Так вот, недалеко от казино «Олимпия» его ударили по голове, а потом затолкали в какую-то машину. К сожалению, очевидцы не запомнили номера автомобиля.

— И что вы хотите от меня, майор? — Филат еле сдерживался, чтобы не врезать следаку по наглой физиономии.

— Против кого вы играете? В данной ситуации я ваш партнер: нужно спасти девушку и вашего человека. Назовите имя: если вы этого не скажете сейчас, завтра может быть поздно. Обещаю, что это останется между нами.

— Горбатого лепишь к стенке, майор! Не надо меня охаживать. Не понимаю, о чем базар.

— Значит, не договоримся?

— Выходит, так, майор.

— Ну как знаете. Смотрите, чтобы в следующий раз самому не оказаться в багажнике.

— Не понял...

Жарков пристально посмотрел Филату в глаза.

— Дело в том, что ваш шофер час назад найден мертвым... В багажнике старой «Волги». Ее угнали пару дней назад. Теперь мы можем ожидать еще один труп... Не догадываетесь чей?

— Чей же?

— Труп Леши Краснова. — Оперативник взялся за ручку двери и вышел за порог. На прощание обернулся. — У меня такое чувство, что мы с вами еще встретимся... Кстати, хотел вас спросить, вам не знаком некий господин по фамилии Гаврилов?

— Порожняк гоняем, майор, — усмехнулся Филат. — Гавриловых по всему Питеру не одна тысяча наберется.

— Так-то оно так, но ведь далеко не каждый из них является сыном Антона Лавровича Гаврилова. И не каждый из них покупает контрольный пакет акций «Балторгфлота»! Ну, укрепляйте здоровье, Роман Иванович!

И Жарков аккуратно прихлопнул за собой дверь.

Часть V

Глава 40

В этот раз Герасим Герасимович Львов позвонил Михалычу сам. Подобное случалось крайне редко, а значит, дело было спешное.

Встретиться договорились в парке Северного речного вокзала. Место во всех отношениях было удачным: несмотря на близость Ленинградского шоссе, здесь было малолюдно, и можно было спокойно беседовать, совершенно не опасаясь чужих ушей.

Парк был почти диким, поросшим высокой, по пояс, травой и кустарником. В кронах лип вольготно чувствовало себя семейство воробьиных, и ближе к рассвету округа оглашалась соловьиной трелью. Единственное, что указывало здесь на присутствие цивилизации, так это лавочки, разбросанные хаотично в самых неожиданных и глухих местах, да еще тропинки, посыпанные мелким гравием.

Михалыч давно обратил внимание на то, что у отставного генерала была слабость к старым скверам. Точнее, через эту скрытую страстишку наглядно прорезалась его крестьянская натура, сызмальства привыкшая к соседству со всякой божьей тварью.

Генерал Львов уже сидел на лавочке, когда у входа в сквер появился Михалыч в сопровождении двух телохранителей. Герасим Герасимович с аппетитом втягивал в себя горьковатый дым импортной сигареты, как будто это был не табак, а настоянный на пчелином меду клевер.

Заприметив шедшего по тропинке Михалыча, он отшвырнул окурок и поднялся. Он как бы невзначай повел головой, но этого было вполне достаточно, чтобы понять, — парни, сидящие на соседней скамеечке и неторопливо распивающие по бутылочке пива, и молодая женщина у ограды в темных больших очках, монотонно качающая детскую коляску, и есть его безопасность. Нельзя было сказать, что Львов не доверял Михалычу, скорее всего, дело обстояло как раз наоборот, просто он привык именно к такому, заведенному много лет назад порядку.

Телохранители Михалыча предупредительно отстали и позволили старикам в теплом приветствии легонько похлопать друг друга по плечам. После чего они присели на скамейку.

— Ты не изменяешь местам встреч, — мягко улыбнулся Михалыч.

— Знаешь, просто очень люблю природу. Подышишь лесным дурманом, послушаешь голоса птах и как будто побывал на родной Смоленщине.

Михалыч знал о привычке генерала пускаться в словесные этюды. Порой Герасим мог говорить очень цветисто, длинно, и создавалось полнейшее впечатление, что он вызывает собеседника в сквер исключительно для того, чтобы разгрузить переполненную эмоциями душу.

Михалыч улыбнулся. По обыкновению, он готов был слушать излияния старинного приятеля и даже принял сочувствующую позу — отвел плечи назад до предела и слегка приподнял подбородок. Но генерал неожиданно повернул тему:

— Тебе не кажется, что наша беседа не прерывалась вовсе?

Старый вор насторожился:

— Есть такое дело. Но как бы там ни было, мне всегда приятно с тобой общаться.

Парни на соседней лавочке пили пивцо не спеша. С первого взгляда можно было подумать, что они только притрагивались губами к зеленоватым горлышкам бутылок. Питие им было явно не в кайф. Михалыч готов был поспорить, что напиток они поглощали безалкогольный.

— Возможно, я не стал бы отрывать тебя, дорогой мой Михалыч, от твоих воровских дел, но, судя по информации, которой я располагаю, твоему ближайшему другу грозит нешуточная опасность.

— Кому же?

Михалыч мгновенно ссутулился, понимая, что теперь бессмысленно принимать позу благодарного слушателя. Генерал говорил о серьезных вещах.

— Владиславу Геннадьевичу — вот кому!

— И от кого именно?

— От кого же еще? От органов внутренних дел! — Отставной генерал искренне удивлялся наивности старого приятеля. — От них, родимых.

Михалыч выглядел спокойным. Но сердце у него забилось испуганной птицей.

— Признаюсь, не ожидал этого. Выходит, неверно гласит пословица, что ворон ворону глаз не выклюет. У него, я полагал, там тылы надежные.

Герасим Герасимович пожал плечами.

— Ты, Михалыч, отстал от жизни. Времена меняются стремительно. Сегодня ты в фаворе, а завтра в жопе! Видал, как в Кремле смена караула происходит: р-раз рокировочка — и все новые лица! Так и в МВД. Сегодня одни на плаву, завтра — другие, и тех, прежних, топить начинают. Я так думаю, теперь в правоохранном ведомстве новые веяния начались. И всех ваших «тыловиков» разогнали. Словом, передай своему смотрящему... или как там его... что над его головой сгущаются тучи.

И учти, Михалыч, я ведь это говорю тебе по дружбе, просто так. У меня тут никакого личного интереса нет.

— И ничего конкретного тебе не известно?

Герасим Герасимович хитро прищурился:

— Кое-что известно. Например, что охотничью лицензию выдали некоему бандиту Николаю Радченко по кличке Колян. Иначе — Глухарь. Эмвэдэшный кадр из Сибири.

— Колян? — встрепенулся Михалыч, припоминая недавний разговор с Варягом. Точно: Владислав тогда упоминал эту кличку и спрашивал у него, не слыхал ли о таком. В ту пору Михалыч не слыхал...

— Спасибо, Герасим. Это важно. Ты еще, может, что посоветуешь?

Михалыч сомкнул пальцы в замок: верный показатель того, что он сильно нервничал.

— Я бы на его месте скрылся куда-нибудь. На дно бы залег. Очень неплохой вариант — уехать из России совсем и немедленно. В противном случае я не уверен, что он сумеет прожить хотя бы неделю. Может быть, уже сейчас этот Колян поджидает его на выходе из конторы, — сузил глаза генерал.

— Да нет, это не в его духе. Варяг парень неробкий. Он с прямой дороги в лес хорониться не драпанет. Тем более когда ему известно, кто на него вышел. Он драки не боится и любит, чтоб было стенка на стенку! Схитрить может, это да, но чтобы в нору забиться — такого никогда не было и не будет. Кроме того, у него еще есть влиятельные покровители наверху...

— Разумеется, — согласился Герасим Герасимович. — Несмотря на все свои похождения, он по-прежнему вхож в высокие кабинеты, с ним считаются. Я знаю, он крепкий орешек. Но на всякий орешек найдется свой щелкунчик.

— Что ты имеешь в виду?

— А то имею, что, если посулить хорошие бабки, любой дурак полезет на твоего Варяга. Вон этот самый

Колян же полез... За бабки много чего можно сделать, — многозначительно добавил Львов.

— Послушай, так, может, ты сумеешь раздобыть еще какую информацию. Уже не просто по дружбе, а по службе! — понизил голос Михалыч. Он снова обернулся назад и посмотрел на двух парней, мирно попивавших пивко на соседней скамейке. Чуть поодаль по-прежнему сидела женщина с коляской. Из коляски доносился богатырский плач, и она ритмично покачивала коляску, пытаясь угомонить младенца.

— Михалыч, а сам-то он что ж, не в состоянии уже добывать информацию? Он же создал целое государство в государстве! У него своя промышленность, своя армия, свои министерства, свои налоговые органы. Да и на Житной, думаю, у него половина генералов куплена, а? На него ж там лежит во-от такое досье, — щедро раскинул руки генерал, — а он на свободе, занимается бизнесом. А все потому, что знает, кому и сколько нужно дать.

— И что, совсем ничего нельзя придумать? У меня создается впечатление, что ты вызвал меня для того, чтобы сообщить о том, что дни Варяга сочтены.

Генерал Львов добродушно улыбнулся:

— Узнаю старого ворчуна Михалыча.

— Да нет, просто не привык ложиться на спину, задрав вверх лапки. Кто ведет дело этого Коляна?

Генерал слегка наклонил голову:

— Вопрос по существу. Хочешь направить ментов по ложному следу? Боюсь, это будет очень непросто. В МВД создали специальную группу по Игнатову. Руководит группой генерал Тимонин. Не спрашивай, — замахал руками Львов, видя, что Михалыч уже готовится его перебить. — Все, что мне известно, я тебе расскажу. Все, о чем не расскажу, — мне неизвестно, так что не пытай! Итак, генерал Тимонин готовит провокацию против Игнатова. Легальными методами они его взять не могут. Поэтому и решено действовать нелегально. Как в старое доброе время... Исполнителем назначен Колян. На особняк Варяга готовится бандитское нападение. Будет инсценирован вооруженный налет с целью грабежа. Единственное, что я могу узнать дополнительно, — это примерную дату операции. Но это будет чужая услуга... Сам понимаешь... Придется порасспросить кое-кого в МВД...

— Сколько будет стоить услуга? — как можно равнодушнее поинтересовался Михалыч.

Генерал на минуту задумался:

— Ну для вас, крутых, это пустяки. Каких-нибудь двести тысяч долларов...

— Договорились, — протянул Михалыч руку.

Генерал слегка задержал ладонь старого вора в своей и укоризненно произнес:

— Что-то ты сдал в последнее время, Михалыч. Вон, смотрю, седины прибавилось. Да не переживай ты так сильно, что-нибудь обязательно придумаем для твоего Варяга...

Герасим Герасимович поднялся и неторопливо побрел по аллее. Со стороны он казался одиноким и немощным стариком. Но кому, как не Михалычу, было известно, сколь ошибочно это впечатление.

Женщина на соседней скамейке продолжала рьяно раскачивать коляску, только двое парней аккуратно поставили пустые бутылки на землю и неторопливо пошли вслед за одиноким стариком.

Глава 41

Едва Филат появился снова в Москве, как ему передали, что его желает видеть Варяг. Стрелку забили на Рублевском шоссе, в самом начале, недалеко от метро «Кунцевская». Эту часть столицы Варяг шутливо называл своими «фамильными угодьями». Когда-то, лет восемь назад, когда Варяг только начинал разворачиваться, он взял под свою «крышу» здешние магазины, торговые точки и рынки и даже государственные предприятия. Он даже квартиру снял на Рублевке — чтобы быть поближе к «своей» территории. Потом рутинным сбором дани занялись его братки рангом пониже, но все равно Владислав чувствовал себя в этом микрорайоне как дома. Вот и свой новый офис завел неподалеку.

В последнее время, зная, что за ним развернута нешуточная охота, Варяг не рисковал ездить по городу без солидной охраны — его могучий «линкольн-навигатор», смахивающий на черного носорога, всегда сопровождали два крепких «мицубиси-паджеро».

Филат сидел в своем неизменном «шевроле-блейзере» в компании Данилы, который после гибели Глеба стал совмещать функции личного телохранителя и шофера. Ровно в назначенный час в трех метрах от него остановился черный «линкольн-навигатор» с затемненными стеклами. За ним чинно пристроились два джипа охраны. Из последнего джипа вышел парень лет двадцати пяти, не больше, и не спеша направился в его сторону. Филат опустил стекло и внимательно посмотрел на подошедшего.

— Владислав Геннадьевич просил передать вам, Роман Иванович... Если не возражаете, можно переговорить в его машине. Так будет лучше в целях общей безопасности. Машина Владислава Геннадьевича снабжена радиоглушителем — на тот случай, если кто-то захочет навострить уши...

— Хорошо, — согласился Филат, — ты побудь здесь, — бросил он Даниле.

— Договорились, — качнул головой Данила.

Охранник Варяга слегка улыбнулся:

— Можете не беспокоиться, все будет хорошо.

От парня за версту разило «конторой», впрочем, ничего странного в этом не было. В последнее время, с легкой руки Михалыча, у московских законных вошло в моду окружать себя опытными профессионалами, прошедшими школу КГБ—ФСБ. Самое удивительное заключалось в том, что подчас они даже не подозревали, кого охраняют, и всерьез считали, что занимаются делом государственной важности.

— Я и не беспокоюсь, — равнодушно отозвался Филат.

Наверняка этот увалень считал своего босса крупным олигархом, вхожим в самые высокие кабинеты.

Охранник распахнул перед Филатом дверь «линкольна».

— Спасибо...

Когда Роман опустился в мягкое кресло, Варяг нажал на черную кнопку в дверце машины, и толстое бронированное стекло мягко поползло вверх, отделив водителя от обоих пассажиров на заднем сиденье звуконепроницаемым прозрачным барьером.

— Начну с главного, — без предисловий начал Варяг.

— Слушаю, Владислав Геннадьевич! — улыбнулся, показав белые зубы, Филат.

— В Питере, как ты знаешь, опять образовалась брешь. Красного убили. В городе нет смотрящего... Этого нельзя допускать. Питер — важнейший коммерческий центр, финансовый узел... Ну что мне тебе рассказывать — сам все прекрасно знаешь. Но главное — это неспокойный город. Там без твердой руки никак нельзя. Питер — как норовистый конь. Чуть ослабишь поводья, как там все гарцуют по-своему. Надо там наводить порядок. И чем быстрее, тем лучше. Тем более что мы там обосрались с флотом. И этого оставлять нельзя. Мы не можем проиграть эту пульку. С флотом еще ничего не решено. Надо бороться до конца: теперь вроде как ясно, кто наш враг там...

— Согласен, — Филат пока не совсем понимал, куда клонит смотрящий России.

— Здесь, в Москве, у людей много вопросов возникло по поводу приватизации «Балторгфлота». Михалыч по своим каналам начал действовать — возможно, удастся итоги конкурса оспорить. Но это сейчас не главное... У меня есть основания думать, что младший Гаврилов на этом не остановится. После убийства Красного он совсем оборзел, вошел во вкус. Решил, что все ему нипочем... Когда он своих чиновников стал мочить — это его проблемы. Но он, сука, руку поднял на воров в законе, на наших людей...

— Похоже, что так, — качнул головой Филат. — Если беспредел в Питере действительно идет от Гаврилова, тогда он должен ответить по всей строгости.

— От скорого ответа ему не уйти. Но с ним должен разобраться смотрящий Питера. — Варяг внимательно посмотрел на Филата. У того екнуло сердце. — Я тут с нашими переговорил, пока ты был в Питере. Люди желают встретиться на сход, обсудить текущие дела. Нужно выбирать нового смотрящего по Питеру.

— Верно, — согласился Филат. — Только кого, вот в чем вопрос. Это же не гривенники сшибать с лоточников, здесь котелок должен варить отменно. А потом этот человек должен быть чистым по жизни.

Филат посмотрел в окно. «Линкольн» Варяга стоял на маленькой дорожке, рядом с оживленной трассой. Но по узкой дорожке за время их разговора не проехала пока ни одна машина: создавалось впечатление, что грозный вид четырех припаркованных рядом джипов отпугивал случайных автомобилистов.

— А что, если тебе стать смотрящим, — Варяг повернулся к Филату всем корпусом. — Ты вполне можешь пройти. Тебя многие из воров знают как человека правильного, да и башка у тебя на месте. И кулаки увесистые.

— Ты это серьезно? — опешил Филат, никак не ожидавший такого предложения.

— Вполне. Скажу тебе откровенно, со многими я уже успел переговорить. Большинство одобряют твою кандидатуру. Михалыч отзывается о тебе лестно.

— Я не наберу голосов, — засомневался Филат. Неожиданно он почувствовал волнение.

— Наберешь! — махнул рукой Владислав. — На сходняке будут и молодые и старые воры. Тон станут задавать Шота и Закир Большой. Они-то особенно заинтересованы в наведении порядка в питерском хозяйстве. Слава богу, они на сходняке имеют не последнее слово! Ты-то сам как, согласен?

Филат вновь посмотрел в окно. Он ожидал чего угодно, но только не такого разговора.

Филат достал сигарету и закурил.

— Представляешь, как я буду выглядеть, если все-таки не пройду, — неуверенно заметил он. — Не хотелось бы мне так, по-дурному, заляпаться.

— Это ты зря, дело не дурное, — строго заметил Варяг. — А потом, советую не дрейфить. Все будет в ажуре.

Это я тебе говорю — Варяг! Если что выйдет не так, как мы задумали, тогда я ничего не понимаю в этом суетном мире. По рукам? — неожиданно протянул Варяг ладонь.

Отстранять протянутую руку смотрящего не полагалось.

— По рукам! — проговорил Филат, четко осознавая, что взваливает на себя более чем тяжкую ношу.

— Ну тогда считай, все устроили. Смотрящие, с кем я успел поговорить, не возражают. Кстати, я тут для тебя кое-какую бухгалтерию подготовил. Данные по Питеру. — Варяг протянул ему клочок бумажки. — Циферки эти хорошенько запомни. Это приход и расход за последний квартал по Питеру. Отчеты Красный передавал по питерскому общаку. Прочитай и запомни, как таблицу умножения. А потом сожги — негоже, если эту бухгалтерию кто-то посторонний увидит. Возьмешь питерские дела в свои руки: проверишь, сходятся ли циферки на этой бумажке с реальными. Красный хоть и помер, а за ним надо и после смерти приглядывать. Тот еще плут был...

Филат минуты две разглядывал ровные столбики шестизначных чисел, потом достал зажигалку и подпалил листок.

— В пепельницу! Не сори здесь, — улыбнулся Варяг, — люблю, когда в машине чисто.

Филат выдвинул пепельницу и ссыпал в нее пепел.

— Вот теперь порядок.

Несерьезных разговоров Варяг вести не умел. Обыкновенный человек, о которых принято говорить — цельная натура. И, естественно, его слова внушали немалое уважение. Он имел право вести такой разговор. Поговаривали, что у Варяга была даже своя карманная разведка, где работали квалифицированные опера. Если бы однажды Филату сказали, что Варяг располагает компроматом и на президента России, то он не усомнился бы в этом.

Варяг никогда ничего не делал просто так, каждый его шаг был продуман в мельчайших деталях. Наверняка он уже заручился поддержкой большинства смотрящих Северо-Западного региона.

— С кем именно ты разговаривал? — поинтересовался Рома Филатов.

— Тебе нужны имена? — Краешки губ Варяга тронула ироническая усмешка. — Хорошо... За тебя высказались Колотый, Князь, Паша Новгородский, Серега Кронштадт, Моня Красноперый, Федор Казанский, Резаный... Достаточно? Или, может, продолжить списочек?

— Не надо...

Названные Варягом люди и впрямь были весьма авторитетны в воровском мире. Колотый контролировал почти всю Вологодчину и имел власть не меньшую, чем губернатор области. Князь был смотрящим Мурманска, и без его голоса не решался ни один серьезный вопрос. Паша Новгородский в воровском мире был тоже личностью очень заметной — он курировал нефть, а это большая валюта. Одними его стараниями только за последние два года общак увеличился почти на треть. Серега Кронштадт был знаменит тем, что взял под «крышу» таможенный пост. Моня Красноперый, отвечавший за Ленинградскую область, тоже был очень влиятельным человеком. Федор Казанский держал в кулаке Подмосковье — все крупнейшие торговые точки.

Солидной мастью Варяг прикрылся, ничего не скажешь.

— Тебя устраивает такая компания? — повторил смотрящий.

— Вполне.

— Значит, договорились.

— У тебя еще что-то ко мне есть? — спросил Филат, почувствовав, что Варяг не торопится заканчивать беседу.

Тот вытащил портсигар и достал сигарету, тем самым давая понять, что разговор не завершен.

— Есть. Пойми меня правильно, Роман, — Варяг впервые назвал его по имени. — Я не в свои дела не люблю лезть. Но люди разное о тебе говорят — в Питере у тебя какая-то девица завелась... Ты, конечно, волен поступать как знаешь, но смотри не лопухнись. Если она тебя ждет там — хорошо. Я по своему опыту знаю, что, когда есть постоянная баба да еще дети... это хорошо. Для дела хорошо. Гуд фор бизнес, как говорят в Америке. Может быть, стоит тебе там семью завести, в Питере, коли ты там осядешь надолго. Это, может быть, даже и к лучшему. Одно учти: женщину надо тщательно проверить. И если вдруг, не дай бог, окажется, что она замазана... двойную игру ведет... ее придется... Ну, в общем, ты меня понял?

Вот она, плата за место смотрящего! Однако на лице Филата ни один мускул не дрогнул.

— Я понял, Владислав Геннадьевич.

Варяг надавил большим пальцем кнопку, и стекло, разделяющее пассажирский салон, поползло вниз.

Филат распахнул дверцу.

— И еще вот что, законные просили не затягивать с Гавриловым.

— В Питере сейчас Сержант, я слышал... — неуверенно начал Филат. — Для такого дела Сержант подошел бы лучше всего.

Варяг мрачно покачал головой:

— Нет, Роман, Сержант мне сейчас в Москве нужен. У меня проблемы возникли личного характера. Сержант должен пока со мной побыть... Ты должен заняться им сам.

Филат слегка качнул головой:

— Я подберу нужного человека.

Он вышел на воздух. Дверца мягко, почти бесшумно, захлопнулась.

Глава 42

В кабинет генерального директора Госснабвооружения бесшумно вошел Слон и застыл в дверях, не решаясь без приглашения хозяина двинуться дальше. Он ждал, когда Варяг обратит на него внимание, но тот сосредоточенно читал какие-то бумаги в толстой папке.

Наконец Варяг поднял взгляд на вошедшего:

— Здравствуй!

— Здравствуйте, Владислав Геннадьевич.

— Сейчас Филат подъедет. Он мне про тебя рассказывал, хорошего о тебе мнения. Но без него разговор не состоится. Пусть поприсутствует.

Слон молчал. Он впервые видел смотрящего России так близко и потому немного робел.

— В другой город придется ехать? — наконец выдавил он, смущенный затянувшимся молчанием.

Варяг задумчиво кивнул:

— В Петербург. Ты там бывал?

— В детстве, — улыбнулся Слон. — С тех пор ни разу.

Варяг закрыл папку с документами и отложил в сторону.

— К сожалению, тебе там задержаться не удастся. Выполнишь дело и сразу назад. На все про все у тебя будет час-два, не больше. Так что на осмотр Эрмитажа надеяться нечего.

Тут в кабинет, постучав, вошел Филат.

— Я не опоздал, Владислав Геннадьевич — заметил он и постучал пальцем по часам.

— Все в порядке, Филат, — махнул рукой Варяг. — Значит, так: поедете в Питер вдвоем. Возьмешь с собой еще Данилу. Я только что Слону сказал: там не тусоваться, только туда и обратно. Филат, ты проследишь, чтобы дело было сделано как надо. Надеюсь, прокола не будет?

Филат энергично помотал головой:

— Не будет.

— Когда Слон дело сделает, — продолжал Варяг, — ты мне отзвонишь, доложишь. Сам, смотри, не вляпайся в историю. Стой в сторонке. Тебе теперь в Питере сидеть, так что по пустякам с ментами не связывайся. Если вдруг что случится непредвиденное, — тут Варяг серьезно глянул на безмолвного Слона, — повяжут твоего снайпера или, не дай бог, пристрелят... ты его не знаешь, видишь в первый раз в жизни, понял? Никаких свидетельских показаний, никаких приводов! — Варяг перевел взгляд на Слона. — Жизнь — суровая штука, Слон, так что не обижайся. Если попадешь к ментам в лапы — за собой Филата не тяни. Иди на цугундер один. А попадешь на нары — там тебе верные люди помогут. Ну, все. — Он встал и вышел из-за стола. Подошел к Слону и похлопал по плечу: — Удачи тебе! — Потом протянул руку Филату: — И тебе успеха, смотрящий!

* * *

Михалыч не сидел, как обычно, в кресле, а лежал на диване, прикрывшись стареньким пледом. Судя по его потухшим глазам, старику было совсем худо. Филат узнал о болезни старого вора еще вчера, а сегодня, после напутственного разговора с Варягом, решил приехать в Серебряный Бор проститься со стариком. В глубине души Филат опасался, что, возможно, скоро придется возвращаться из Питера в Москву по печальному поводу — в черном костюме...

Михалыч приподнялся на локте и тут же бессильно уронил голову на подушку.

— Вот пришел, Михалыч, попрощаться... — начал Филат.

— Хорошо, Рома, что пришел. Проходи, садись. — Старик проследил взглядом, как гость придвинул кресло к дивану и сел. — Господи, Рома, как смотрю на тебя, так все время вспоминаю твоего батю. Даже улыбаешься ты точно так же, как он. Ты же знаешь, мы с твоим отцом были не разлей вода. Чалились вместе, после зоны в одной семье были. Я тебе вот что хочу сказать... Я тебе никогда не рассказывал об этом, слишком тяжело был вспоминать, но я был свидетелем его гибели...

Филат невольно напрягся. Он опустился на мягкий диван — пружины послушно просели под его тяжестью — и вопросительно уставился на Михалыча.

Своего отца он не помнил. Да и как он мог помнить? Только по рассказам матери...

— Да? Ты мне никогда не говорил об этом.

— Возможно, и сейчас бы не сказал, да вот чую, что недолго мне землю-матушку топтать. Старость... Твой отец Иван Раскольник был один из самых уважаемых людей, которых мне когда-либо приходилось встречать. Его знали на всех зонах. Во время этапов в город его старались не привозить. Держали состав где-нибудь на запасном пути. Если все-таки случалось, так в тюрьме такое начиналось, — Михалыч закатил глаза. — Бунтовали против произвола, войска вызывали. Вот что значит настоящая личность! Не мне тебе рассказывать, что после войны многие воры ссучились, вот и пошло деление на «красные» и «черные» зоны. Сук твой отец не жалел, давил их, как крыс, да так, что кровавые брызги во все стороны летели. Боялись его очень. Сам понимаешь, хозяин всегда на стороне сук, так что твоему батяне несладко приходилось. Один он не ходил, всегда в окружении пехоты. А те за него любому готовы были пасть перегрызть. — Михалыч на минуту задумался. Лицо его стало совсем безжизненным, как будто костлявая уже занесла над ним свою косу. — Отец твой погиб на пароме, когда нас переправляли с Ванино на Сахалин. Представь себе суденышко, до отказа набитое ворами и суками! Ничего себе картина, а?

Рома Филатов нахмурился:

— А я не знал.

— Да откуда тебе... Всем было ясно с самого начала, что побоища не избежать. Суки окружили нас со всех сторон и смотрят на нас, как шакалы на медведя. В таком напряжении мы плыли часа три, а потом такое началось, что вспомнить страшно. Настоящий ад! У каждого были ножи, заточки. Конвой не вмешивался и наблюдал за нами, как за гладиаторами, через металлические решетки. В первые полчаса было зарезано двадцать воров, сук мы порешили в два раза больше. В следующие полчаса воров полегло еще человек пятнадцать, сук было прибито двадцать пять. Невозможно было ходить, кровищи было почти по колено.

— Как погиб отец? — глухо произнес Филат.

— Ты послушай, потерпи немного. Твой отец неплохо работал ножом, он один только с десяток сук положил. Я с ним все время рядом был, а он в самую гущу норовил залезть. Отчаянный был вор, ничего не боялся. Жил и дрался так, будто был не из костей и мяса, а из железа. На нем уже целая дюжина ран, кровь из него хлещет, как из смертельно раненного кабана, а он все не унимается, знай пером направо и налево размахивает. Такой шухер на сук навел, что не приведи господи! — поднес щепоть ко лбу Михалыч. — Идейный он был, каких поискать. Если суки попадали к нам на «черную» зону, так он никого в живых не оставлял. Вырезал всех, как раковую опухоль. Так вот, на барже суки не могли нас задавить, а это была победа. — Михалыч ненадолго умолк. Достал из пачки папиросу (курил он исключительно «Беломор», словно в память о тех местах, где пришлось похлебать хозяйской пайки). Продул мундштук, привычно смял самый конец и сунул в уголок рта. — Как вспоминаю, так всякий раз в колотун бросает. До сих пор не могу успокоиться, как будто все это вчера с нами произошло... Суки предложили нам перемирие. Нужно было оттащить убитых, перевязать раненых. Твой отец согласился — он у нас за главного был. А как раненых начали переносить, так его одна сука в спину пырнула. Отец твой на месте и помер. Вот такая печальная история. Эту суку уже через минуту убили, даже когда он концы отдал, его еще долго ножами ковыряли. А тех сук потом приговорили, ни один из них в живых не остался. Кого на Александровской пересылке уделали, кого в Корсакове порешили.

— Слушай, Михалыч, а зачем ты мне все это рассказываешь? — с недобрым предчувствием задал вопрос Фидат.

— Мы тут с Варягом о тебе толковали давеча. Я же знаю, о чем вы с ним договорились. Питер — город большой. Непростой. Соблазнов много. Деньги большие и лихие. Ты, верно, не все знаешь про тамошних смотрящих. Это лет двадцать—тридцать назад там было все спокойно. Когда такие правильные воры, как твой батя Иван Раскольник, еще по этой земле ходили. А в последние годы все переменилось — другие люди пошли. Что Шрам Сашка, что Красный Леха, царствие ему небесное. Смотри, не повторяй их ошибок. Я знаю, ты парень неглупый, хоть и с норовом. Но главное в тебе есть — верно, от батяни твоего — ты голову светлую на плечах имеешь, ее тебе не задурят ни бабы, ни бабки. Это главное. А про твоего отца я вспомнил не случайно: ты запомни, как он умер. Славная смерть. Почетная смерть. О такой только мечтать можно. А я вот тут, на этом вонючем диване, в домашнем уюте, подохну...

— Да что ты, Михалыч! — У Филата вдруг закололо под сердцем. — Тебе еще жить и жить!

— Пустое это, Рома. Пришло мое время, — твердо отрезал старик. — Ладно, спасибо, что пришел проведать. Ступай с богом.

Филат вышел на улицу. Закатное солнце заваливалось за верхушки старых елей. С реки дул свежий ветерок. Он кивнул на прощание дюжему охраннику, лениво прогуливающемуся под окнами особняка Михалыча, и двинулся к джипу.

— Ну что, начальник, завтра с утреца выезжаем? — спросил Данила, врубив зажигание.

— Нет, сейчас поедем, — мотнул головой Филат.

— Прямо на ночь глядя...

— Нé фига. Дел по горло! Рви на Ленинградку! — упрямо отрезал Филат и, откинувшись на спинку сиденья, закрыл глаза.

Глава 43

Баринов посмотрел на часы. Ровно семь. Хозяин уже дожидается. Он быстро поднялся на второй этаж, с минуту постоял перед тяжелой, обтянутой дорогой кожей дверью, разгладил складку на лацкане пиджака и только после этого негромко постучал.

— Входите, Яков Степаныч, — раздался властный голос Гаврилова.

Полковник слегка толкнул дверь и вошел в кабинет.

Андрей отодвинул рюмку, на дне которой плескалась янтарная жидкость. «Странно, с каких это пор Андрюша пристрастился к коньяку?» — подумал Баринов.

— Присаживайтесь, — великодушно позволил хозяин кабинета. — Гонцов снарядили?

— Да. Завтра утром пакет будет лежать в почтовом ящике Филата.

— Отлично. Хотел бы я посмотреть при этом на его рожу. Ну да ладно, и так ясно, что он в штаны наложит, здесь не нужно богатого воображения. Выпить хотите?

— Не откажусь.

— Вот и отлично. А то пить в одиночестве — прямой путь к алкоголизму. А так, глядишь, компания.

Гаврилов налил полную рюмку и проследил взглядом за тем, как Баринов поднял ее. Только после этого он потянулся за своей.

— Ну, будьте здоровы! — скупо произнес Гаврилов и выпил в три глотка.

Баринов хорошо знал своего хозяина. Он любил покуражиться, повеселиться, обожал женщин, выпивку, роскошь. В общем, был самый обыкновенный мужик, каких в России не счесть. Если он чем-то и отличался от других, так разве что неспособностью пьянеть. Алкоголь его не брал: казалось, хмель совершенно не действует на Гаврилова, точно он не человек, а робот.

Но сейчас, вопреки обыкновению, Андрей Антонович был заметно подшофе, и можно было только догадываться, сколько коньяка уже он вылакал, прежде чем у него зашумело в голове.

— Значит, законные уже знают, что «Балторгфлот» принадлежит мне? — поинтересовался Гаврилов.

— Знают. Для них это известие стало шоком. Сейчас они через своих адвокатов готовятся опротестовать итоги приватизационного конкурса.

— Что у них есть?

— Вообще-то аргументы существенные. Первое — приватизация проводилась в очень короткие сроки и с нарушением утвержденного графика, что противоречит законодательству. Могут возникнуть некоторые осложнения, — осторожно проговорил Баринов, глядя на Андрея.

— У них ничего не выйдет. Все эти бандюки — цыплята, у них кишка тонка воевать со мной... Хочешь посмотреть, какой фотомонтаж я приготовил для этого московского ублюдка?

Гаврилов вытащил желтый конверт и вытряхнул из него пачку фотографий. Баринов взял несколько, взглянул и ужаснулся. На фотографиях был запечатлен Красный, точнее, то, что осталось от питерского смотрящего: окровавленный труп в одних джинсах, кое-как натянутых на бедра. Лицо Красного представляло собой синюшное месиво — сплошной кровоподтек.

— Кто это его так? — выдохнул Баринов.

— Твои пацаны, — усмехнулся Гаврилов. — Видно, их хорошо учили в ВДВ приемам рукопашного боя. Хотя какой уж тут бой — скорее, бойня. Труп они сунули в мешок, а мешок подбросили в укромное место, так, чтобы менты его не сразу обнаружили. Но фотоматериалы, — Гаврилов собрал фотографии в стопочку и аккуратно сложил в конверт, — надо немедленно переслать Филату. Может, это его образумит. Ритка сказала, что он вроде как готовит мне подлянку. А я этого страсть как не люблю... когда мне подлянки устраивают. — И с этими словами он прожег Баринова внимательным взглядом.

Тот почувствовал, что у него похолодели руки. Такое с ним случалось всегда, когда Андрей Антонович так на него смотрел. Подобного безотчетного страха он не испытывал даже в далекую лейтенантскую юность, когда подвыпивший командир полка, выстроив офицеров на плацу, шельмовал их для профилактики...

— Выпейте, Яков Степанович, не напрягайтесь. Рюмка коньяка не только расслабляет, но и прочищает мозги.

Баринов налил себе еще. В последний момент рука предательски дрогнула, и на белую скатерть пролились несколько коричневых капель.

— До меня дошли слухи, — продолжал Гаврилов, сверля Баринова немигающим взглядом, — что в «Петротрансе» неспокойно. Внутренняя, так сказать, смута назревает. Но я почему-то об этом узнаю не от начальника своей службы безопасности, а со стороны — от добровольных доброхотов. Это непорядок, Яков Степанович. Мало мне внешних врагов, так я еще должен строить оборонительные стены внутри? Надо срочно предпринимать меры... И вы должны мне помочь.

— Сделаю все, что смогу.

— Уж постарайтесь, Яков Степанович. Вы же у нас бывший военный разведчик. Резидент. Смотрите, как бы центр вас не отозвал... А когда центр отзывает своего резидента — сами знаете, что за этим может последовать...

Баринов знал. Он знал, что из службы безопасности «Петротранса» никто сам по себе не уходил. Таково было неукоснительно соблюдавшееся правило, которое когда-то ему предложил ввести сам Гаврилов. Люди, работавшие в «Петротрансе», знали слишком много такого, чего знать не полагалось больше никому. И чтобы обезопасить себя от несанкционированных утечек информации, Гаврилов наказал: из «Петротранса» охранники уходят в красном гробу под траурный марш либо под покровом ночной тьмы на загородную свалку.

— Ну чего же вы сидите, Яков Степаныч? — укоризненно покачал головой Андрей. — Или у вас от страха ноги к полу приросли? Идите выполняйте. Так, кажется, говорят у вас в армии?

Баринов послушно поднялся, громко отодвинув кресло, и твердым шагом пошел к двери.

— Даю вам срок два дня! И не забудьте про почту!

— Есть, — буркнул полковник у самого порога.

* * *

Кроме огромного архива, в котором хранился материал на всех законных России, Баринов имел картотеку на всех сотрудников «Петротранса». Года два назад личные дела стали пополняться стенограммами бесед, которые сотрудники вели в приватном порядке. Из них следовало, что многие парни были недовольны службой у Андрея Антоновича. Обидно пахать за жалкие гроши, когда знаешь, что у хозяина прибыль растет как на дрожжах из месяца в месяц, а зарплату он и не думает повышать.

Баринов удобно расположился в кресле. Из старомодного серебряного портсигара извлек сигарету и, небрежно чиркнув зажигалкой, сладко затянулся. Закрыв глаза, он глубоко задумался. А поразмыслить было над чем.

Андрей Гаврилов умудрился создать империю, которая могла бы свободно соперничать с могущественнейшими концернами России, вроде «Газпрома». В своей организации он ввел жесткую дисциплину, которая мало чем отличалась от распорядка службы во время военного положения. За малейшее неповиновение он карал не менее жестоко, чем трибунал за измену Родине. Андрей Антонович сумел сосредоточить в своих руках не только огромную власть, но и гигантские финансовые ресурсы, что позволило ему попасть в касту неприкасаемых города. Добившись своего, он стал жить так, как будто не существовало никаких норм морали. Карательные органы? Какой забавный пустяк! Милиция создана для неимущих простаков. Заткнуть глотку можно любому горлопану — важно, чтобы кляп был из «зеленых» бумажек с унылыми физиономиями заморских президентов.

Для Андрея Антоновича не существовало ничего невозможного: он был вхож в любые кабинеты, заключал головокружительные сделки. А что касается женщин, так ему принадлежали первые красавицы Питера. Все дело было в цене и во времени.

Андрей Гаврилов считал себя всемогущим. И не без основания. Но он настолько уверовал в свою неуязвимость, что даже не заметил, как корабль, который он построил, в одночасье напоролся на выступающий риф и дал течь. Он явно недооценивал влияние законных, а этим ребятам очень не нравится, когда у них из-под носа утаскивают лакомый кусок. Но это еще полбеды. Гавриловым заинтересовались серьезные ребята из «конторы». Двойного удара Андрей не выдержит, а следаки, вкупе с законными, будут долбить его до тех пор, пока не истолкут в пыль...

Проанализировав ситуацию, Баринов пришел к выводу, что Гаврилов обречен. Впрочем, корабль, давший течь, еще можно спасти, если сменить капитана, который по собственному безумию, не замечая опасности, бросает тонущее судно на мель.

И почему бы не найти для «Петротранса» нового, более удобного капитана? Вроде Владилена Сергеевича Крюкова. Жаль, что Гаврилов приказал его устранить. Вот был бы идеальный кандидат. Хваткий, опытный, но в то же время не хапуга, трусоват — с таким можно было бы сработаться: Крюков сидел бы в президентском кресле, подписывал бы бумаги, а он, Баринов, крутил бы втихаря все колеса в концерне...

А Гаврилова можно будет отправить куда-нибудь подальше — уж если не на тот свет, так в Сибирь-матушку на прокорм комарикам... Благо компрометирующий материалец на Гаврилова у Баринова был собран такой, что за глаза хватило бы на десять «десяток» строгого режима.

Чем тщательнее Яков Степанович анализировал ситуацию, тем навязчивее становилась идея сменить руководителя «Петротранса».

Баринов включил магнитофон. Из динамика полился негромкий разговор:

«— Ты не позабыл, что нам в свое время обещал Гаврилов? — напористо спрашивал голос с хрипотцой.

— Ну? — вяло отозвался собеседник.

— А то, что через полгода каждый из нас получит по квартире в центре Питера. А уже третий год лямку тянем — не можем наскрести даже на приличную тачку. Мне уже стыдно в своей побитой «девятке» жену возить!»

Баринов сразу узнал голос второго. Это был Орлов — белозубый красавец, служивший под его началом в ВДВ. Он был из той категории людей, которым сколько ни давай, им все время будет мало.

Собеседником Паши был Артем Козырев. Жил он недалеко от Дворцовой площади с восемнадцатилетней девицей, работавшей в рекламном агентстве моделью.

Его сожительница имела хобби — снимала богатеньких лохов на Невском проспекте, что давало им возможность три раза в год оттягиваться где-нибудь на Канарах. О тайной страстишке своей сожительницы Артем знал, но, похоже, ее приключения его интересовали мало. Не исключено, что у них была взаимная договоренность: когда его подруга коротала время в ресторанах и гостиницах, он веселился в оздоровительных клубах, где мастерицы высокого класса делали эротический массаж.

«— Я с тобой не согласен, Козырь, — гудел Паша Орлов. — Ты бы лучше у полковника спросил, куда наши премиальные деваются. Он же на деньгах сидит, как курица на яйцах. С него и спрос... Я это давно уже просек.

Козырев громко хмыкнул:

— А что, и спрошу!»

Баринов выключил магнитофон. Козырев вчера передал ему эту кассету с записью. Теперь ясно, откуда у Гаврилова появился «добровольный доброхот». Паша стучит. Да, блин, ну и жизнь, мать ее! Просто как в банке с пауками — всем мало, каждый норовит друг дружку укусить побольнее да исподтишка башку оторвать... Ну ладно, сержант Орлов, мы с тобой разберемся не хуже, чем ты разобрался с Лехой Красным.

Глава 44

Девушка под грохот рваной ритмичной мелодии легко скользила между столами. После каждого аккорда она откидывала голову назад, отчего волосы пшеничными волнами разлетались по ее плечам. Всем своим видом она напоминала горячую лошадку, которую хотелось взнуздать и оседлать. Наверняка ее спина еще не знала властного седока. Приятно было бы почувствовать себя ковбоем, который сумел укротить норовистого мустанга.

Глаза у девушки были огромные, черные. В отличие от большинства танцовщиц стриптиз-балета, она умела смотреть на клиента немигающим и откровенным взглядом: зрители, встречавшие ее дерзкий взгляд, готовы были щедро отблагодарить ее за танец.

— Какая милашка, — промурлыкал Баринов. — Хоть и не молод я уже, а нашел бы силы, чтобы погарцевать на тебе.

И сунул девушке за резинку трусиков две двадцатидолларовые бумажки. Та сделала вид, что не расслышала слов, и только лукавая искорка, вспыхнувшая в черной бездне ее глаз, засвидетельствовала ее отменный слух.

Баринов еще не составил мнения об этой девице. Она не обращала внимания на озорные щипки разгоряченных зрителей, и стоило кому-то из них выскочить к ней на сцену, как молчаливые парни в черных смокингах, застывшие в проходах равнодушными истуканами, мгновенно крутили наглецу руки и выводили из темного зала.

Танцовщица была удивительно сложена. Соблюдены все пропорции тела, абсолютная гармония. Ни дать ни взять Венера Милосская. Такие же исполненные гармонии тела — застывшие в камне — украшают дворцы Рима и парки Парижа. Странно было видеть эту богиню во плоти и крови в простом стриптиз-баре.

— Ты только посмотри, какая кожа гладенькая, — кивнул Баринов в сторону танцовщицы. — Оливка да и только!

— Девка что надо, — согласился Хруль и, повертев соломинку в руках, сунул ее в высокий коктейльный стакан. — Такую бы только пилить и пилить.

Баринов усмехнулся. Для подобного подвига нужна была недюжинная смелость. Другом этой танцовщицы был не кто иной, как Леша Краснов, который часто приезжал сюда к концу представления, чтобы забрать эту диву в свой «мердесес». Да где теперь Леша...

Танцовщица подошла к другому столику. На ней были только узенькие полупрозрачные трусики, крупные серьги, которые едва не касались плеч, да красные туфли на невероятно высоких каблуках. Оставалось только удивляться, как это за все время танца она ни разу не споткнулась.

— Когда она раздевалась, — громко сообщил Хруль, — я даже решил, что это она делала исключительно для меня. А у вас не было такого ощущения?

— Было, — честно признался Баринов и, отпив из высокого бокала, произнес:

— Жаль, что с нами сейчас нет Андрея Антоновича. Он-то уж большой ценитель женской красоты. Посмотри, как у нее между ног все подстрижено, ну прямо как английский газон, — хохотнул отставной полковник. —

Просто не верится, что такое может быть. И как это ей удается!

— Однако удается, товарищ полковник! — Хруль продолжал тянуть через соломинку хмельной коктейль.

В этом стриптиз-баре все было хмельным — спиртное, танцовщицы, музыка.

— Послушай, Семен, у меня к тебе серьезный разговор, — неожиданно брякнул Баринов.

Хруль напрягся: он предполагал, что разговор будет не из приятных. Не в правилах Баринова было водить своих подчиненных по дорогим кабакам и выкладывать за один вечер столько, сколько иной работяга не зарабатывает за месяц усердного труда. А коли уж это случилось, так, значит, разговор обещает и впрямь быть нешуточным.

— Я внимательно вас слушаю, Яков Степанович, — в подтверждение своих слов Семен даже отставил в сторону недопитый коктейль.

— Для начала я хотел тебя спросить: как ты относишься к Андрею Гаврилову?

Хруль даже не попытался скрыть удивления: его лоб собрался в кривые складки, нижняя губа поджалась, отчего подбородок пошел мелкими морщинами. Он откинулся на спинку стула, но высказался сдержанно:

— А как я могу к нему относиться? Кто я и кто он? Мне порой кажется, что Гаврилов меня не замечает. Он большой босс.

Музыка смолкла, танец закончился. Девушка, победно выбрасывая вперед длинные ноги, побежала за кулисы.

Яков Степанович с сожалением отвел взгляд от удаляющейся фигурки и печально изрек:

— Ну конечно, как же еще может относиться преданная псина к своему хозяину? Ты это хотел сказать?

Хруль неопределенно пожал плечами:

— Ну что-то вроде того.

— А если я тебе скажу, что ты сам можешь вдруг сделаться большим боссом. Как тебе такая перспектива?

— То есть? — опешил Хруль.

— Скажу тебе откровенно, Сема. Гаврилову пришел конец. Каюк!

— Откуда такие данные?

— Все очень просто: если его не прибьют местные блатари, так обязательно достанут чекисты. Грешков-то за ним числится немало. Он же отъявленный бандит. Ты со мной не согласен?

Хруль с шумом потянул через соломинку коктейль. Сейчас напиток уже не показался ему хмельным.

— Согласен, Яков Степанович, — посмотрел он на полковника. — Слишком круто он берет. Особенно в последнее время...

Вновь заиграла музыка. На сцену вновь скользнула танцовщица. Теперь она была в темно-зеленом длинном платье. В этом платье она выглядела олицетворением целомудрия. Именно в таких нарядах барышни в начале века чинно прогуливались по Невскому и, подметая длинным шлейфом тротуар, мечтали о героях-любовниках из французских романов.

Неожиданно медленная музыка сменилась быстрым фокстротом. Танцовщица легко закружилась по сцене, напоминая проворную ящерку.

— У него есть одна отрицательная черта: он не сдерживает своих обещаний. Разве не так? — пытливо поинтересовался полковник.

— Так, Яков Степанович. Мне вон обещал оклад удвоить после аукциона. И молчит...

— Если не можешь выполнить обещанного, так нечего трепать языком. Разве не так? Ко мне бойцы подходят и спрашивают, где же тачки, что были обещаны? Где квартиры в центре? Через руку Гаврилова проходят миллионы долларов, а мы получаем крохи... У него уже из ушей прет, а он все гребет и гребет под себя!

— Андрюшка просто больной человек, — смело предположил Хруль и посмотрел на сцену.

Танцовщица быстро крутанулась раз, другой, потом дотронулась до алой броши, закрепленной на воротничке, — и платье неожиданно упало к ее ногам. Девушка повела сначала одним плечом, потом другим. Теперь стало ясно, что даже у самых целомудренных женщин под платьем имеется то же самое, что у обыкновенных жриц любви.

— Как только Андрея грохнут... а его грохнут — помяни мое слово... его империя развалится, — вещал отставной полковник. — Нам с тобой придется искать новое место работы. Но это далеко не самый худший вариант, я допускаю, что и за нас очень крепко возьмутся.

— Кто?

— А хотя бы ребята из ФСБ! Эти ребята не зря получают свою зарплату, поверь мне!

— Что же вы предлагаете, Яков Степанович?

— Сначала я должен спросить тебя: ты со мной?

В полумраке рассмотреть глаза Баринова было невозможно. Хруль улыбнулся:

— Вы же знаете, что я всегда с вами. Куда вы, туда и я. Вы мне предложили когда-то работать на Гаврилова, и я не отказался.

Неожиданно девушка выбросила в зал шляпку, которая, описав ровный полукруг, бумерангом вернулась на сцену, упав к ее ногам. Теперь от ее строгого туалета осталась единственная деталь — темная комбинация. Но это придавало ей еще большую пикантность.

— Мы сами должны его убрать, — очень просто объявил Баринов. — Только таким образом мы сумеем обезопасить себя от ареста. И с этим делом затягивать не следует.

Вытащив соломинку из стакана, Яков Степанович залпом допил остатки коктейля.

— К этому делу не стоит привлекать лишних людей, — как бы в раздумье протянул Хруль.

— Ты меня правильно понял, Семен. — Баринов поставил пустой стакан на стол. — Справишься?

Хруль впервые за всю беседу улыбнулся:

— А разве я хоть однажды дал вам повод усомниться во мне, Яков Степанович?

— Что-то не припомню, — ответил Баринов. — После его устранения я займусь финансами. Я уже кое-что предпринял. Нарисовалась интересная сумма — неучтенной прибыли.

Наконец девушка, под восторженные крики и рукоплескания поклонников, сорвала с себя комбинацию. Зрители разразились аплодисментами.

Яков Степанович задержал взгляд на юном лице стриптизерши, после чего повернулся к Хрулю:

— Пойдем, майор, кажется, нам здесь делать больше нечего.

Глава 45

В этот раз все было как обычно. Бойцам Баринова и раньше приходилось проходить тест на «детекторе лжи», и они давно уже не испытывали какого-то трепета. Каждый из них воспринимал эту процедуру как рутину нелегкой службы.

Паша Орлов был третьим по списку. На его красивом лице было написано полнейшее равнодушие, что скорее всего свидетельствовало о волнении, которое он тщательно скрывал.

— Садись, — коротко распорядился Баринов, указав на стул у короткого стола, на котором был установлен аппарат. — Расслабься!— Яков Степанович прикрепил датчики Паше на запястья, на грудь, один приставил к виску. — На вопросы отвечать коротко — «да» или «нет». Ты меня хорошо понял?

— Разумеется, Яков Степанович, — качнул головой Орлов.

Сбоку от испытуемого расположился Хруль. Он любил наблюдать за реакцией бойцов и изучал всякое движение мускулов на их лицах.

— Начнем, — Баринов включил тумблер.

Стрелка на датчике слегка отклонилась, давая понять, что прибор готов к работе.

— Ты доволен службой?

— Да.

Стрелка чуть дрогнула. Это свидетельствовало, что Паша не врет.

— Ты сегодня завтракал?

— Да.

Паша покосился на Баринова: чего это, мол, начальник, за вопросы?

— Имеешь ли ты контакты с ФСБ?

— Нет! — незамедлительно прозвучал ответ.

В его взгляде совершенно ничего не обозначилось. На лице не дрогнул ни один мускул, зрачки оставались спокойными. А вот стрелка скользнула, указав некоторую степень беспокойства.

Баринов догадался, что попал в цель. Стараясь не выдать своего интереса, все таким же бесцветным голосом он продолжал:

— Ты вчера имел женщину?

— Нет, — без малейшего колебания отвечал Павел и откинулся слегка назад, приняв самую непринужденную позу. Яков Степанович выждал паузу, но, похоже, затянувшееся молчание парня не беспокоило вовсе; от вынужденного безделья он даже слегка закачал ногой. А может быть, от излишнего волнения?

Наконец Баринов проговорил:

— Имеешь ли ты неформальный контакт с Андреем Антоновичем Гавриловым?

Павел протестующе изогнул брови:

— Позвольте, Яков Сте...

— Отвечать только «да» или «нет»! — рассерженно оборвал Баринов.

— Разумеется, нет! Черт возьми! — рассерженно отозвался Павел.

Стрелка перепуганно заметалась, отмечая явную ложь.

— Предположим, если бы Гаврилов предложил тебе стать негласным информатором — ты бы согласился?

— Товарищ полковник...

— Повторяю, это всего лишь тест! Меня интересуют простые ответы: «да» или «нет».

— Нет!

Баринова немного позабавила реакция прибора — стрелка зашкалила за красный рубеж. Скорее всего, Паша уже перестал себя контролировать. Но звоночек еще не прозвенел.

— Ты записываешь свои разговоры с сотрудниками?

— Нет, — нервно проговорил Паша. — Послушайте, товарищ полковник, вы задаете странные вопросы...

— Паша, это плановый тест. Теперь слушай мой следующий вопрос: ты записал разговор с Козыревым?

— Нет! — с трудом скрывая раздражение, произнес Паша.

Неожиданно аппарат издал мелодичную трель.

Баринов чуть не подскочил на своем стуле. Ну дела! Он задал этот вопрос без всякой задней мысли — ведь он знал, что тайную запись вел как раз Козырев. Но, выходит, тот самый разговор и Паша параллельно записывал! Занятно! Этого он никак не ожидал. «Детектор лжи» сделал важное открытие. Ну что ж, теперь все ясно. Звонок прозвенел...

Прозвеневший звонок был сигналом для Хруля, — он поднялся и удалился в соседнюю комнату. Оттуда он вышел в сопровождении Козырева. Орлов не видел вошедших — он терпеливо дожидался следующих вопросов. Его лицо внешне оставалось по-прежнему безмятежным, и только пальцы правой руки, что от времени сжимались в кулак, красноречиво свидетельствовали о том, с каким трудом ему дается напускное спокойствие.

— В общем-то это и все, — наконец проговорил Баринов. — Это в суде результаты теста на детекторе лжи не учитываются в качестве доказательств. А мы, слава богу, люди простые и без предрассудков.

Павел, почуяв неладное, стал приподниматься. Под левой рукой, в кожаной плетеной кобуре, прятался обыкновенный «макаров». Ручка торчала наружу. Требовалась лишь секунда, чтобы вырвать его из удобной кожаной кобуры. Как бы нечаянно правая рука Павла Орлова слегка приподнялась — вполне удобная позиция, чтобы в следующее мгновение распахнуть полы куртки.

Яков Степанович отступил назад. И в то же мгновение мускулистую шею Павла захлестнул тонкий шелковый шнурок. Орлов захрипел, попытался руками освободиться от удавки, но шнур упрямо продолжал сдавливать горло.

— Дай ему, чтобы не рыпался! — коротко распорядился Баринов.

Хруль резко ткнул Павла двумя пальцами в солнечное сплетение. Тот охнул, переломился и еще через несколько секунд рухнул на пол с выпученными глазами и раскрытым ртом.

Баринов с усмешкой взглянул на Козырева, неторопливо наматывающего на ладонь шнурок, и поинтересовался:

— Не жалко было приятеля-то душить?

Козырев снял с пальцев шнур, убрал в маленький полиэтиленовый пакетик и изрек будничным голосом:

— А чего жалеть-то? Работа такая. А потом, если говорить откровенно, я не думаю, что меня Пашка пожалел бы, окажись я на его месте.

Козырев аккуратно положил пакетик с удавкой во внутренний карман пиджака и добавил:

— Что делать! Такая вот у нас жизнь паскудная!

Глава 46

— Значит, он все-таки решился, — разочарованно произнес Андрей и швырнул за борт раскрошенный кусок хлеба. Крикливые чайки, кружившие над головой, бросились наперегонки за кормом, подхватывая на лету махонькие кусочки.

— Да, — жестко произнес Хруль. Он сидел напротив хозяина и смотрел на него преданными глазами.

— А я ведь подозревал, что в нем есть какая-то червоточина! Уж слишком он дисциплинированный. Выходит, я все-таки не зря его подозревал. Кассета при тебе?

Море было спокойным, яхта слегка покачивалась, заставляя пепельницу исполнять пируэты по пластиковой столешнице.

— Конечно, — отозвался Хруль и запустил руку в карман. — Вот.

Андрей взял кассету, с интересом осмотрел ее, словно ждал, что она неожиданно заговорит, и сунул в накладной карман рубашки.

— Послушаю сегодня на сон грядущий. А ты молодец, не растерялся. Может, ты и меня записываешь, а, майор?

— Андрей Антонович, да как вы могли подумать такое? — искренне возмутился Хруль. Губы его обиженно сжались.

— Ладно, ладно, пошутил я. Чувствуется, что военный разведчик в тебе не умер. Как же тебе удалось такого аса, как Баринов, обвести вокруг пальца?

— Сам не знаю, — честно признался Хруль. — Учил меня никому не доверять, а тут попался.

— Постарел, видно, Яков Степанович, — в голосе Гаврилова послышались нотки сожаления, — чутье потерял. А ведь такой ищейкой был! Значит, он предложил тебе убрать меня?

— Так точно, Андрей Антонович. Хотел слинять побыстрому. Как крыса...

Гаврилов посмотрел на кружащих над головой чаек, а потом спросил небрежным тоном:

— Стало быть, он считает, что мой корабль тонет? С чего он это взял? А может, он у меня в «Петротрансе» на Кремль работает?

— Не по Сеньке шапка, — возразил Хруль. — Он на себя пашет. Факт!

Чайки неугомонными белыми бестиями кружились над яхтой.

Андрей оторвал от лежащей на столике булки кусок и выбросил за борт. Стая чаек мгновенно устремилась к лакомству, разорвав его на части.

— Короче, — неожиданно посерьезнел Гаврилов, — ты должен исправить мою ошибку. Баринов должен исчезнуть. Ты меня хорошо понял?

— Да, Андрей Антонович.

— Даю тебе на это два дня. Баринов просил у меня несколько дней отгулов. Так вот, я ему дам отгул — пусть немного отдохнет. Съездит в лес, по грибы...

— Я все понял, Андрей Антонович. Считайте, я уже напросился к нему в попутчики.

— Любишь хорошее вино? — неожиданно поинтересовался Андрей.

На лице Хруля написалось смятение. Что это: простое любопытство или очередной хитроумный подвох?

— Да я все больше по водочке... В вине особенно не разбираюсь, Андрей Антонович.

— А вот это напрасно, — посетовал Гаврилов. Он поднялся, отряхнул руки от крошек. Но чайки явно не желали мириться с окончанием трапезы. Гаврилов озадаченно посмотрел вверх: — Ну вот, приучил их на свою голову, теперь без буханки хлеба на палубу хоть и не являйся. Андрей подошел к столику-бару, отворил стеклянную дверцу. На полках стояло несколько бутылок. Он достал одну — высокую, темного стекла. Она напоминала противотанковую гранату.

— Эта бутылка бордо стоит тысячу долларов, — с этими словами Гаврилов штопором выдернул пробку из горлышка. — А знаешь, почему это винцо так дорого стоит?

— Не имею понятия, — смущенно произнес Хруль, наблюдая за тем, как тонкая багровая струйка льется в пузатый, тонкого стекла бокал.

— Потому что люди в массе своей болваны! — изрек хозяин. — Они живут во власти условностей и предрассудков. Безусловны в жизни только деньги. Все остальное — мираж! Должности, посты, этикетки... Пустое, друг мой! Если, конечно, эти этикетки не приносят хороших денег. У нас, ты ведь знаешь, в службе безопасности работает доктор технических наук. Профессор. Лауреат. Так он у меня сидит на компьютере, набивает данные. И получает триста баксов. А в своем институте он получал аж пятьсот. Рублей! Со всеми своими званиями и значками. Ну ладно, хватит философствовать. Предлагаю выпить за будущего начальника службы безопасности «Петротранса». Ну как, по душе тост?

— Признаюсь, не ожидал, — осклабился Семен.

Он держал бокал в руке, не смея двинуть его навстречу бокалу Гаврилова.

— На какой ты сейчас машине?

— Машина хорошая. «Фольксваген-пассат».

— Ну-у, — протянул Андрей. — Что подумают люди о моем начальнике службы безопасности? Ты теперь будешь в каком-то смысле лицом фирмы. Вернешься — пересаживайся-ка на мой «Гранд Чероки». Джип бронированный, собран по спецзаказу. Все равно стоит без дела в гараже. Ладно?

— Спасибо, Андрей Антонович!

Бокал в руке Гаврилова слегка дрогнул, и Хруль, поспешнее, чем следовало бы, поднял свой бокал. Трепетно зазвенел хрусталь, скрепляя новый стратегический союз.

Семен обратил внимание, что чайки уже склевали брошенный на воду хлеб и разлетелись по своим птичьим делам. Он вдруг почувствовал, как у него закружилась голова — то ли от терпкого вина, то ли от радужных перспектив.

Глава 47

Филат долго не решался вскрыть этот большой желтый конверт, в котором, судя по объему и весу, лежали не просто листы бумаги, а что-то другое. Интуиция подсказывала ему, что внутри находится нечто страшное, опасное... Большой конверт из плотной бумаги притягивал к себе взгляд, точно магнит.

Желтый конверт принес ему посыльный от Перикла Геркулоса, — маленький чернявый мужичонка, очень смахивающий на крепенький боровик. Мужичок то и дело озирался, как будто тяготился тем, что вынужден проживать среди бледных поганок и мухоморов, иное дело родная дубрава, где каждый гриб — приятель. Посыльный сказал, что это посылочка от господина Гаврилова.

Филат удивился. Хотя потом, поразмыслив, понял, что удивляться нечему. Хитрый грек умел поддерживать дружеские отношения со всеми. К тому же Филат помнил, что у грека в казино Андрей Гаврилов ошивался частенько— так отчего бы Периклу Кириллычу не оказать услугу важному клиенту...

Наконец он решился. Взял конверт в руки и одним движением оторвал край. Внутри лежала пачка фотографий. Он вытряхнул их на стол и — чуть не зажмурился. Неизвестный фотограф заснял крупным планом обезображенный труп Красного...

Филат медленно перебирал фотографии. Красный лежал... да какое там лежал — валялся на земле в жалкой позе: штаны спущены, задница измазана какой-то грязью или... Блин, неужели сперма? Красного опустили с такой жестокостью, какую встретишь только на самых черных зонах — в сибирской глухомани, где сами кумы участвуют в изнасиловании молодых зеков-первоходков... Что же это значит? Гаврилов шлет ему предупреждение? Угрожает? У Филата желваки заходили под кожей. Ну берегись, сучонок кривогубый... Берегись! На законного вора лапу поднял...

Он взял еще пару фотографий и увидел, что на них запечатлены совершенно иные мизансцены. Голая девица на кровати стоит на коленях. Рядом с ней лежит мужик — судя по пузу и седым волосам на дряблой груди, лет шестидесяти с лишком. Голова девицы склонена над пахом пожилого мужика. Во рту у нее... Ах ты, сволочь!

Филат мельком взглянул на другую фотографию: девица уже выпустила изо рта свою скользкую добычу и сидела закрыв глаза, с отрешенным выражением лица. Пожилой сидел рядом и довольно улыбался. Он сразу узнал обоих — он видел эти лица на видеокассете. Антон Лаврыч Гаврилов и Рита. Вот это да... Вот какой сюрприз приготовил ему Андрей Антонович. Значит, врала Рита. Все врала про тот вечер в загородном доме отдыха... А еще про что она могла ему соврать? Хорошо бы у нее лично выяснить... Вот сука!

Филат сложил фотографии и засунул их в конверт. Тяжелые думы роились у него в голове.

И тут в дверь позвонили. Трель звонка вывела его из оцепенения. Он машинально взглянул на часы: десять. Так, это может быть Рита. Он позвонил ей с дороги вчера поздно ночью и сообщил, что приезжает... Но, может, быть; вовсе и не Рита. Конверт ему принесли в девять, но предварительно позвонили. Сейчас никакого предварительного звонка по телефону не было.

Достав из кармана «вальтер», Филат почувствовал себя увереннее, после чего подошел к двери, на ходу посмотрев в монитор. На лестничной площадке свет был выключен, — и поэтому нежданного гостя он не разглядел.

Филат повернул неприметный рычажок у дверного косяка — и мгновенно невидимые лучи окрасили в зеленый цвет силуэт стоящей перед дверью женщины. Рита! Она была одна.

Филат сунул за пояс «вальтер» и повернул замки. Стальная дверь мягко заскользила на шарнирах и беззвучно отворилась.

— Заходи, — глухим, бесстрастным голосом произнес Филат.

Рита вошла.

— Неприветливо ты меня встречаешь, Рома, — произнесла она, взглянув в его хмурое лицо. — Что так?

Филат замкнул дверь и объявил:

— Со дня нашей последней встречи много что изменилось и выяснилось. Надо бы разобраться...

Рита прошла в комнату. На ней была коротенькая юбка и полупрозрачная кофточка, туфли на высоких тонких каблуках.

— Оказывается, ты с семейством Гавриловых в близких отношениях состоишь! — ляпнул Филат, желая оценить ее первую реакцию.

Но Рита держалась невозмутимо.

— Что ты имеешь в виду?

— В виду? Сейчас я тебе покажу вид! — усмехнулся Филат, подошел к столу, вытряхнул из конверта ворох фотографий и, выбрав две, показал Рите. — Словно из американского журнала крутой порнухи вырезано. Узнаешь действующих лиц?

Рита вспыхнула.

— Какая сволочь! — прошептала она. — Какой же он гад... — Она уронила лицо в ладони, но быстро взяла себя в руки. — Я расскажу тебе все, Рома. Я тебя обманула. Я...

И она рассказала ему все. Как танцевала в стриптиз-клубе на Невском, потому что после института не могла найти приличной работы, а вечное безденежье ее угнетало, как по глупости, по наивности попалась на крючок к хитрому Андрюшке Гаврилову три года назад, как он использовал ее и подкладывал в постель нужным ему людям, в том числе и своему старичку-папаше, как шантажировал этими фотографиями, как заставил ее следить за московским вором в законе...

— Но ведь я сам пришел к Тетерину, — недоуменно перебил ее Филат. — Я же сам на тебя глаз положил...

Рита сокрушенно покачала головой:

— Я должна была сразу докладывать Гаврилову о всех людях, которые появлялись у Тетерина в кабинете. Как только вы с Петром Васильевичем вышли в коридор переговорить, я позвонила Гаврилову на мобильный, рассказала о тебе, и он приказал любым способом с тобой познакомиться...

Филат провел ладонью по вспотевшему лбу.

— Та-ак... Значит, когда я спросил у Тетерина, где в центре можно неплохо посидеть вечером, и он посоветовал «Белый павлин» — ты это услышала и пришла туда как бы случайно...

Рита молча кивнула.

— Если хочешь, можешь меня ударить, избить. Но поверь, я не могла ничего поделать. Он заставил меня. Я не могла отказаться...

Филат цыкнул зубом. Змею на груди пригрел. Вот дела... Да за такие шалости по-хорошему надо ей кишки из брюха выпустить и на жопу намотать...

— Да, девочка, большой ты грех на душу взяла. Большой. Такое не прощается. У тебя есть только способ вымолить прощение. — Решение пришло к нему внезапно. — Я так понимаю, что ты мне туфту гнала, когда говорила, что с Гавриловым год не виделась...

— Я вчера его видела, — сухо ответила Рита. — Андрей на моих глазах над твоим Красным издевался. Пса на него спустил.

— Пса? — изумился Филат. — Что, его собака порвала?

Рита помотала головой, лицо ее искривилось.

— Нет, пес его... изнасиловал. Это было ужасно, отвратительно! Я не могу об этом без содрогания вспоминать...

Филат не верил своим ушам. Сын крупного чиновника, парень, выросший в благополучной советской семье, оказывается, любит забавы в духе самых отъявленных отморозков-беспредельщиков, которых на зонах режут без жалости и вертухаи, и братва... Бедняга Красный!

— Ладно, — глухо произнес Филат. — Мне надо знать, где и когда Гаврилов-младший появляется в городе. Не по делам а так, в нерабочее время...

Рита вздохнула. Ответ давался ей с трудом.

— Он каждую субботу приезжает домой к Антону Лавровичу на обед. В два часа дня. С охраной.

Филат оживился. Это то, что и требовалось узнать. Итак, сегодня пятница. Завтра — суббота. Неужели такая везуха?

— Где живет старик?

— На канале Грибоедова. Номенклатурный дом. Номера не помню, но его там все знают.

— Ладно. — Ему в голову пришла еще одна мысль. — Вот что, милая. Ты до завтрашнего вечера тут у меня побудешь. И чтобы никуда ни ногой. Если окажется, что ты снова мне набрехала, — слово вора даю: я тебе своими руками башку откручу. Если не соврала, если все пройдет, как я задумал, тогда, может, и прощу. — Он невесело усмехнулся. — Мне теперь в вашем городишке надолго задержаться придется!

430

Лежа в постели рядом с мирно сопящим Филатом, Рита вспоминала события последних нескольких дней и не верила в свою удачу. Неужели все обойдется и этот страшный уголовник ее простит и пощадит? А там еще, может быть, при себе оставит. Что же, далеко не худший вариант. Этот вор в законе парень крутой, но сентиментальный. Если, даст бог, завтра Ромка замочит Андрюшку, то наверняка все простит. Да и она его заставит все обиды позабыть, уж она постарается, ей не впервой, она это умеет...

И Рита блаженно улыбнулась сквозь нахлынувшую приятной волной дремоту...

Глава 48

— Дальними моргни! — нервно крикнул Баринов сидящему за рулем Артему Козыреву.

«КамАЗ» как бы нехотя съехал с встречной полосы и сердито гуднул.

— Баран! — выругался Хруль. — Он что, поддатый, что ли? Может, догнать его да по рогам надавать? — Он вопросительно посмотрел на Баринова.

— Хрен с ним, пускай едет. Времени нет!

В любой другой день Баринов велел бы развернуться и гнать за грузовиком. Но в этот раз Яков Степанович решил не связываться — он мысленно был где-то далеко... Встретится еще этот козел, я его номер запомнил. Не хочу портить себе настроение перед отпуском.

Белая «вольво» со свистом рассекала воздух, заставляя попутные машины уступать дорогу.

— Не гони ты так! — неожиданно запротестовал Баринов. — Мне еще пожить охота.

Хруль съехидничал:

— Что-то вы, Яков Степанович, перед отпуском больно осторожным стали.

Баринов задержал на Хруле строгий взгляд и заметил:

— А я, Семен, всегда стараюсь быть осторожным, вот и тебе то же советую.

— Артем, притормози вон у того лесочка, отлить надо, — сказал Хруль.

— Понял, — отозвался водитель и включил правый поворотник.

— А вы не желаете, Яков Степанович? За компанию?

— Пожалуй, не помешает, — согласился Баринов и посмотрел на часы.

Яков Степанович терпеливо дождался, пока из машины выйдет Артем Козырев. Проследил взглядом, как он обежал «вольво» спереди, взялся за ручку дверцы и любезно ее распахнул:

— Прошу вас!

Баринов вальяжно вышел из машины и направился к низкорослому ельнику метрах в десяти от шоссе. Он чертыхнулся, когда иголки остро, словно пчелиные жала, впились в шею. Баринов расстегнул молнию на ширинке и повернулся спиной к спутникам.

— Вот так и стой, полковник, с хером наперевес, — услышал он вдруг сзади насмешливый голос Хруля.

— Что?! — обернулся Баринов.

За спиной, дерзко ухмыляясь, стоял Хруль. В руке он держал черный «глок» с глушителем. Чуть в стороне маячил Артем Козырев.

— Ты заигрался, полковник!

— Брось! Эта игрушка может и выстрелить, — голос Баринова дрогнул.

— Руки держи там, где держишь! — сурово предостерег Хруль и уже со смехом добавил: — Если, конечно, не хочешь остаться без мошонки.

— Ты можешь мне объяснить, что происходит?

— А что тут объяснять, Яков Степаныч. Считай, что ты уже покойник, такова воля нашего хозяина.

Баринов так и стоял с расстегнутыми штанами, не смея шевельнуть пальцем.

— Послушай, Семен, не дури! Я тебе денег дам. Много денег. Гаврилову скажешь, что кокнул меня, в лесу закопал... А я уеду из Питера, и мы забудем обо всем...

— Я ведь не жадный. Мне ведь вполне хватит оклада начальника службы безопасности «Петротранса». Сколько ты получал в месяц? Пять—десять тысяч баксов? Вот и я столько буду иметь. А шефа обманывать я не хочу. Он мне на твой счет четкие ЦУ дал.

— Послушай, Семен, неужели ты забыл, что всем обязан только мне! Не будь меня, ты бы до сих пор в своей воинской части красным уголком заведовал!

— Вот что я давно хотел тебе сказать, Яша, да как-то все не подворачивался случай. Ненавижу я тебя вместе с твоей обо мне заботой! И мне очень приятно сознавать, что ты так и сдохнешь со спущенными штанами.

— Семен...

— Спектакль зкончился, полковник, — усмехнулся Хруль.

Он поднял руку, и «глок» трижды выстрелил. Раздались негромкие хлопки, как будто кто-то закрыл дверцу автомобиля. Баринов рухнул на колени и растянулся на земле, уткнувшись лицом в прелую хвою.

* * *

Пауза затянулась. Начальник городского управления внутренних дел генерал-лейтенант Лысенко постукивал пальцами по краю стола, выбивая нервную дробь. Решение давалось ему нелегко.

— Здесь не может быть ошибки. Сам понимаешь, такое дело... непростое, если что, хлопот потом не оберешься — все-таки сын Гаврилова.

— Никак нет, товарищ генерал-лейтенант, у меня кроме данных оперативной разработки имеются видеозаписи службы наружного наблюдения, результаты криминологических экспертиз. Сомнений нет. По крайней мере, три эпизода ему лично инкриминировали.

Генерал понимающе качнул головой:

— Да ты садись, Жарков, чего вытянулся, как солдат-первогодок, слава богу, уже майор!

— Спасибо, — произнес Гриша Жарков и опустился на предложенный ему стул.

Генерал-лейтенант Лысенко взял со стола увесистый рапорт Жаркова и принялся его листать.

— Здесь у тебя все имеется?..

— Так точно, товарищ генерал-лейтенант. Факт за фактом. В разработку он попал еще в прошлом году. Как вы знаете, операция была секретная и проходила под кодовым названием «Корона».

— Помню, помню, — отмахнулся генерал. — Только я никак не предполагал, что наша операция может зайти столь далеко. Значит, из всего этого следует, что организатором нашумевших убийств был руководитель «Петротранса» Андрей Антонович Гаврилов?

— Точно так, товарищ генерал-лейтенант.

— Я наслышан, Жарков, о твоей дотошности, знаю, как ты умеешь рыть землю носом, иначе не поддерживал бы тебя и не выдвигал... Но ты хоть понимаешь, чем это пахнет? Гаврилов — фигура очень серьезная. Если что не так, твоя голова полетит в первую очередь. А моя — во вторую. Ну я-то ладно, свое уже отслужил, а тебя ведь без содержания могут и пнуть, да еще волчий билет в задницу воткнут.

Генерал по-отечески посмотрел на молодого майора, и тому вдруг стало ясно, что мягкая, интеллигентная внешность Лысенко обманчива: откроет генерал пасть и проглотит любого, даже не поперхнувшись.

Григорий Алексеевич выдержал суровый взгляд и произнес с достоинством:

— Ошибки быть не может. Скорее всего, ошибся наш мэр, давший зеленый свет такому проходимцу.

— Вот ты куда метишь! — крякнул генерал. — Ладно, кроме меня, тебя никто не слышит, а я свой человек.

Несмотря на внешнюю мягкость и обходительность, характер у генерал-лейтенанта был по-настоящему бойцовый. День без боя он считал напрасно прожитым, и, как правило, жертву себе он выбирал крупную — под стать своему калибру. Что касается Андрея Антоновича Гаврилова, то Лысенко давно уже к нему примеривался: не терпелось ему схватить этого папенькиного сынка за нечистую руку да и вести к стенке... Генерал за тридцатилетнюю милицейскую карьеру слопал не одну дюжину больших начальников, которые воровали по-крупному. Свои блистательные победы он описывал в блокноте. Примерно таким же образом поступает снайпер, делая после всякого удачного выстрела зарубки на прикладе.

— Ты знаешь, что службу я начинал в Комитете госбезопасности? — неожиданно спросил генерал Лысенко Жаркова.

— Так точно, товарищ генерал-лейтенант. Я даже слышал, что вас направили во внутренние органы для усиления...

— Хм, оказывается, тебе многое известно. Да что тут скрывать, — махнул рукой Лысенко, встал и прошелся по кабинету. Сейчас он напоминал могучего зверя перед решающим поединком. Теперь оставалось только задрать голову кверху, понюхать воздух и убедиться, что враг рядом.

— Ты чему это улыбаешься? — недовольно бросил он Жаркову.

— Да так, подумал, что вы ведь так же, как и я, хотите его прижать!

— Ошибаешься, майор, — укоризненно произнес Лысенко. — Не так же, как и ты. Больше! Гораздо больше! Всю эту номенклатурную сволочь я не терплю еще со времен службы у Юрия Владимировича. Теперь ответь мне: ты уверен, что не было утечки и операция пройдет абсолютно тайно?

— Так точно, товарищ генерал-лейтенант. Об истинном положении дел будет знать только мой заместитель Крылов, а он парень надежный. Остальные даже и не догадываются.

— Хорошо. Очень хорошо, — генерал Лысенко уселся за свой длинный стол. — Как думаешь действовать?

— Мне понадобится большая группа. Десять крепких ребят. Милицейский уазик.

— Я тебя понял. Значит, просишь моего благословения, Григорий Алексеевич?

— Именно так, товарищ генерал-лейтенант. — Жарков поднялся, понимая, что разговор перешел в завершающую фазу.

— Что ж, даю тебе все полномочия. И смотри у меня, если упустишь этого карася, отправлю постовым на перекресток! — серьезно пообещал Лысенко.

— Сделаю все, как надо, — так же строго ответил Жарков, отчетливо осознавая, что генерал в случае неудачи обязательно сдержит свое обещание.

***

Гаврилова вели от самой дачи три «Волги»-такси, сменяя друг друга через каждые десять километров. Связь между собой бригады поддерживали по рации. Водители-«таксисты» перестраивались на перекрестках и старались держать дистанцию от объекта в то же самое время так, чтобы машина Гаврилова постоянно находилась в поле их зрения.

Серебристый «мерседес» все время оказывался в коробочке: кроме такси сзади впереди за ним наблюдали из черной «Волги».

Филат, опершись руками о гранитные перила, стоял на набережной и задумчиво глядел на воду.

Коротко зазвонил сотовый телефон и вывел Филата из оцепенения:

— Объект проехал Дворцовый мост.

— Отлично, — отреагировал он, — продолжайте вести его дальше.

Вода в канале была грязной, в бензиновых разводах, и Филат невольно удивлялся отчаянности двух пацанов, плескавшихся возле гранитного парапета.

Филат докурил сигарету и сильным щелчком отбросил ее далеко в воду. Фильтр желтым корабликом отправился в свободное плавание.

Снова зазвонил телефон.

— Да!

— Объект приближается к месту. Все идет по плану.

— Хорошо, — сдержанно отозвался Рома. — Не расслабляться!

Гаврилов должен был подъехать к серому массивному зданию на набережной канала Грибоедова. В этом доме, в огромной угловой квартире на третьем этаже, жил его отец, председатель горкомимущества. Кроме него в подъезде дома проживали еще несколько высокопоставленных чиновников, и поэтому охрана у самого входа выглядела вполне уместно.

Филат знал, что Гаврилов приезжает сюда каждую субботу ровно к четырнадцати ноль-ноль. Он выйдет из «мерседеса», подойдет к подъезду и начнет говорить с охраной через домофон. На это уйдет минуты две-три. После чего дверь откроется с негромким щелчком, и Гаврилов войдет в подъезд. Но даже этих трех минут вполне хватит на то, чтобы снайперская винтовка Слона, сидящего на чердаке соседнего дома, проделала в виске Гаврилова дырку величиной с грецкий орех.

В сопровождении темно-зеленого джипа «мицубиси» показался бронированный «мерседес» Гаврилова. Филат развернулся, чтобы сполна насладиться предстоящим зрелищем.

Их разделяли метров двести. Гаврилов вышел из машины и уверенным шагом направился к подъезду отцовского дома.

Вой милицейских сирен мгновенно разорвал сонную тишину. И с трех сторон, в одно мгновение, моргая мигалками, к «мерседесу» подвалили три «Волги». Потом подъехал «УАЗ». На улицу высыпали парни в камуфляжной форме и в черных масках. В руках они держали автоматы «аксу».

— Милиция! Всем стоять! — Милицейские парни окружили охранников Гаврилова, наставив им в грудь стволы.

Гаврилов отнюдь не выглядел растерянным.

— Что здесь происходит? — твердо произнес он, обернувшись к черным маскам. — Я президент компании «Петротранс». Вы ответите за произвол!

— Ну, давай, ложись на тротуар! — скомандовал парень с длинными руками, очевидно, старший наряда. — Пока я тебе прикладом зубы не выбил.

— Ты, сволочь, хоть знаешь, кто я такой! — завопил Андрей Антонович, рванувшись к длиннорукому нахалу.

Но его силой уложили на асфальт вниз лицом. Следом легли на асфальт четверо телохранителей.

— Руки за голову! Ноги раздвинуть! Вот так, господин президент, — процедил сквозь зубы длиннорукий.

Двое подошедших омоновцев ладонями привычно пробежались по карманам Гаврилова.

— Не дергаться! — предупредил один из них и безжалостно надавил ботинком на затылок.

Такого поворота событий Филат никак не ожидал. Менты обошли его перед самым финишем, злорадно показав здоровенный кукиш. Рома Филатов с тоской посмотрел на соседний дом, где на чердаке затаился Слон со снайперской винтовкой. Мысленно прочертив траекторию пули, он осознал, что Гаврилов находится вне линии огня. От смертоносного подарка его оберегали две ментовские тачки с мигалками и пяток ребят в камуфляже.

В это время подъехала черная «Волга». Она остановилась на углу дома метрах в пятидесяти от Филата. Передняя дверца открылась, и на асфальт ступил молодой мужчина с тонкими чертами лица. Филат узнал его мгновенно: майор Жарков. Следак посмотрел в его сторону, и Филат не успел отвести взгляда. Глаза их на мгновение встретились. Но даже этого было вполне достаточно, чтобы понять: и Жарков узнал его и, очевидно, не был удивлен встречей.

— Как дела? — спросил Жарков одного из парней в камуфляже.

Длиннорукий омоновец подобрался.

— Идет задержание, товарищ майор!

— Послушайте, здесь какое-то недоразумение. Я президент компании «Петротранс». Я сын Антона Лавровича Гаврилова! — возмущался Андрей, продолжая держать ладони на затылке.

— Можете подняться, — великодушно разрешил Жарков.

Гаврилов встал, отряхнул с темно-синих брюк налипший мусор. Глаза его полыхали гневом.

— Я требую разъяснений! Иначе я обеспечу вам большие неприятности!

Жарков оставался невозмутимым.

— Однако вы нахал, Андрей Антонович! — укоризненно покачал он головой. — Наденьте на него наручники. Руки! — неожиданно прикрикнул майор.

Гаврилов покорно протянул ладони.

— Я это так не оставлю!

— И не рассчитывай! — усмехнулся Жарков. — В машину его!

Стоявший рядом омоновец ткнул Гаврилова кулаком в спину. Тот с обреченным видом двинулся в сторону милицейского уазика. Но даже сейчас он не утратил остатков былого величия. Андрей Гаврилов напоминал отбившегося от стада буйвола, которого шаг за шагом окружают голодные гиены.

И вдруг он резко запрокинул вверх голову, дернулся и стал заваливаться на длиннорукого омоновца. Из виска хлынула кровь.

Слон быстро собрал винтовку, сунул ее под сиденье, потом ткнул пальцем в кнопку электроподъемника. Матовое темно-серое стекло быстро поползло вверх. Теперь важно не выдать себя излишней торопливостью — он осторожно отпустил сцепление и влился в поток транспорта.

Через зеркало заднего обзора он успел заметить, как Гаврилов распластался на асфальте, нелепо забросив за голову руки, стянутые браслетами наручников.

Все было кончено.

На душе у киллера было спокойно: он выполнил приказ Варяга. От канала Грибоедова его путь лежал в аэропорт «Пулково». Там он оставит машину и ближайшим рейсом вернется в Москву.

Эпилог

Внезапно питерские дела отошли на второй план. То, что поведал Варягу Михалыч со слов своего старинного приятеля Герасима Львова, очень было похоже на правду. Варяг, собственно, уже давно ждал такого поворота событий. Ведь не зря он подозревал, что генерала Артамонова убрали с единственной целью: чтобы расчистить поле вокруг него, Владислава Геннадьевича Игнатова. Чтобы облегчить к нему доступ «сверху». Ведь на ликвидацию крупных криминальных авторитетов нужна высочайшая санкция — с бухты-барахты, по собственному почину какого-нибудь начальника ОВД такие дела не делаются. «Добро» на отстрел авторитетов — тем более смотрящих — дает если не коллегия МВД, то замминистра уж по крайней мере.

А чтобы получить «добро» на ликвидацию Варяга, его высокопоставленным противникам на Мытной и в Белом доме надо пройти по извилистой дорожке согласований. Пока был жив генерал Артамонов, осилить эту крутую дорожку им было не по зубам. А теперь оказалось по силам. И на финальной стадии своей интриги они наняли для исполнения замысла сибирского отморозка Коляна. Что ж, по-своему это умно. В любом случае можно будет все свалить на этого дурака. Он в зону пойдет — а его высокие покровители о нем и не вспомнят. Так оно часто бывает...

442

Варяг встал и пошел проверить засады в доме и вокруг него. Чутье подсказывало ему, что Колян со своей бригадой может попытаться штурмовать дом уже сегодня вечером. Или завтра утром. Что ж, бригаду сибиряка ожидала масса прелюбопытных сюрпризов...

* * *

Услышав сзади выстрел, Колян резко развернулся и мгновенно увидел черный ствол, нацеленный ему прямо в переносицу. Он сразу узнал этого грузного здоровяка с соломенными волосами: это был знаменитый снайпер Сержант. У Коляна заломило под ребром. Неужели прокололись? Он бросил взгляд за спину Сержанту: Хорек, его верный гладиатор, выронил автомат из рук и с хрипом повалился на пол, истекая кровью. А потом Колян заметил в конце коридора Варяга с еще дымящимся пистолетом.

— Ну что, Коля, отстрелялся? — насмешливо проговорил Варяг. — Бросай пушку и пошли потолкуем. — Он обратился к Сержанту: — Спасибо Михалычу — если бы старик не шепнул мне об этом хмыре, как знать, может, моя душа уже бы на небесах витала. Теперь главное выяснить, кто этого козла на меня натравил...

Уединившись в кабинете, Варяг вспомнил бледную харю Коляна и его наглое: «Ты думаешь, я тебе скажу?»

«Скажешь, сука, все скажешь, — злобно подумал Варяг, — и еще подробно напишешь обо всем в двух экземплярах». Теперь с сибирским беспредельщиком должен поработать Николай Валерьянович Чижевский. Уж отставной-то эфэсбэшник с этим отморозком разберется по первому разряду. Он свое дело знает.

Автор выражает благодарность
С. Н. Деревянко и О. А. Алякринскому
за помощь и творческое сотрудничество
при подготовке рукописи к печати.

Е. С.

Сухов Евгений Евгеньевич

Я — ВОР В ЗАКОНЕ
Стенка на стенку

Редакторы *О. Алякринский, С. Деревянко*
Ответственный редактор *В. Бармин*
Дизайнер обложки *В. Пантелеев*
Корректоры *Е. Москвина, Р. Станкова*
Тех. редактирование и компьютерная верстка *И. Белкиной*
Набор *Н. Балашовой, Н. Рыжих*

ЛР № 064267 от 24.10.95.

Подписано в печать 06.12.99. Формат 84 × 108/32.
Гарнитура «Ньютон». Печать высокая. Бумага типографская.
Печ. л. 14,0. Тираж 30 000 экз. Зак. № 3098. С-019.

Налоговая льгота — общероссийский классификатор
продукции ОК-005-93, том 2—953 000.

«АСТ-ПРЕСС»,
107078, Москва, а/я 5.

Отпечатано с готовых диапозитивов в ГМП
«Первая Образцовая типография»
Государственного комитета Российской Федерации по печати.
113054, Москва, Валовая, 28.

ЗАО «Компания «АСТ-ПРЕСС»:

Россия, 107078, Москва, Рязанский пер., д. 3
(ст. м. «Комсомольская», «Красные ворота»)
Тел./факс 261-31-60, тел. 265-86-30, 974-12-76
E-mail: astpress @ cityline.ru
http://www.ast-press-edu.ru

По вопросам покупки книг «АСТ-ПРЕСС» обращайтесь

в Москве: «АСТ-ПРЕСС.
Образование»

Офис: Москва, Рязанский пер., д. 3
Тел./факс: (095) 265-84-97,
265-83-29
e-mail: ast-pr-e@postman.ru

Склад

г. Балашиха, ш. Энтузиастов, д. 4
Тел.: (095) 521-78-37, 521-03-72

в Москве: «Клуб 36'6» —

Офис: Москва, Рязанский пер., д. 3
Тел./факс: (095) 261-24-90,
267-28-33

Склад:

г. Балашиха,
Звездный бульвар, д. 11
Тел.: (095) 523-92-63,
523-11-10

Магазин (розница
и мелкий опт):

Москва, Рязанский пер., д. 3
(ст. м. «Комсомольская»)
Тел. (095) 265-86-56

Переписка и книги—почтой:

107078, Москва, а/я 245,
«КЛУБ 36'6»

**в Санкт-Петербурге
и Северо-Западном регионе:**
«Невская книга»

Тел.: (812) 567-47-55,
567-53-30

в Киеве: «АСТ-ПРЕСС-Дикси»

Тел.: (044) 229-23-33,
228-43-59